LE TAVOLE D'ORO

Shobha Rao

Il cuore delle ragazze arde più forte

traduzione dall'inglese di
Federica Oddera

NERI POZZA EDITORE

Titolo originale:
Girls Burn Brighter

ISBN 978-88-545-1598-7

Il nostro indirizzo internet è: www.neripozza.it

A Leigh Ann Morlock

Indravalli

L'aspetto più singolare del tempio nei pressi del villaggio di Indravalli non appariva subito evidente. No, per notarlo bisognava prima inerpicarsi sulla montagna e arrivarci vicino; bisognava scrutarne l'ingresso a lungo e con decisione. Osservarne la porta. Non i pannelli scolpiti o la grana fine della loro superficie, ma il modo in cui la porta stessa si ergeva, così impavida, luminosa e solitaria. Il modo in cui sembrava levarsi alta e forte, come se fosse ancora un albero. Era il legno, ricavato da un bosco a nord-ovest di Indravalli. Un bosco coltivato da una donna anziana – un'ultracentenaria, si diceva – senza figli. Lei e il marito erano entrambi agricoltori, e quando la donna si era resa conto che non avrebbe mai messo al mondo un bambino, aveva cominciato a piantare alberi per avere qualcosa di cui prendersi cura, per occuparsi di creature fragili e belle. Il marito aveva circondato i giovani virgulti di arbusti spinosi per tenere lontani gli animali selvatici, e poiché la regione era arida, per innaffiarli la moglie era stata costretta ad attingere l'acqua a molti chilometri di distanza. La piantagione vantava ormai centinaia di alberi, tutti robusti e ondeggianti nel vento secco.

Una volta, il giornalista di un quotidiano locale andò a intervistare la donna. Arrivò all'ora del tè e si sedette insieme a lei all'ombra di uno degli alberi, sotto le larghe foglie che stormivano alte sopra di loro. Sorseggiarono la bevanda in silenzio; persino il giornalista, dimentico delle domande, era sopraffatto dalla bellezza verde e pacata del luogo. Aveva saputo della sterilità della donna e della recente scomparsa di suo marito, e così, gentilmente, disse: «Le terranno compagnia. Gli alberi».

Gli occhi grigi dell'anziana donna sorrisero mentre rispondeva: «Oh, sì. Non mi sento mai sola. Ho centinaia di bambini».

Il giornalista scorse un'opportunità. «Perciò lei li vede come bambini?»

«Lei no?»

Silenzio. Il giornalista fissò attentamente il bosco, contemplò i tronchi massicci, ne ammirò la forza, nonostante siccità, malattie, insetti, inondazioni e carestie; li vide splendere di una luce verde-dorata, nonostante tutto. Erano radiosi persino nella calura greve del pomeriggio. «Lei è una donna fortunata» osservò «con tutti questi figli maschi».

La donna sollevò le palpebre per scrutarlo, gli occhi in fiamme, il volto raggrinzito acceso dall'ardore della giovinezza. «Sono fortunata, è vero» ribatté, «ma lei si sbaglia, giovanotto. Quelli non sono i miei figli. Neppure uno di loro. Quegli alberi» disse «sono le mie figlie».

1.

Poornima non aveva mai notato la porta del tempio, nemmeno una volta. E neanche Savitha. Ma il tempio le guardava con attenzione, inerpicato com'era sulla montagna che torreggiava su Indravalli. Il villaggio sorgeva lungo le rive del fiume Krishna, a un centinaio di chilometri dal golfo del Bengala, nell'entroterra. Sebbene si trovasse in una vallata pianeggiante, gli faceva ombra una delle montagne più imponenti dell'Andhra Pradesh, chiamata Indravalli Konda, sul cui versante orientale s'innalzava il tempio a mezza costa. L'edificio era dipinto di un bianco brillante, e a Savitha ricordava una grossa capsula di cotone. Per Poornima assomigliava alla luna piena, perennemente abbracciato dal cielo e dai rami degli alberi che lo circondavano.

Poornima aveva dieci anni quando si fermò in piedi fuori dalla capanna della sua famiglia a scrutare il tempio; si girò verso il padre, seduto alle sue spalle sulla branda di canapa intrecciata, e gli chiese: «Perché tu e Amma mi avete chiamata come la luna piena?» La madre era al telaio, al lavoro: per questo Poornima non volle disturbarla. Ma avrebbe potuto – avrebbe potuto disturbarla senza pensarci due volte, gettandole le braccia al collo e inspirando ogni traccia del suo profumo – se avesse saputo che sarebbe morta nel giro di cinque anni. Il padre invece non alzò neppure gli occhi a quella domanda. Continuò semplicemente ad arrotolare il tabacco. Forse non aveva sentito. Perciò Poornima ricominciò: «Nanna, perché tu...»

«È pronta la cena?»

«Quasi».

«Quante volte te lo devo dire di preparare tutto per quando rientro?»

«Mi avete chiamata così perché sono nata in una notte di luna piena?»

Il padre si strinse nelle spalle. «Non credo».

Allora Poornima immaginò il viso di un neonato e aggiunse: «Avevo la faccia tonda come la luna?»

Il padre sospirò. Poi rispose: «Tua madre aveva fatto un sogno, pochi giorni dopo la tua nascita. Nel sogno le era apparso un sadhu: se ti avessimo chiamata Poornima, aveva detto il sant'uomo, dopo di te avremmo avuto un maschio».

Poornima guardò il padre mentre si accendeva la sua beedie, poi rientrò nella capanna. Non domandò mai più niente sul proprio nome. Nelle notti di plenilunio, si sforzava di non sollevare nemmeno lo sguardo. È solo una pietra, concluse, una grossa pietra grigia nel cielo. Ma non era facile dimenticare. Dimenticare quella conversazione. A volte riaffiorava come dal nulla, mentre assaggiava il sambar per controllare il sale, per esempio, o mentre serviva il tè al padre. Il sadhu aveva ragione, naturalmente: Poornima aveva tre fratellini. Dunque che motivo c'era di essere tristi? Nessuno, nessunissimo. In alcuni momenti provava persino un certo orgoglio, e si diceva: ero la loro speranza, e l'ho concretizzata. Pensa se non fosse andata così. Pensa se non ci fosse stata speranza.

A quindici anni, Poornima raggiunse l'età giusta per sposarsi, e smise di frequentare la scuola cattolica. Nelle ore libere iniziò a sedersi al filatoio, il charkha, per dare una mano in casa. Per ogni rocchetto che completava – il filo ora rosso, ora azzurro, ora d'argento – guadagnava due rupie, una cifra che a lei pareva una fortuna. E in un certo senso lo era davvero: per l'inizio delle mestruazioni, a tredici anni, aveva ricevuto in dono il capo di abbigliamento più costoso che avesse mai indossato, un langa di seta pagato cento rupie. Riuscirei a raggranellarle in meno di due mesi, pensava stupita. E poi, il fatto che lei, una ragazza, fosse capace di guadagnare qualcosa, qualsiasi cosa, la colmava di un senso d'importanza, di valore, così profondo e persistente da indurla a sedersi al charkha ogni volta che ne aveva l'opportunità. Si alzava presto al mattino per filare, poi si rimetteva al lavoro dopo aver lavato i piatti della colazione, dopo aver preparato e servito il pranzo e poi di nuovo dopo cena. Nella capanna non c'era elettricità, per cui filare era una gara contro il sole. Nelle notti di luna piena poteva andare avanti a lungo, ma capitavano solo una volta al mese. Perciò nella maggior parte delle sere, al calar del buio, Poornima riponeva il charkha, guardava con impazienza la falce di luna, la mezzaluna o la luna gibbosa e si lamentava: «Perché non puoi essere sempre piena?»

Ma la luce del sole e quella della luna non erano le uniche preoccupazioni di Poornima. L'altra, la più importante, era la malattia della madre. Cancro, a quanto era riuscito a capire il medico all'ospedale americano di Tenali. Le medicine erano care, e il dottore aveva prescritto una dieta a base di frutta, fresca e secca, altrettanto costosa. Il padre, che tesseva al telaio a mano i sari di cotone per cui era famosa la zona del loro distretto, quello di Guntur, riusciva a malapena a sostentare la moglie e i cinque figli con il riso e le lenticchie che il governo distribuiva a prezzo ridotto, e non poteva certo permettersi il lusso di comprare frutta e noccioline. Poornima invece non se ne dava pensiero. Si godeva – no, non si limitava a goderselo, se ne deliziava, addirittura lo assaporava – il cibo che era in grado di comprare ogni giorno alla madre: due banane, una piccola mela e una manciata di anacardi. Lo assaporava, ma non perché effettivamente lo mangiasse. Non ne assaggiava mai neppure un boccone, sebbene una volta la madre l'avesse esortata ad accettare un anacardo, ma lei, appena la mamma si era voltata, si era affrettata a rimetterlo nel mucchio. No, Poornima assaporava quel cibo guardando la madre che mangiava adagio le banane, spossata persino dal masticare un frutto così tenero; eppure lei la osservava con un tale fervore, con una tale speranza da convincersi di riuscire a vedere che stava recuperando le forze. Come se la forza fosse un seme. E lei non dovesse fare altro che aggiungervi quelle due rupie di cibo per guardarlo germogliare.

Poornima arrivò al punto di guadagnare quasi quanto il padre. Prendeva le matasse di filato grezzo, non separato e ammonticchiato in fasci spessi, e usando il charkha si metteva all'opera per dividerlo e avvolgerlo intorno a un cilindro di metallo. Una volta, vedendo il filo avviluppato intorno al cilindro, pensò che sembrava proprio una minuscola botte di legno, grande quasi quanto la testa del suo fratellino più piccolo. Quel filo alla fine sarebbe approdato al telaio dove il padre tesseva i sari. Subiva altri trattamenti prima della tessitura, eppure Poornima era convinta di poter individuare le lunghezze che aveva filato lei. I cilindri intorno ai quali le aveva avvolte. Se l'avesse confidato ad altri, le avrebbero riso in faccia – i cilindri sono tutti uguali, le avrebbero detto – ma non era vero. Le sue mani li avevano toccati, conoscevano i punti in cui erano ammaccati, i loro contorni, i motivi disegnati dalla ruggine. Li aveva stretti fra le dita, e lei credeva che gli oggetti maneggiati da una persona non venissero mai lasciati andare davvero. Come la piccola sveglia ricevuta in regalo dalla sua insegnante quando aveva lasciato la scuola. Aveva un quadrante azzurro tondo, quattro piedini e due campanelli che suonavano allo scoccare dell'ora. Nel consegnargliela, l'insegnante, una suora cattolica vecchia e inacidita, aveva osservato: «Adesso ti cercheranno un marito, immagino. E ti ritroverai con un bambino all'anno per i prossimi dieci. Tieni questa. Tienila stretta. Ora non capisci quello che ti voglio dire, ma forse un giorno lo capirai». Poi aveva caricato il meccanismo e l'aveva fatta suonare. «Questo suono» aveva aggiunto «ricordatelo: questo suono è tuo. Tuo e di nessun altro». Poornima non aveva idea di cosa significassero i discorsi della vecchia suora, ma quello dell'orologio le era parso il suono più meraviglioso che avesse mai udito.

Si portava la sveglia dappertutto. La metteva accanto al charkha mentre lavorava. La piazzava vicino al piatto quando mangiava. La appoggiava di fianco alla stuoia dove dormiva. Finché un giorno, all'improvviso, aveva smesso di suonare, e il padre aveva esclamato: «Finalmente. Credevo che quell'affare non si sarebbe più fermato».

Qualche mese dopo, la madre di Poornima era morta. Lei aveva appena compiuto sedici anni – era la maggiore dei cinque figli – e veder morire la madre era stato come guardare il cielo azzurro diventare grigio. A mancarle di più era la sua voce. Echeggiava dolce, flautata e calda tra le pareti della piccola capanna rosicchiate dai topi. A Poornima piaceva sentirsi chiamare da una voce così bella, le piaceva che la voce della madre interrompesse le ore interminabili, tutte quelle ore che non valevano altro che due banane, una mela e una manciata di anacardi. La voce di sua madre era capace persino di far sembrare quelle povere cose la fortuna di un sovrano. E adesso Poornima aveva perduto sia lei che la sveglia.

Dopo la morte della madre, rallentò il ritmo del lavoro al charkha; le capitava addirittura di riporlo nel bel mezzo della giornata, per poi fissare le pareti della capanna pensando: Dimenticherò la sua voce. Forse era a questo che intendeva alludere la vecchia suora, al rischio di dimenticare un suono che non udiamo ogni giorno. Non credo che mi succederà subito, ma mi succederà. E allora avrò perso tutto. Una volta pensato questo, capì di dover ricordare qualcosa di più di una voce, doveva fissare un momento. Quello che le riaffiorò alla memoria fu una mattina in cui la madre, durante la sua malattia, si era sentita abbastanza in forze per pettinarle i capelli. La giornata era luminosa e assolata, e i colpi di pettine erano così delicati e leggeri da dare a Poornima l'impressione che a maneggiarlo non fosse una persona, ma un uccellino appollaiato sul manico. Dopo tre o quattro colpi la madre si era fermata all'improvviso. Aveva appoggiato per un attimo la mano sul capo della figlia, e Poornima si era girata, sorprendendola con gli occhi colmi di lacrime. La madre le aveva restituito lo sguardo e con una tristezza che suonava antica e sconfinata le aveva detto: «Poornima, sono troppo stanca. Sono così stanca».

Quanto tempo era passato da allora prima che morisse?

Tre mesi, forse quattro, calcolò Poornima. Si erano svegliati un mattino e l'avevano trovata con gli occhi aperti e vuoti e senza vita. Eppure lei non era riuscita a piangere. Non aveva pianto quando aveva aiutato a lavare e vestire la salma. Né quando suo padre e i suoi fratelli l'avevano trasportata, cosparsa di gelsomini, lungo le strade del villaggio. E neppure mentre la pira funebre bruciava trasformandosi in un mucchio di cenere fredda. Né quando aveva infilato l'ultimo crisantemo nella ghirlanda appesa al ritratto incorniciato della madre. Soltanto più tardi, uscendo di prima mattina in quella fresca giornata autunnale, era riuscita a piangere. O almeno ci aveva provato. Poche misere lacrime, ricordava. All'epoca si era sentita una cattiva figlia per la mancanza di pianto, di singhiozzi, eppure, nonostante la tristezza, nonostante la profondità del suo dolore, non aveva potuto spremersi che una lacrima o due. Un vago arrossarsi degli occhi. «Amma» aveva detto guardando il cielo, «perdonami. Non è che non ti voglio bene. O che non mi manchi. Non capisco: tutti gli altri piangono. A dirotto. Ma le lacrime non sono l'unica misura della sofferenza, vero?»

Ciò nonostante, quanto aveva immaginato si avverò: col passare dei mesi dimenticò la voce della madre. Ma quello che continuò a ricordare, l'unica cosa che le rimase davvero impressa nella memoria fu la consapevolezza che per un attimo – mentre le pettinava i capelli – la madre le aveva posato la mano sul capo. Il più lieve dei gesti, eppure Poornima lo sentiva, sempre: il peso della mano di sua madre. Un peso così delicato e impalpabile da sembrare il picchiettio della pioggia dopo una calda giornata estiva. Un peso così tenue e stanco, ma tanto carico di forza da pulsarle nelle vene come sangue.

Il peso più bello che potesse esistere, era arrivata a questa conclusione.

Una volta al mese, Poornima saliva al tempio sull'Indravalli Konda a pregare per la madre. Si fermava nel vestibolo saturo d'incenso e guardava il sacerdote, sperando che gli dèi le parlassero, che le dicessero che la sua Amma era con loro. In realtà il suo più grande desiderio era quello di raggiungere il deepa, una sorta di piccola lanterna piazzata proprio in cima alla montagna. Le capitava di starsene in piedi davanti alla capanna a guardarlo, la domenica o nelle giornate di festa, e di vederlo brillare, lontano, giallo e baluginante, come una stella. «Chi lo accende?» domandò un giorno al padre.

«Chi accende cosa?»

«Il deepa, lassù in cima».

Seduto fuori della capanna dopo cena, le braccia stanche e il corpo ingobbito, il padre lanciò un'occhiata all'Indravalli Konda e disse: «Qualche sacerdote, probabilmente. Qualche bambino».

Poornima rimase in silenzio per un istante, poi osservò: «Io credo che sia Amma ad accenderlo».

Lui la guardò. Aveva uno sguardo cupo, devastato, come se fosse appena uscito da un edificio in fiamme. Poi le chiese il tè. Quando Poornima glielo portò, le disse: «Mancano ancora dieci mesi».

«Dieci mesi?»

«Alla cerimonia del primo anniversario».

A quel punto, Poornima capì. Dopo un lutto in famiglia era di cattivo auspicio celebrare qualsiasi festa, a maggior ragione un matrimonio, per un anno intero. Erano trascorsi due mesi dalla morte della madre. Di lì ad altri dieci, intendeva dire il padre, Poornima si sarebbe sposata.

«Ho già parlato con Ramayya. Poco lontano di qui vive un contadino. Possiede alcuni acri di terra, ed è un buon lavoratore. Ha anche un bufalo, una vacca, qualche capra.

Però non vuole aspettare. Ha bisogno dei soldi subito. Ed è preoccupato che tu non voglia diventare la moglie di un agricoltore. Io l'ho detto a Ramayya, gli ho detto: "Guardala. Dalle solo un'occhiata. È forte come un bue, è un bue. Dimentica i buoi, basterà lei ad arare i campi"».

Poornima annuì e tornò nella capanna. In casa c'era solo un piccolo specchio col manico; non riusciva a vedersi nemmeno tutta la faccia se non lo reggeva a distanza di braccio, ma se lo avvicinò al volto, vide un occhio, un naso, e poi lo abbassò all'altezza del collo, del seno e dei fianchi. Un bue? Fu invasa da un'improvvisa tristezza. Non avrebbe saputo dire perché. Non importava il perché. Era infantile sentirsi tristi senza nessun motivo. Sapeva soltanto che se sua madre fosse stata viva, con ogni probabilità a quell'ora lei avrebbe già avuto un marito. Forse sarebbe stata incinta, o con un bambino piccolo. Nemmeno questa era una ragione per essere tristi. Ma quel contadino la preoccupava. E se l'avesse costretta sul serio a tirare l'aratro? E se la suocera fosse stata una donna cattiva? Se lei avesse messo al mondo solo femmine? Poi udì la voce della sua Amma. Non è ancora accaduto nulla di tutto questo, la sentì dire. Dopo di che aggiunse: è già tutto scritto nelle stelle, Poornima. Dagli dèi. Non possiamo cambiare nulla. Perciò che importanza ha? Perché preoccuparsi?

Aveva ragione, naturalmente. Eppure quella sera, quando si coricò sulla stuoia, Poornima pensò al contadino, pensò al deepa sulla cima dell'Indravalli Konda, pensò alla bellezza. Se avesse avuto la carnagione più chiara, i capelli più folti o gli occhi più grandi, forse il padre le avrebbe trovato uno sposo migliore: uno che desiderasse una moglie e non un bue. Una volta, durante una visita di Ramayya a suo padre, aveva udito il sensale che diceva: «La tua Poornima è una buona lavoratrice, ma sai come sono i giovani di oggi, vogliono ragazze moderne. Ragazze alla moda». Alla moda? Poi pensò alla madre; pensò ai suoi ultimi giorni di vita, passati a contorcersi dal dolore; pensò al peso della sua mano sul proprio capo; e infine pensò alle due banane, alla mela e alla manciata di anacardi, e quasi fosse quello il momento atteso dal suo cuore, lo sentì spezzarsi e cominciò a versare tante di quelle lacrime da temere che non si fermassero più. Pianse in silenzio, sperando che il padre e i fratelli addormentati non la sentissero; la stuoia sulla quale giaceva s'inzuppò al punto che avvertì l'odore della terra bagnata sotto di sé, come dopo la pioggia. Alla fine il suo corpo era così spossato dai singhiozzi, così prosciugato di ogni sentimento, così squisitamente vuoto che Poornima sorrise e piombò in un sonno profondo e senza sogni.

2.

Accadde all'incirca in quel periodo, più o meno quando morì la madre di Poornima. La madre di Savitha, assai più anziana e molto più povera di quella di Poornima, ma che non era mai stata malata neppure per un giorno, andò dalla figlia maggiore, di diciassette anni o giù di lì, e le confessò che non avevano niente da mangiare per cena.

«Niente da mangiare?» ripeté Savitha, sorpresa. «E le venti rupie che ho guadagnato ieri con i fagotti?» Alludeva agli involti di carta e plastica di recupero che aveva raccolto alla discarica fuori dal villaggio, accanto al cimitero cristiano. Per mettere insieme quelle venti rupie ci aveva impiegato tre giorni, passati a strisciare sui rifiuti putrefatti, marci e fetidi, contendendoseli con altre persone, oltre a cani e maiali.

«Se l'è prese Bhima».

«Se l'è prese?»

«Gliene dobbiamo altre trenta».

Savitha sospirò, e sebbene il sospiro fosse lento e profondo, la sua mente era vigile e veloce. Pensò alle tre sorelle minori, anche loro impegnate a perlustrare i mucchi d'immondizia; alla madre, che faceva le pulizie nelle case altrui; e al padre, che dopo anni di alcolismo aveva smesso di bere quando la sua artrite reumatoide si era aggravata al punto da impedirgli di reggere in mano un bicchiere. Forse lui sarebbe riuscito a ottenere un po' di elemosina dal sacerdote del tempio, dove mendicava quasi ogni giorno, ma sarebbe bastata a malapena per lui, non certo per sfamare la moglie e le quattro figlie. Savitha aveva anche due fratelli più grandi, entrambi partiti per Hyderabad in cerca di lavoro con la promessa di spedire soldi a casa, per quanto non fosse arrivata neanche una lettera da parte loro nei due anni trascorsi da quando se n'erano andati.

Si fermò in piedi al centro della misera capanna e si chiese come fare a raggranellare qualche rupia. Poteva raccogliere spazzatura, cosa che evidentemente non le permetteva di guadagnare a sufficienza. Poteva cucinare e fare le pulizie come la madre, anche se a Indravalli non c'erano abbastanza famiglie ricche nemmeno per garantire un impiego a lei. Poteva lavorare al charkha e al telaio, visto che in fin dei conti apparteneva alla casta dei tessitori. Ma il ricavato dalla vendita dei sari diminuiva ogni anno e, dato lo scarso profitto, se una famiglia possedeva un charkha o un telaio manteneva l'attività all'interno del nucleo familiare, in modo da tenere per sé anche il denaro. Savitha guardò il loro charkha, rotto, coperto di ragnatele, gettato in un angolo della capanna come un mucchio di legna da ardere in attesa del fiammifero. Ormai erano cinque anni che non riuscivano a trovare i soldi per ripararlo. Se solo lo mandassimo ad aggiustare, pensò, potrei racimolare più soldi. Ovviamente era ben consapevole dell'assurdità di quell'idea: le occorrevano soldi per fare soldi.

Ah, ma il filo! Stringerlo di nuovo tra le dita...

Ricordava ancora la sensazione delle capsule di cotone nelle sue manine di bambina e lo stupore che quell'assurdo batuffolo di lanugine, pieno di semi scuri e ostinati, potesse trasformarsi in una cosa bella, liscia, piatta e morbida come un sari.

Da capsula a telaio a tessuto a sari, pensò.

Si allontanò dalla capanna buia, dal charkha rotto e dalla madre, che fissava apatica le stoviglie e le pentole vuote, e andò al villaggio. Superò le baracche delle lavandaie, la stazione ferroviaria, la bottega del tabacco, quella del droghiere, quella dei sari e quella del sarto, superò anche il tempio di Hanuman, al centro di Indravalli, e si ritrovò davanti al piccolo cancello della cooperativa dei tessitori. Udì delle voci e il ronzio di un ventilatore. E proprio là, avvicinando la faccia al cancello, riuscì ad avvertire il lieve aroma della stoffa nuova, un miscuglio di riso appena cotto, pioggia primaverile, legno di tek e un non so che di quei semi caparbi, così determinati a non cedere. Più ammaliante per lei – quel vago sentore, presto disperso nel vento – del più profumato dei fiori.

Senza quasi pensarci, aprì il cancelletto cigolante con un gesto deciso ed entrò.

Il padre di Poornima possedeva due telai. Quello al quale lavorava lui e quello che usava la moglie. Entrambi impiegavano due o tre giorni a completare un sari, ma ormai, con una sola persona a tessere, la produzione si era dimezzata. Il che significava metà del guadagno. Poornima aveva troppo da fare con il charkha e le faccende di casa per sostituire la madre al secondo telaio; i fratelli minori e la sorella erano troppo piccoli per arrivare ai pedali, perciò il padre si mise a cercare un aiuto all'esterno della famiglia. Chiese a tutte le persone che conosceva, s'informò alla bottega del tè che frequentava la sera, andò alla cooperativa dei tessitori e annunciò di essere disposto a offrire un quarto del ricavato da ogni sari oltre al vitto. Non ci furono candidati. Il villaggio di Indravalli contava per lo più fabbricanti di sari, e la maggior parte dei giovani era già impegnata a contribuire all'attività delle rispettive famiglie. A quanto si diceva, l'origine di Indravalli risaliva all'era della dinastia Ikshvaku, e fin da allora i suoi abitanti si erano dedicati alla tessitura: nei tempi antichi per le corti reali, in epoca moderna solo per produrre sari indossati dai contadini e, occasionalmente, dalle élite intellettuali. Il movimento Quit India, insieme all'immagine di Gandhi seduto al charkha impegnato a filare, e all'ideale della tessitura a mano da lui introdotto, aveva migliorato considerevolmente le prospettive del villaggio, soprattutto negli anni che avevano preceduto l'indipendenza. Ormai però era il 2001, l'inizio di un nuovo secolo, e i giovani di Indravalli nati nella casta dei tessitori, alla quale appartenevano anche Poornima e i suoi, faticavano a mantenere le proprie famiglie. In effetti, molti di loro avevano abbandonato il mestiere tradizionale per dedicarsi ad altre occupazioni.

«Tessere significa morire. È la morte» diceva il padre di Poornima. «Ho sentito dire che al giorno d'oggi esistono complessi macchinari per produrre stoffe». Era questo il motivo per cui stava cercando di darla in moglie a un contadino, Poornima lo sapeva. Suo padre rise amaramente e osservò: «Avranno pure inventato una macchina per fabbricare tessuti, ma chissà se riescono a inventarne una per coltivare cibo».

Anche Poornima rise. Però lo ascoltava a malapena. Stava pensando che se fosse riuscita a convincerlo a comprare più cherosene, avrebbe potuto tessere di notte, alla luce delle lanterne, così non ci sarebbe stato più bisogno di assumere nessuno.

La settimana successiva, una ragazza si affacciò alla soglia della capanna. Poornima, che stava cucinando, alzò gli occhi. Non riusciva a vedere il volto della sconosciuta – aveva il sole alle spalle – ma dalla sua figura, dal modo in cui si chinava sotto la bassa porta, con la grazia di una palma forte e ondeggiante, capì che era giovane. La voce confermò la sua supposizione, sebbene suonasse più gentile e più matura di quanto lei si aspettasse. «Tuo padre?»

La ragazza invece vedeva bene Poornima. «Torna nel pomeriggio» le rispose lei socchiudendo le palpebre. «Sarà a casa prima che faccia buio». Si girò e allungò il braccio per togliere il coperchio dalla pentola del riso; mentre lo prendeva, il bordo le scottò un dito. Ritirò la mano di scatto – il polpastrello si stava già arrossando – e s'infilò il dito in bocca. Quando sollevò di nuovo lo sguardo, la ragazza era ancora sulla soglia. Poornima esitò, e le si riaffacciò alla mente l'immagine della palma: adesso però vedeva una pianta immatura, solo un virgulto, incerto sul lato dal quale piegarsi, su dove sarebbe sorto e tramontato il sole, sulla direzione giusta in cui ci si aspettava che crescesse. «Sì?» le disse Poornima, colta di sorpresa dal fatto che fosse rimasta lì.

La ragazza scosse la testa, o così parve, poi si allontanò. Poornima restò a fissare il punto in cui si trovava fino a poco prima. Dov'era andata? Quasi balzò in piedi per seguirla. La sua assenza sembrava aver creato una specie di vuoto: all'ingresso della capanna, e nella capanna stessa. Ma perché? Chi era quella ragazza? Poornima non lo sapeva; non le sembrava di averla mai vista né al pozzo dove andava ad attingere l'acqua né tra le coetanee del quartiere. Immaginò che stesse al tempio e fosse venuta a chiedere un'offerta, o che si trattasse semplicemente di un'ambulante, passata a vendere verdure. Poi sentì l'odore del riso bruciato e si dimenticò di lei.

Una settimana dopo, la ragazza sedeva al telaio di sua madre: Poornima capì che era lei perché la stanza si riempì di nuovo. Aveva dimenticato che fosse vuota. A riempirla non era un corpo, un odore o una presenza: questo valeva per il padre, seduto all'altro telaio. No, lei l'aveva colmata con un'improvvisa consapevolezza, un senso di rinascita, anche se il sole era sorto ormai da ore. Poornima posò una tazza di tè accanto al telaio del padre, che le lanciò un'occhiata e disse: «Prepara un piatto in più per pranzo».

Poornima si girò per andarsene. Si ritrovò alle spalle della nuova venuta. La ragazza indossava un sari di cotone da quattro soldi; il corpetto era logoro, anche se la stoffa era ancora di un azzurro vivido, il colore del fiume Krishna all'ora del crepuscolo. Sull'avambraccio destro spiccava una grossa voglia rotonda, sul lato interno del polso. Sorprendente, perché si trovava nel punto esatto in cui sembravano incrociarsi le vene prima di riversarsi nella mano. In effetti, la voglia pareva riunirle come un nastro che lega un mazzo di fiori. Un mazzo di fiori? Una voglia? Poornima distolse lo sguardo, imbarazzata. Mentre le passava davanti, la strana ragazza tirò all'infuori, verso di lei, il tacchetto del telaio, e in quel momento Poornima non riuscì a evitarlo: le vide la mano. Di gran lunga troppo grande per la sua corporatura esile, era una mano più adatta a un uomo, ma delicata, com'era stata delicata la sua voce. Tuttavia a colpire davvero Poornima fu la forza, la fermezza con cui quella mano impugnava il tacchetto, quasi non intendesse più lasciarlo andare. Sembrava che fosse il centro stesso del suo corpo a tirarlo. A tenerlo stretto. Poornima rimase sbalordita. Non avrebbe mai creduto che una mano potesse fare una cosa del genere: contenere tanta determinazione.

Fu quella sera, dopo cena, che suo padre menzionò la ragazza per la prima volta. Il deepa sull'Indravalli Konda era spento, e Poornima stava mettendo a letto i suoi fratelli. Il più piccolo aveva appena sette anni, la sorella undici e i due gemelli dodici. Erano bambini abbastanza buoni, ma a volte Poornima pensava che potesse essere stata la fatica a uccidere la madre. Stava srotolando le stuoie ed esortando uno dei gemelli a non tirare i capelli alla sorella, quando il padre, arrotolandosi il tabacco, disse: «Tu mangia con lei. Assicurati che non prenda più della sua parte».

Poornima si voltò. «Chi?»

«Savitha».

Dunque era quello il suo nome.

Poornima s'immobilizzò, una stuoia srotolata a metà. «Non sono riuscito a trovare nessun altro» continuò il padre, coricato a fumare sulla branda di canapa intrecciata. «A sentire quelli della cooperativa dovrei essere soddisfatto. Come se la pagassi poco. È lei che farebbe bene a essermi grata. Suo padre, il vecchio Subbudu, riesce a stento a sfamare se stesso, figurati a mantenere quella disgraziata della moglie e le loro quattro figlie». Sbadigliò. «Spero non sia debole come sembra».

Ma Poornima, che sorrideva nel buio, sapeva che non lo era.

All'inizio Savitha rimaneva in silenzio di fronte a lei. Poornima pensava che fosse più grande di un anno o due, sebbene né l'una né l'altra conoscesse con esattezza la propria età. Nel villaggio si registravano solo le date di nascita dei maschi. Tuttavia, quando un giorno Poornima glielo chiese mentre pranzavano, Savitha le riferì quanto le aveva detto la madre: che era nata il giorno di un'eclissi solare. Durante il travaglio, le aveva raccontato, nel guardare fuori dalla finestra aveva visto il cielo oscurarsi in pieno giorno ed era rimasta paralizzata dal terrore. Si era convinta che stesse per partorire un rakshasa. In quel momento, aveva confidato a Savitha, tutte le doglie si erano placate, sostituite dalla paura. E se avesse davvero dato alla luce un demone? Si era messa a pregare e pregare, e poi aveva iniziato a rabbrividire, desiderando che il bambino nascesse morto. Domandandosi se avesse dovuto ucciderlo con le sue mani. Sarebbe stato meglio così, aveva detto a Savitha, piuttosto che scatenare la malvagità nel mondo. Chiunque avrebbe fatto lo stesso, aveva aggiunto. Ma poi l'eclissi era finita ed era nata la sua bambina, una normale bimbetta gorgheggiante.

«Tua madre avrà provato un gran sollievo» commentò Poornima.

«In realtà no. Ero comunque una femmina».

Poornima annuì. Guardò Savitha che mangiava. Aveva un appetito robusto, ma non più di qualsiasi altro tessitore che lavorasse dodici ore al giorno al telaio.

«Per questo mi hanno chiamata Savitha».

«Cosa vuol dire il tuo nome?»

«Secondo te? Mia madre pensò che se mi avesse dato il nome del sole, sarebbe riuscita a evitare che sparisse di nuovo». Leccò il rasam rimasto sulle dita, con la voglia sul polso che ondeggiava come un'amaca tra la bocca e il piatto, e poi chiese una seconda porzione di riso da mangiare con lo yogurt.

«Vuoi il sale?» le domandò Poornima.

«Mi piace dolce. In realtà, quello che mi fa impazzire con il riso e lo yogurt sono le banane. Ne schiaccio una e la mescolo col riso. Non fare quella faccia. Non prima di assaggiarla, almeno. Ha lo stesso sapore dell'alba più dolce e più bella. E non lo dico solo per via del mio nome. È davvero così; dovresti provare».

«Ma le banane...» cominciò Poornima, pensando alla madre e alle due banane che le comprava ogni giorno e che non erano servite a nulla.

«Lo so. Sono care. Ma è proprio questo il punto, Poori – ti dispiace se ti chiamo così? – non bisogna mangiarle a ogni pasto. Sono troppo buone. Troppo perfette. Vorresti forse vedere il sorgere del sole ogni giorno? Finiresti per abituartici; ai colori, voglio dire. Finiresti per girarti dall'altra parte».

«E succederebbe lo stesso con troppo riso, yogurt e banane? Finirei per girarmi dall'altra parte?»

«No. Lo mangeresti lo stesso. Solo che lo faresti senza pensarci».

Senza pensarci?

No, non era più taciturna, rifletté Poornima. Per niente. E aveva una strana ossessione per il cibo: quella faccenda delle banane e del riso e lo yogurt, il fatto di chiamarla Poori, il modo in cui si leccava le dita, come se non avesse dovuto consumare mai più un altro pasto. Suo padre le aveva detto che veniva da una famiglia povera, ancora più povera della loro, il che non era facile da immaginare. Sei figli in tutto, le aveva raccontato, e il vecchio Subbudu ormai così debole da aver rinunciato da un pezzo a sedersi al telaio. La madre puliva e cucinava in casa d'altri, né più né meno di una serva qualsiasi, aveva aggiunto in tono di scherno, e i fratelli maggiori erano partiti per Hyderabad con la promessa di spedire denaro alla famiglia, anche se finora non era arrivato nemmeno un paisa. E per di più c'erano quattro femmine da sposare. «Quattro!» aveva esclamato il padre scuotendo la testa. «Il vecchio è spacciato» aveva concluso. «Farebbe meglio a procurarsi quattro macigni e una corda e accompagnarle al pozzo più vicino».

«Savitha qual è?»

«La maggiore. Delle femmine. Non hanno nemmeno abbastanza soldi per la sua dote». Perciò anche il matrimonio di Savitha era rimandato a un futuro incerto, come quello di Poornima. Il padre aveva socchiuso gli occhi e poi aveva guardato la figlia. «Non sta mangiando troppo, eh? Non è che nasconde qualcosa per le sorelle?»

«No» aveva risposto Poornima. «Non mangia quasi nulla».

Quello che a Poornima piaceva di più di Savitha – a parte le mani – era la lucidità. Non aveva mai conosciuto nessuno – né il padre, né un insegnante, né il sacerdote del tempio – che avesse la sua stessa sicurezza. Ma sicurezza in cosa? si domandava. Nelle sue idee sulle banane col riso e lo yogurt? Sul sorgere del sole? Sì, ma non soltanto. Anche nella forza con cui stringeva il tacchetto del telaio, nella maniera di camminare, nel modo di annodarsi il sari in vita. In tutto ciò che in lei, invece, suscitava insicurezza. Man mano che trascorrevano le settimane, Savitha cominciò ad attardarsi un po' di più durante il pranzo; al mattino arrivava prima per dare una mano con le faccende, sebbene dovesse avere incombenze domestiche da sbrigare anche a casa sua. Lei e Poornima iniziarono a recarsi insieme al pozzo ad attingere l'acqua.

Un giorno, proprio mentre tornavano l'una accanto all'altra, con i vasi di terracotta pieni in equilibrio sull'anca, incontrarono una banda di quattro giovani press'a poco della loro età. Erano riuniti a fumare davanti alla bottega delle beedie, quando uno del gruppo, un giovanotto di venti o ventidue anni, esile come uno stelo di canna ma con una folta zazzera di capelli, notò Poornima e Savitha e le indicò.

«Guardate là» disse agli altri. «Guardate che fianchi. Che curve. Bellissimi esempi del paesaggio indiano».

Poi un secondo giovanotto fischiò, e un terzo, o forse era lo stesso, dichiarò: «Nemmeno Gandhi avrebbe saputo resistere». Scoppiarono tutti a ridere. «Quale volete, amici» continuò, «quella gialla o quella azzurra?»

Poornima capì che si riferiva al colore dei loro sari.

«Quella azzurra!»

«Quella gialla!» strillò un altro.

«Io vorrei essere il vaso di terracotta» disse un altro ancora, e tutti risero di nuovo.

Poornima e Savitha si resero conto che non c'era modo di aggirarli. I quattro giovani si avvicinarono e le circondarono. Formarono un cerchio poco compatto, ma minaccioso. Poornima lanciò un'occhiata a Savitha, che però guardava dritto davanti a sé, al di là dei ragazzi, come se non ci fossero nemmeno. «Cosa facciamo?» bisbigliò Poornima.

«Continua a camminare» rispose Savitha in tono deciso, con la stessa fermezza e solidità del tempio sull'Indravalli Konda sul quale sembrava fissare lo sguardo.

Poornima la guardò e poi si contemplò i piedi.

«Non abbassare gli occhi» disse Savitha. «Guarda su».

Poornima sollevò adagio le palpebre e vide che adesso i ragazzi formavano un gruppo compatto. Saltavano su e giù come grilli; uno di loro afferrò il pallu di Savitha e lo tirò con violenza. Lei gli allontanò la mano con un colpo secco. Quella reazione suscitò un lungo coro di schiamazzi, altri balletti e altre risate, come se la pacca fosse stata un invito. Poornima era consapevole , se pur vagamente, che c'erano altre donne in piedi sulla soglia delle rispettive capanne. Ragazzate, dovevano pensare quelle donne, scuotendo il capo. Poornima fu colta da un panico crescente; episodi del genere erano comuni al villaggio, ma di solito gli uomini rinunciavano dopo un paio di battute e qualche strizzatina d'occhio. Questi le stavano seguendo. Ed erano in quattro. Guardò Savitha. Aveva ancora la stessa espressione determinata, e fissava dritto di fronte a sé l'Indravalli Konda e il tempio, quasi volesse perforarli entrambi con lo sguardo. Gli uomini sembrarono percepire qualcosa in lei, una sorta di sfida: e quella sfida, la sua audacia, parve imbaldanzirli ancora di più. «Darling baby» dissero in inglese, e poi aggiunsero in Telugu, «perché non scegli tu?» Si stavano rivolgendo a Savitha.

Ecco. Ecco il segnale che aspettava.

Posò a terra il vaso pieno d'acqua, raddrizzò la schiena e rimase immobile. Assolutamente immobile. La sua immobilità ne innescò una ancora più profonda. Le persone in piedi sulle porte delle case, la curva della strada che conduceva all'Indravalli Konda, le risaie tutto intorno e persino il ticchettio dei telai, onnipresente nel villaggio a qualunque ora, furono sopraffatti da una strana quiete. Si riusciva quasi a udire il Krishna, a qualche chilometro di distanza: il mormorio delle sue acque, il battito d'ali degli uccelli acquatici.

«Io lo so chi voglio» dichiarò Savitha.

Il primo ragazzo, quello magro con i capelli folti, gridò, sbraitò e saltellò intorno al circolo come un bambino. «Lo sa. Lo sa. Spiacente, ragazzi, avrete più fortuna la prossima volta».

«Chi è? Chi è?» strillarono gli altri.

Savitha li fissò uno alla volta, incrociò i loro sguardi e poi mosse un passo o due nella direzione di ciascuno, quasi per deriderli con la propria scelta; poi sorrise – il candore scintillante dei denti come quello del tempio lontano – si avvicinò a Poornima, le prese la mano e disse: «Scelgo lei». Pronunciate queste parole, raccolse il vaso dell'acqua, tirò Poornima per un braccio e la trascinò fuori dal cerchio. I ragazzi le lasciarono andare, ma fischiarono e borbottarono con rabbia. «Lei?» mugugnarono. «È più brutta di te».

Quando arrivarono a casa, Poornima tremava.

«Smettila» la esortò Savitha. «Non serve a niente».

«Non ci riesco».

«Non capisci? Avrei potuto scegliere un albero. Un cane».
«Sì, ma abbiamo rischiato che ci facessero del male».
«Io non glielo avrei permesso» dichiarò Savitha.

E così, eccole là: quelle cinque parole. Una canzone, un incantesimo. Poornima sentì alleggerirsi un peso, un peso terribile e spaventoso. A crearlo era stata la morte della madre? O il fatto di essere un bue? Oppure dipendeva da una causa meno evidente, come il passare del tempo o l'infinito girare del charkha? Anche se, a pensarci bene, erano la stessa cosa, no? Non aveva molta importanza. Lei e Savitha divennero talmente amiche che nessuna delle due riusciva a consumare un solo pasto senza chiedersi se l'altra avrebbe preferito più sale, o se le piacessero le melanzane con le patate. A un tratto la colazione diventò il loro pasto meno amato, e la domenica il meno gradito dei giorni. Poornima arrivò persino a risparmiare paisa quando ne aveva l'occasione per comprare banane appena poteva. La prima volta che lo fece, ne offrì una a Savitha per pranzo, al momento di servirle il latticello. Quella mattina non le erano bastati i soldi per lo yogurt. Savitha non parve contrariata. Aggiunse al riso il latticello acquoso con lo stesso piacere con cui ci avrebbe messo lo yogurt più denso e cremoso che avesse mai mangiato. Poornima la guardò e poi le porse la banana.
Savitha rimase sorpresa. «Sei sicura?»
«Certo. L'ho comprata apposta per te».
Savitha ne fu così felice da diventare stranamente timida. «Mia madre dice che se avessi mangiato meno banane, adesso avremmo i soldi per farmi la dote».
Poornima sorrise e abbassò gli occhi.
Savitha smise di mangiare. «Quando è morta?»
«Quattro mesi fa».
Savitha mescolò la banana col riso. Prima la sbucciò completamente, poi ne schiacciò la polpa con le dita e la aggiunse al riso. Il frutto si trasformò in un insieme di

brutti grumi sparsi sul letto di riso come grossi topi finiti a sguazzare nell'acqua. Il risultato fu un intruglio appiccicaticcio e poco invitante.

«A te piace quella roba?»

«Assaggia». Ne offrì una manciata a Poornima. Ma lei scosse la testa con energia. Savitha si strinse nelle spalle e mangiò il miscuglio di riso e banana con grande gusto, chiudendo gli occhi mentre masticava.

«Vuoi sapere cos'è ancora più buono di questo?»

Poornima arricciò il naso. «Quasi tutto, suppongo».

Savitha ignorò il commento. Si protese verso l'amica, con l'aria di rivelarle un segreto. «Non ne sono sicura, l'ho solo sentito dire, ma a quanto pare c'è questo frutto raro. Incredibile, Poori. Rosa all'interno, quasi burroso, ma con la dolcezza di una caramella. Ancora più dolce. Più buono persino delle banane, persino della sapota. Lo so, lo so, non ti sembra possibile, ma ho sentito una vecchia che ne parlava al mercato. Anni fa. Sosteneva che cresce solo su una certa isola. In mezzo al Brahmaputra. Era incantevole anche il modo in cui la descriveva. Mi ha guardata, ha guardato dritto verso di me e ha detto: "Hai presente come Krishna suona il flauto per Radha, corteggiandola al crepuscolo, proprio mentre le vacche tornano nella stalla? È questo il suono. Il suono dell'isola. Una melodia di flauti. E dovunque vai, ci sono i frutti e il canto del flauto. Che ti segue come un innamorato"».

«Ha detto così?»

«Sì».

«Come una melodia di flauti?»

«Sì».

Poornima rimase in silenzio. «Qual è il nome dell'isola?»

«Majuli».

«Majuli». Poornima ripeté la parola ad alta voce, adagio, quasi assaporandola sulla lingua. «E tu ci hai creduto?»

«Certo che ci ho creduto» rispose Savitha. «Qualcuno dei presenti no, ma io sì. Sostenevano che era una povera rimbambita, mai stata più a nord del deposito ferroviario abbandonato, altro che fino al Brahmaputra. Però avresti dovuto vedere la sua faccia, Poori. Come si poteva non crederle? Splendeva quanto una stella».

Poornima rifletté un momento, perplessa. «Ma come fa un'isola a somigliare alla melodia di un flauto? Voleva forse dire che amava quell'isola? Con lo stesso amore che Krishna prova per Radha?»

«No. Non credo».

«E cosa, allora? Quello di Krishna è un canto d'amore, in fin dei conti».

«Sì» ammise Savitha, «ma è anche un canto di bramosia, di fame».

Poornima si sentì ancora più confusa. «Di fame?»

«Forse la vecchia intendeva dire che l'isola segna la fine della fame. O il suo inizio. O forse che la fame non ha inizio. Né fine. Come il suono del flauto di Krishna».

«E l'amore?»

«Cos'è l'amore, Poori?» domandò Savitha. «Cos'è l'amore se non una forma di fame?»

3.

La settimana successiva, Savitha invitò Poornima a casa sua. Era domenica. Il padre di Poornima non ebbe nulla in contrario purché prima cucinasse, desse da mangiare ai fratelli e alla sorella e gli preparasse la stuoia e il tabacco per il sonnellino pomeridiano. Faceva caldo quel giorno; nonostante fosse solo marzo, le due ragazze dovevano già tenersi all'ombra – Savitha davanti, Poornima che la seguiva da vicino – scivolando sotto gli alberi e i tetti di paglia sporgenti delle capanne per evitare il sole. Savitha abitava dalla parte opposta del villaggio, più lontano dall'Indravalli Konda, ma più vicino al Krishna. In quella zona vivevano molti membri della casta dei lavandai, per via della prossimità dell'acqua. Nella stessa area del villaggio c'erano anche iscrizioni che risalivano all'epoca dei Chola. Ma il quartiere, situato com'era nei pressi dei binari della ferrovia, era il gabinetto principale dell'abitato, mentre le iscrizioni venivano per lo più ignorate. Eppure la maggior parte dei residenti apparteneva alla casta dei tessitori, la stessa della famiglia di Savitha.

La capanna sorgeva su una piccola cresta. La strada, più che altro un sentiero di terra battuta, era fiancheggiata da sterpi, le foglie e i rami già avvizziti e ingrigiti dalla calura. Quando Poornima si chinò a toccare una delle foglie, dalla superficie venne via una patina setosa e grigiastra, e lei capì che era la cenere prodotta dai fuochi accesi davanti alle capanne: quella gente era troppo povera per avere una zona adibita a cucina all'interno. Nei pressi delle abitazioni si ammonticchiavano cumuli di spazzatura, annusata di tanto in tanto da un cane randagio o da un maiale così affamato da affrontare il caldo. Era quasi l'ora dello spuntino pomeridiano, le quattro, eppure le case sembravano deserte. Ormai il cielo era bianco e splendeva come una pentola di rame illuminata dall'interno. Il sudore scendeva a gocce lungo la schiena di Poornima. Le aderiva al capo come un velo di vapore.

Arrivata alla capanna, si rese conto che la sua famiglia era ricca in confronto a quella di Savitha. I genitori di Savitha non potevano permettersi neppure qualche fronda di palma per coprire il tetto, costituito da una semplice lastra di metallo ondulato recuperata tra i rifiuti. I muri esterni erano intonacati con lo sterco di vacca, e davanti alla sterpaglia c'era una piccola zona di terra battuta sgombra, per quanto costellata d'immondizia: pezzi di vecchi giornali ingialliti, stracci anneriti e ridotti a brandelli, bucce di verdure troppo putride persino per i maialini che si aggiravano liberi tra una capanna e l'altra. Poornima scavalcò quel ciarpame e, quando seguì Savitha all'interno, fu colpita dall'odore. L'aria sapeva di vecchio, di panni sporchi, di sudore, di sottaceti. Sapeva di letame, fumo di legna, sporcizia. Sapeva di povertà. E disperazione. Aveva lo stesso odore di sua madre moribonda.

«Non abbiamo latte per il tè» disse Savitha. «Vuoi uno di questi?» Le offrì una scatola di biscotti chiaramente destinati solo agli ospiti. Poornima ne addentò uno; era stantio, e si disintegrò sulla lingua in una molle poltiglia gialla.

«Dov'è tua madre? E le tue sorelle?»

«Oggi la mamma cucina per la famiglia che possiede quella grande casa accanto al mercato. E nel pomeriggio le mie sorelle vanno a raccogliere» rispose Savitha.

«Raccogliere cosa?»

Savitha si strinse nelle spalle. «Di solito ci vado anch'io».

«Dove?»

«Ai margini del villaggio. Vicino al cimitero cristiano».

Poornima sapeva che là c'erano le discariche. Non i mucchietti di immondizia che costellavano il villaggio, quasi davanti a ogni soglia, ma gli enormi depositi, tre o quattro in tutto, dove alla fine venivano scaricati i mucchietti. Poornima li aveva visti solo da lontano: una remota catena di montagne innalzate sull'orizzonte meridionale, scalate soltanto dai più poveri. In cerca di pezzi di stoffa o di carta gettati via, di scarti di metallo, cibo, plastica. Di solito bambini, a quanto le risultava, ma a volte anche adulti. Ricordava che una volta la madre, passando da quelle parti, aveva detto: «Non guardare» e Poornima non aveva capito se alludesse al cimitero o ai bambini inerpicati sui cumuli di rifiuti. Ma adesso, nella misera capanna di Savitha, con la madre morta ormai da un pezzo, credette di capire. Non guardare, le aveva detto, e intendeva: non guardare né il cimitero né i mucchi d'immondizia. Intendeva: non guardare la morte, non guardare la povertà, non guardare come s'insinuano strisciando nella vita, come ti aspettano, come t'incalzano, prima di finirti.

«Ci vai anche tu?»

«Non più, adesso. Non da quando ho cominciato a lavorare per tuo padre».

Poornima guardò fuori dall'unica finestra della capanna. Si affacciava sull'Indravalli Konda; contemplò il tempio e per la prima volta si sentì orgogliosa di suo padre, che aveva dato a Savitha il modo di mantenersi, allontanandola dai cumuli di rifiuti. Non l'aveva mai considerato generoso, ma capì che la generosità poteva essere una dote nascosta, adombrata, celata da un velo di cenere, come il vero colore delle foglie sugli sterpi davanti alla capanna di Savitha. «Ma come hai imparato a tessere?» le domandò.

«I miei genitori tessevano. Mia madre ha ancora il suo vecchio charkha» rispose lei, indicando una pila di legnetti in un angolo. Inchiodato alla parete sopra il mucchio c'era un calendario con Shiva e Parvati che tenevano seduti in grembo Ganesha e Kartikeya. Accanto al charkha rotto si vedeva un grosso involto coperto da un logoro lenzuolo, o forse da uno scialle. Poche pentole e padelle d'alluminio ammaccato giacevano in un altro angolo, sotto un cesto per la verdura appeso alla parete, che conteneva un solitario spicchio d'aglio, una cipolla molliccia e una tonda zucca arancione. Poornima scorse un grumo di riso avanzato brulicante di mosche. Accanto a quei cibi pencolava una stuoia di bambù sfilacciata. «Una volta avevamo un telaio. Ma mio padre l'ha perduto a forza di bere. E avevamo una piccola bottega di beedie. Non qui. Nel centro del villaggio. Mio padre si è bevuto anche quella».

Poornima non aveva mai sentito una storia simile. La parola Telugu per indicare l'alcol era *mondhoo*, che può significare medicina ma anche veleno. Pronunciarla era considerato tabù, e non andava mai usata di fronte a donne e bambini. Si parlava sottovoce dei bevitori, che venivano considerati alla stregua dei lebbrosi, se non peggio. Trovarsi "a casa" di un ubriacone: Poornima rabbrividì. «Dov'è adesso?»

Savitha girò gli occhi verso la finestra. «Lassù, probabilmente».

Poornima seguì il suo sguardo. Vide l'Indravalli Konda, il tempio, il cielo. «Al tempio?»

«Ci va a chiedere la carità. Di solito i sacerdoti hanno pietà di lui e gli regalano mezza noce di cocco, un laddoo se è fortunato». Lo disse con tanta noncuranza che Poornima rimase sbalordita. «Questo gli basta per sopravvivere».

Restarono là entrambe a fissare il tempio. Una volta all'anno – e non era una leggenda, non poteva esserlo perché succedeva davvero, Poornima l'aveva visto con i suoi occhi – inesplicabilmente, dalla bocca della divinità usciva un rivolo di nettare. Un nettare dolce e denso, che fluiva con abbondanza. Nessuno sapeva da dove venisse, perché cominciasse a scorrere né per quale ragione si fermasse, ma Poornima si guardò intorno nella capanna di Savitha, guardò l'unico spicchio d'aglio, la cipolla mezza marcia e la zucca che, ne era certa, costituivano le uniche provviste della famiglia, forse per l'intera settimana, e pensò: Dovrebbe scorrere sempre. Se siamo veramente i figli di Dio, come sostengono i sacerdoti, perché non scorre sempre?

«Non gli darò quello che guadagno. Lui crede che lo metta da parte per la mia dote, ma non è così. Sto risparmiando per quella delle mie sorelle». Savitha si voltò verso Poornima. «Io non mi sposerò, non prima che si siano sposate loro».

«No?»

Savitha la oltrepassò con lo sguardo, come se stesse contemplando l'interno di una caverna, e ripeté: «No».

L'agricoltore non era più interessato. Mandò ad avvertire il padre di Poornima. Disse che non poteva aspettare altri otto mesi; e poi, aggiunse, aveva scoperto che sua figlia era scura come il tamarindo. Il padre di Poornima ne fu costernato. Tempestò di domande Ramayya, che gli aveva portato la notizia. «Che altro ha detto? C'è la possibilità che cambi idea? Come un tamarindo? Sul serio? Non è così scura. Tu credi che lo sia? Sono una maledizione, le figlie, la pelle scura. E se gli comprassi una capra in più? Qualche pollo?»

Ramayya scosse la testa e rispose che non c'erano speranze. Bevve un sorso di tè e dichiarò: «Troveremo qualcun altro. Ho già un'idea».

Gli occhi del padre di Poornima s'illuminarono. «Chi?»

Il giovanotto in questione viveva a Repalle. Aveva superato gli esami di ginnasio e adesso lavorava come apprendista in un negozio di sari. Padre e madre erano entrambi tessitori, ma dopo l'impiego del figlio, con la prospettiva di una futura nuora che avrebbe portato alla famiglia la dote e, c'era da sperare, un introito in più filando al charkha, stavano rallentando l'attività per concentrarsi sulla ricerca di una fidanzata. «C'è anche una figlia più giovane, perciò la situazione non è chiara» continuò Ramayya. Ovviamente si riferiva al fatto che il ragazzo non poteva prendere moglie prima che la sorella fosse sposata e sistemata. Ma secondo Ramayya, le nozze della sorella erano già fissate. Rimaneva solo da stabilire il muhurthum: la data e l'ora più propizie per la cerimonia. Il padre di Poornima ne fu contentissimo. «Allora c'è tempo in abbondanza» commentò sorridendo. «E la dote?»

Ramayya terminò di bere il tè. «Entro le nostre possibilità. In fin dei conti è ancora solo un apprendista. Una cosa alla volta, però».

Il pomeriggio dell'indomani, Poornima riferì a Savitha quello che aveva origliato. Savitha era entrata nella capanna per il pranzo. Le due ragazze mangiavano sempre dopo il padre di Poornima, che aveva chiesto una seconda porzione di curry di peperoni, lasciandone solo un cucchiaio scarso per loro. Poornima e Savitha accompagnarono il riso soprattutto con i sottaceti. «Dove hai detto che abita?»

«A Repalle».

Savitha restò in silenzio per un momento. «È troppo lontano».

«Dov'è?»

«Oltre Tenali. Sull'oceano».

«L'oceano?» Poornima non l'aveva mai visto, e lo immaginava come un campo – una risaia, pensava – con le navi in lontananza al posto delle montagne, azzurro anziché verde; quanto alle onde, ne aveva parlato con una compagna di scuola, una volta, in terza elementare. «Ma cosa sono? Che aspetto hanno?» le aveva chiesto. Sono i rutti dell'acqua, era stata la risposta dell'altra bambina, che come lei non aveva mai visto l'oceano, e somigliano a un gatto quando si stira. Un gatto? Quando si stira? Poornima era scettica. «Verrai a trovarmi?»

«Te l'ho già detto. È troppo lontano».

«Ma c'è il treno».

Savitha rise forte. Sollevò un pezzetto di peperone. «Lo vedi questo? Lo vedi questo?» e indicò il piatto di riso condito con una punta dei pomodori sottaceto dell'anno precedente. «Questo per me è un banchetto. Come credi che possa mai permettermi di comprare un biglietto del treno?»

Quella sera, Poornima si coricò sulla stuoia e pensò a Savitha. L'idea la turbava vagamente, eppure le sembrava impossibile sposare un uomo che abitava troppo lontano perché Savitha riuscisse a venire a trovarla. Perciò, in sostanza, Savitha era più importante del suo futuro marito. Poteva essere vero? Com'era accaduto? Poornima non riusciva a spiegarselo. Pensò alla luce selvaggia che a volte dilagava negli occhi dell'amica. Alla vista del tempio dalla finestra della sua capanna. Pensò a lei mentre mescolava la banana al riso col latticello, e a come, quando le aveva chiesto di assaggiarlo, avesse arrotolato tra le dita, con un largo sorriso, una grondante pallina di riso, e invece di porgergliela gliel'avesse infilata tra le labbra. Gliel'aveva messa in bocca, per cui Poornima le aveva sfiorato la punta delle dita con la lingua. Come se fosse stata una bambina piccola. Come avrebbe potuto fare Amma. Ma nel caso di Savitha non c'era la malattia ad avvelenare il gesto, non c'era la minaccia della morte; Savitha era viva, più viva di chiunque altro Poornima avesse mai conosciuto. Faceva sembrare meraviglioso ogni minimo aspetto della vita. Poornima aveva sempre anelato a qualcosa di più del ricordo di un pettine tra i capelli, qualcosa di più del suono di una sveglia azzurra o di una voce che cercava tanto spesso di richiamare alla memoria, e per lei guardare Savitha, guardare la sua gioia, era come alimentare la propria. E così, persino sbrigare le faccende quotidiane – cucinare, andare al pozzo ad attingere l'acqua, lavare i piatti, sfregare i vestiti sporchi, sedere al charkha per ore interminabili – le dava una soddisfazione improvvisa e luccicante. Forse addirittura un senso di felicità. Ma a stupirla più di tutto era la sua nuova incapacità di concepire l'esistenza senza di lei. Con chi parlava durante i pasti prima che arrivasse Savitha? Cosa faceva la domenica? Per chi cucinava? Il padre, che in genere era piuttosto lento a notare le cose, poco prima aveva osservato: «Quella Savitha sembra una brava ragazza. Grande lavoratrice, questo è certo». Poi era tornato a concentrarsi sul tabacco e aveva aggiunto: «Non bisognerebbe lasciar andare in giro una ragazza così. Bisognerebbe trovarle un marito. Quanti anni ha? Troppi, per vagabondare in questo modo, direi. Non si sa mai».

Non si sa mai, ripeté Poornima tra sé. Cosa non si sa mai?

Il padre la guardò. «Saranno qui domani. Probabilmente nel pomeriggio».

«Chi?»

«Il ragazzo di Repalle. La sua famiglia».

«Domani?»

«Ecco qua». Il padre le consegnò qualche rupia.

«Domattina manda tuo fratello a comprare qualcosa da offrire. Dei pakora, magari». Poornima lo fissò.

«Non startene lì impalata. Prendi i soldi».

Al mattino, quando glielo raccontò, Savitha si limitò a sorridere. «Non ne verrà fuori niente» disse.

«Come fai a saperlo?»

«Queste cose vanno sempre a finire così».

«Quali cose?»

Savitha indicò il cielo. «Le cose non predestinate. Falliscono ancora prima di cominciare».

«Ma... stanno arrivando. Gopi è uscito per comprare i pakora».

Savitha sorrise di nuovo. «Qualche giorno fa, stavo venendo a casa tua. Ho attraversato Old Tenali Road, la via dove passano tutti i camion diretti alla strada principale, sai? Mentre la attraversavo poco lontano dalla bottega del paan, ho sentito un botto. Un tonfo. Non mi sono preoccupata più di tanto. Però mi sono girata a guardare, e ho visto un gufo per terra. Era chiaro che l'avevano investito. Un'ala sembrava rotta, completamente fuori posto. Capisci cosa voglio dire? Pareva morto. O addormentato. Invece no, era sveglio, Poori. Sveglio. Più sveglio di qualsiasi creatura abbia mai visto. Non faceva nessun verso. Niente strida né lamenti. Gli uccelli si lamentano? In ogni caso, niente di niente. Se ne stava semplicemente là, dov'era caduto, nel bel mezzo della strada. Con le biciclette e le persone e i camion che gli sfrecciavano accanto. Uno degli autocarri gli è persino passato sopra. Ma il gufo non si è mosso. L'occhio – quello dalla mia parte – identico a una biglia. Una perfetta biglia nera e oro. Che rispecchiava ogni cosa. Mi ero avvicinata, capisci, ero china sul gufo, chiedendomi cosa potevo fare per aiutarlo. Ma cosa potevo fare? L'ala fracassata aveva un aspetto orribile. Come una giornata di solitudine. Come la fame. Eppure, mentre lo guardavo, ho capito che mi stava dicendo qualcosa. Cercava di dirmi qualcosa, te lo giuro. E sai cosa tentava di dirmi?»

Poornima non parlò.

«Cose da gufi. Cose che non potevo capire. Parole di morte, parole di moribondi, ma in una lingua diversa. Una lingua silenziosa. Però mi stava dicendo anche qualcos'altro, qualcosa per me. Diceva: L'uomo di Repalle non ha importanza. Starete insieme. Si riferiva a te e a me, ovviamente. Il fatto è questo: se due persone vogliono stare insieme, troveranno il modo. Lo creeranno. Può sembrare ridicolo, addirittura stupido, sforzarsi tanto di realizzare una cosa che in realtà dipende dal caso ed è completamente arbitraria come stare con qualcuno – quasi le parole "con" e "senza" avessero un significato di per sé – ma il gufo ha detto» e a quel punto, aggiunse Savitha, il gufo stava sospirando e forse ansimando, prossimo alla fine, «ha detto: D'altra parte è questo il problema di voi umani. Pensate troppo, non è forse così?»

«Aspetta» intervenne Poornima. «Il gufo ti ha detto tutto questo?»

«Sì».

«Perciò mi conosce? Conosce te? Conosce l'uomo di Repalle?»

«Conosceva. Probabilmente ora è morto».

«Va bene. Conosceva».

«Sì».

«Sì?»

Savitha le restituì lo sguardo, imperturbabile, e ripeté: «Sì».

La visita prematrimoniale ebbe luogo quella sera. Gli ospiti si presentarono poco dopo le sei. C'era lo sposo, apprendista nel negozio di sari, con la madre, il padre, Ramayya, uno zio e una zia, che avrebbero potuto essere anche un cugino più grande con la moglie. Difficile dirlo, e Poornima non lo seppe mai con certezza. Era nel capanno della tessitura, dove si trovavano i telai, quando arrivarono. La sorella di suo padre la stava aiutando a mettersi il sari – un capo di cotone color crema dal bordo verde, che un tempo apparteneva alla madre – e a sistemarsi una ghirlanda di gelsomini tra i capelli. Poornima se li era massaggiati con l'olio quel mattino: l'odore del cocco le profumava ancora le dita, su cui il kumkum aveva lasciato una sottile patina di polvere, come se avesse catturato una farfalla rossa. La zia le tirava i capelli mentre glieli intrecciava, strattonandone le ciocche con tanta forza che Poornima strillava di dolore.

«Zitta» la sgridò la donna. «È già andato a monte un fidanzamento. Vergogna. Che figura credi che ci faccia una ragazza in questi casi, eh? Ringrazia il dio Vishnu che quel giovanotto non ti abbia mai posato gli occhi addosso. Sarebbe stata la fine. E il tuo povero padre... Prima perde la moglie e si ritrova con cinque figli sul groppone e ora questo. Costretto a consumarsi le dita fino all'osso a forza di lavorare. Ma stavolta le cose funzioneranno. Vedrai». Le cosparse il viso con uno spesso strato di borotalco. Applicò di nuovo kumkum e kajal. Poi si tolse i braccialetti d'oro e li infilò ai polsi della nipote. «Ecco fatto» disse indietreggiando di qualche passo. «Adesso tieni lo sguardo a terra, e parla solo quando ti rivolgono la parola. Non essere petulante. E sforzati di cantare. Se te lo chiedono, canta qualcosa. Una ballata religiosa andrà benissimo. Una melodia semplice, così non combinerai pasticci».

Poornima annuì.

La zia la accompagnò fuori dal capanno della tessitura, la fece girare sul retro dell'edificio principale e la condusse nella stanza di fronte, dov'erano seduti tutti quanti. Le diede una spintarella perché prendesse posto sulla stuoia di paglia già occupata dalla madre dello sposo e da sua zia o sua cugina. Il padre dello sposo si era piazzato sulla seggiola, mentre gli altri uomini se ne stavano sul bordo della branda di canapa intrecciata. Ci fu uno scambio di convenevoli con la zia di Poornima, che la zia o la cugina dello sposo sembrava conoscere. Poi la madre del giovane allungò la mano e toccò i braccialetti d'oro. «Piuttosto sottili» commentò.

«Sì, be'» disse Ramayya in tono allegro, «possiamo parlare di tutte queste faccende più tardi».

La madre dello sposo sorrise, lasciò andare i braccialetti con riluttanza e domandò: «Qual è il tuo nome, cara?»

Poornima alzò gli occhi sulla donna che presumeva sarebbe divenuta la sua futura suocera. Era grassa, ben nutrita, con la pancia tonda e umida che sporgeva dal sari come un vaso di terracotta. Aveva le unghie e i denti gialli. «Poornima» rispose. Le piacque sentirsi chiamare cara. Ma il timbro della voce di quella donna le riuscì sgradevole e le ispirò diffidenza; era passata con troppa disinvoltura dallo spessore dei braccialetti al suo nome, come se fossero la stessa cosa, parte della stessa indagine, dello stesso scopo.

«Parlale, Ravi» intervenne la zia o la cugina dello sposo. «Chiedile qualcosa».

Il giovane sedeva sul bordo della branda; Poornima vedeva solo le sue scarpe (sandali marroni) e l'orlo dei pantaloni (grigi, a righine). Le caviglie – l'unica parte del corpo che riuscisse a scorgere – erano scure, coperte di peli folti e ispidi. «Sai cantare?» le domandò.

Poornima si schiarì la gola. Un canto religioso, si disse. Pensa a un canto religioso. Ma a quel punto nella sua mente si fece il vuoto. Non il vuoto assoluto, non proprio.

A occupare i suoi pensieri c'era il gufo. Il gufo moribondo che aveva parlato a Savitha. Cosa le aveva detto? Qualcosa a proposito di trovare un modo, di crearlo. Cos'avrebbe fatto lei a Repalle, sola, senza Savitha? Quella domanda le parve più importante di qualsiasi altra le avessero mai posto. Più importante di tutte le altre domande messe insieme. «No» rispose. «Non so cantare».

La zia di Poornima boccheggiò. «Certo che sai cantare» esclamò, ridendo nervosamente. «Ricordi quella canzone? Quella che cantiamo al tempio? Su Rama e Sita e...»

«La ricordo. La ricordo benissimo. Solo che non so cantare. Come ho già detto, non so cantare».

Ramayya si sollevò un poco dal suo posto, sgranando gli occhi. «È timida. Tutto qui. È una ragazza molto timida».

Lo sposo si schiarì la gola. La zia o la cugina osservò: «Be', non c'è problema. Saper cantare non ha poi tutta questa importanza. Sa cucinare, vero? Quanti rocchetti al giorno riesci a filare al charkha?»

«Quattro, cinque».

«Via» commentò la donna, «non è tanto male».

«Swapna ne fila otto» dichiarò la madre dello sposo. «E ha anche il bambino».

La conversazione continuò sullo stesso tono. Gli ospiti finirono di bere il tè, mangiarono tutti i pakora e gran parte dei jalebi, lasciando sul piatto solo frammenti di zucchero. Parlarono della scarsità delle piogge, e di come i treni da Repalle fossero sempre in ritardo, parlarono di quanto costavano le noccioline, i manghi e il riso, e poi parlarono del nuovo governo e del calo dei prezzi e del miglioramento nella qualità dei prodotti agricoli da quando era al potere il partito del Congresso. Dopo di che la zia di Poornima la condusse fuori dalla stanza. La sgridò, come lei si aspettava. «Sei una sciocca» le disse. «Chi la sposerà mai una come te, una ragazza tanto malvagia? Ringrazia il dio Vishnu che tua madre non sia qui. Questo l'avrebbe uccisa. Una figlia così tremenda. Non lo capisci? Il fatto che tu sappia cantare o meno non significa niente, stupida che non sei altro. Volevano solo assicurarsi che li avresti ascoltati. Che saresti stata obbediente. E ora lo sanno. Sanno che sei perfida».

Quando l'indomani Poornima glielo raccontò, Savitha scoppiò a ridere. «Perfetto! È così che si fa». Poi scostò una ciocca di capelli ricaduta sul viso di Poornima. «Perfetto. Siamo salve».

4.

Nei giorni successivi alla visita prematrimoniale, su Indravalli calò un'ondata di calura. Poornima cominciò ad alzarsi col buio per sbrigare le faccende del mattino. Attingere l'acqua al pozzo, cucinare per la giornata, spazzare, lavare i panni: bisognava fare tutto prima dell'alba. Appena il sole sfiorava l'orizzonte, appena ne lambiva la linea, la terra cominciava a bruciare come se fosse in fiamme. L'aria, mattina e pomeriggio, era immobile e caldissima, rovente; la sera soffiava una lieve brezza, ma anche quella era soltanto un soffio che dava ben poco refrigerio. Dopo pranzo, Poornima sedeva al charkha a filare fiaccamente, in attesa della cena. Non poteva andare a trovare Savitha durante il giorno, mentre lei lavorava al telaio: c'era anche il padre nel capanno della tessitura, e le teneva d'occhio. Nel pomeriggio, Poornima serviva il tè a entrambi, ma lei e Savitha si scambiavano a malapena un'occhiata. Oltretutto il padre era furibondo. Adesso la famiglia di Repalle pretendeva una dote ancora più cospicua, il doppio di quanto era stato concordato all'inizio. «Il doppio» sibilava il padre, «per colpa della tua insolenza». I futuri suoceri esigevano inoltre dei braccialetti d'oro per la figlia, la sorella più giovane dello sposo. «Oro» ripeteva il padre «oro, oro, oro. Hai capito? Oro. Dove pensi che troverò i soldi per comprare gioielli d'oro?» Fissava la figlia sbarrando gli occhi, già iniettati di sangue e infiammati dalla calura. «E dopo di te ne ho un'altra da sposare. Tra quanto tempo? Due o tre anni? E quella tua amica, Savitha. Cosa credi che mi abbia chiesto l'altro giorno? Mi ha chiesto se poteva usare il telaio dopo le ore di lavoro. Arrivare prima, andarsene più tardi. Il *mio* telaio. E me l'ha chiesto così, come se glielo dovessi». Scosse la testa, assestando una manata alla zanzara che gli si era posata sul braccio. «La vostra sfacciataggine» continuò, «la sfacciataggine di voi ragazze, voi ragazze moderne, sarà la vostra rovina. La *mia* rovina».

«Perché?» domandò Poornima.

«Perché cosa?»

«Perché vuole venire fuori orario?»

«E io che ne so?» esclamò il padre. «Perché non lo chiedi a lei?» Poornima rimase là a guardarlo. Lui prese di mira un'altra zanzara. «Be', non startene lì imbambolata. Portami lo scacciamosche».

L'indomani, durante il pranzo, Poornima ne parlò con Savitha. L'aria nella capanna sembrava liquida: pulsava, bianca e scabra nella calura. Le mosche ronzavano senza tregua, sollevandosi un poco da terra per poi tornare a posarsi, come se fossero esauste per lo sforzo. Savitha era sudata dopo il lavoro al telaio. Le gocce di sudore le imperlavano l'attaccatura dei capelli, le costellavano le clavicole. Poornima sentiva l'odore del suo corpo: selvatico, muschiato. Senza nemmeno una traccia di sapone da bucato né di sandalo, e neppure di borotalco. Animalesco: così era il suo odore.

Savitha smise di mangiare e ascoltò Poornima che le raccontava delle persone di Repalle e delle loro richieste di una dote più cospicua. «Tuo padre è in grado di dargliela?»

«Non credo. Può a malapena permettersi la dote che gli ha già offerto».

«Allora siamo a posto».

Poornima si strinse nelle spalle. «Forse. Sono tutti arrabbiatissimi, però».

«Solo perché non hai voluto cantare? Ma cosa siamo, scimmie ammaestrate?»

Poornima non rispose. Disse invece: «Perché vuoi fermarti più a lungo a lavorare al telaio? Perché hai chiesto il permesso a mio padre?»

Savitha prese un boccone di riso e sambar. Le brillavano gli occhi. «Sto facendo una cosa per te. Ti sto facendo un sari. Ecco perché ho chiesto a tuo padre il permesso di usare il telaio. Pensi che me lo concederà?»

«Un sari? Ma come ci riuscirai? Dove troverai il filato? E come farai a tessere due sari contemporaneamente? È impossibile».

«Per questo voglio fermarmi più a lungo. Finirò il sari per tuo padre nelle ore extra. E poi, una volta che l'avrò completato, potrò cominciare il tuo un sabato sera, lavorare tutta la domenica e terminarlo il lunedì mattina. Il filato invece l'ho avuto dalla cooperativa. Ne avevano in più. A quanto pare, qualcuno l'aveva tinto del colore sbagliato. Indaco. Non possono tingerlo di nuovo, o non vogliono. In ogni caso me l'hanno ceduto per pochi soldi».

«Un sari in un giorno?»

«Due, se lavoro giorno e notte».

«È ridicolo. Non puoi lavorare per due giorni senza dormire. E perché poi? Perché vuoi farmi un sari?»

«Sarà il mio dono di nozze. Prima o poi finirai per sposarti, sai? Non con questo tizio di Repalle, spero. Mi auguro che troverai qualcuno a Indravalli. Ma quando succederà, non potrò permettermi di regalarti nient'altro. E poi guarda qui» continuò, sollevando una manciata di riso. «Nessuno ha mai cucinato per me. Forse mia madre, anche se l'ho dimenticato. Da quel che ricordo, sono sempre stata io a cucinare per me stessa, per i miei genitori e per i miei fratelli e le mie sorelle. E le banane. Lo so che risparmi apposta per comprarmele. Però non è solo il cibo. È tutto il resto. Tutto quanto. Il modo in cui ti siedi a far girare il charkha, come se non stessi affatto fabbricando filo, ma creando le storie più strane, i sogni più belli. Il gesto con il quale mi posi accanto il tè quando sono al telaio. E la tua maniera di reggere il vaso dell'acqua mentre torniamo dal pozzo, come se niente al mondo potesse uguagliare la raffinatezza e l'eleganza di quel vaso pieno d'acqua. Non capisci, Poori? È tutto così insipido, così incolore, a parte te. E quell'indaco». Sorrise. «Il minimo che posso fare è tesserti un sari. Io so come riuscirci. E poche notti in bianco non hanno nessuna importanza. Pensa a quando te lo vedrò addosso».

Poornima avrebbe voluto alzarsi, sollevare Savitha e abbracciarla. Nessuno, mai, aveva progettato di fare qualcosa per lei. La madre sì, ovviamente, ma ormai era morta. E il lieve peso della sua mano stretta intorno al pettine infilato tra i capelli era tutto ciò che le restava di lei. A volte, molte volte, si aggrappava a quel ricordo, a quel peso, come se fosse l'unica cosa capace di guidarla lungo i sentieri cupi e selvaggi della foresta per condurla infine – sperava – in una radura, ma non era così. Sarebbe stato impossibile. L'unica cosa che poteva ottenere da quel ricordo era un po' di conforto. Goccia dopo goccia dopo goccia, come la flebo di glucosio che pungeva e faceva sanguinare il braccio della madre quando l'avevano ricoverata in ospedale. In quella flebo non c'era niente. Non c'erano vere medicine, solo zucchero. Le avevano somministrato gocce di zucchero. «Per darle forza» dicevano i medici. Come se lo zucchero potesse qualcosa contro il cancro. Ma Savitha, Savitha voleva farle un sari. Un sari che lei avrebbe potuto avvilupparsi intorno al corpo e avvicinarsi alla faccia. Non un ricordo, non un profumo, non una cosa che fluttua via. Un sari. Poornima avrebbe potuto piangerci dentro, stenderlo su un tetto, su una calda distesa di sabbia; avrebbe potuto indossarlo per andare al Krishna e inoltrarsi nelle sue acque; avrebbe potuto avvolgersi nelle sue pieghe, rannicchiarcisi per affrontare la notte, per dormire, per sognare.

5.

Il gufo aveva ragione: le trattative con la famiglia di Repalle andarono a monte. I genitori dello sposo si rifiutarono di cedere sulle condizioni della dote, anche se Ramayya era riuscito a convincerli ad accontentarsi di un solo braccialetto d'oro anziché due per la figlia. «Uno, due, che differenza fa? Non posso permettermene neanche mezzo. Per non parlare della dote» commentò il padre di Poornima.

«L'hanno vista. È questo il punto» ribatté Ramayya. Quando Poornima gli portò il tè, Ramayya la guardò con tale disprezzo che lei pensò potesse scagliarle in faccia la bevanda. Si allontanò. «Timida» continuò lui con disgusto. «Tu non sei timida. Sei sgarbata. È una fortuna per te e tuo padre che io sia ancora disposto ad aiutarvi. Si è sparsa la voce, sai. Ormai ti conoscono tutti da qui al Godavari. E adesso chi vorrà sposarti?»

Una volta uscito Ramayya, il padre di Poornima la schiaffeggiò con forza. Poi la afferrò per i capelli. «Lo vedi?» esclamò. «Lo vedi cos'hai combinato?» Le agguantò i capelli con più energia e aggiunse: «Cosa farai la prossima volta che qualcuno ti chiederà di cantare?»

Poornima batté le palpebre. Trattenne le lacrime. Le bruciava il cuoio capelluto, i capelli schioccavano come fili elettrici. I fratelli e la sorella si erano assiepati sulla porta per assistere alla scena. «Cosa?» ringhiò il padre. «Cosa farai? Dillo. Dillo».

«Canterò» bisbigliò Poornima con una smorfia di dolore. «Canterò».

Il padre la lasciò andare con uno spintone, e Poornima cadde in avanti. Urtò contro le tazze d'acciaio in cui aveva servito il tè e si ferì alla mano. Uno dei suoi fratelli corse a prendere uno straccio, che lei si legò sul taglio. Il sangue inzuppò la stoffa, e c'era ancora da preparare la cena. Poornima mandò i bambini fuori a giocare e si appoggiò alla parete della capanna. Era la parete orientale. Di fronte a lei, in alto, c'era una finestra. Attraverso l'apertura, al di là dell'Indravalli Konda, vide il sole al tramonto. Non proprio il sole, ma nubi rosa, gialle e arancioni, nubi sottili, dalle estremità aguzze come coltelli, che si avventavano contro la montagna quasi intendessero metterla in ginocchio. Che illuse, pensò Poornima: come se quegli inutili brandelli lanuginosi potessero nuocere a una montagna.

Chiuse gli occhi. Nemmeno si accorgeva del dolore alla mano, al cuoio capelluto, al viso nei punti in cui aveva ricevuto gli schiaffi. Il dolore c'era ancora, ma lei non lo sentiva più. Il suo corpo galleggiava, adagio, come se fosse immerso in un denso mare sedimentario. È il caldo, pensò, ma l'ondata di calura era finita. Era aprile, e sebbene le temperature si fossero un po' abbassate – anche se avventurarsi fuori nel pomeriggio continuava a essere poco prudente – il caldo non sarebbe cessato del tutto fino a luglio, con l'arrivo dei monsoni. Fino ad allora il clima sarebbe rimasto soffocante. La capanna era soffocante. Poornima riusciva a stento a respirare. Aveva voglia di piangere, ma si sentiva inaridita come la buccia del cocco. La calura aveva risucchiato via tutto, persino le lacrime.

Ed era solo aprile.

L'indomani, entrando nella capanna per il pranzo, Savitha vide il taglio sulla mano e i lividi sulla faccia di Poornima, e s'infuriò. «Non preoccuparti» le disse con rabbia.

«Preoccuparmi di cosa?» domandò lei.

«Di niente. Non preoccuparti di nulla». Poi adagiò sul suo grembo il capo di Poornima, le scostò i capelli dal viso e le chiese: «Ti va di ascoltare una storia?»

Poornima annuì.

«Che genere di storia?»

«Sei stata tu a propormelo».

«D'accordo, ma ne preferisci una vecchia o una nuova?»
«Una nuova».
«Perché?»
Poornima rifletté un momento. Il grembo di Savitha era caldo, anche se un po' irregolare, simile a un letto pieno di grumi. «Perché sono stufa di roba vecchia. Tipo Ramayya. E questa capanna». Si portò la mano al viso, la ferita sul palmo ancora aperta. Le dita incurvate come un vaso di terracotta. «Voglio qualcosa di nuovo».
«In tal caso, c'era una volta» cominciò Savitha, «anche se non molto tempo fa, dato che vuoi una storia nuova, un elefante che litigò con la pioggia. L'elefante era superbo. Camminava impettito per la foresta. Mangiava tutto ciò che voleva, arrivando ai rami più alti, spaventando qualsiasi altro animale. Era così superbo che un giorno alzò gli occhi, vide la pioggia e dichiarò: "Non ho bisogno di te. Tu non mi nutri. Perciò non mi servi a nulla". Udite queste parole, la pioggia restituì tristemente lo sguardo all'elefante e gli rispose: "Allora me ne andrò, e vedrai". E così la pioggia sparì. L'elefante la guardò allontanarsi e gli venne un'idea. Scorse poco lontano uno stagno pieno d'acqua e si rese conto che senza pioggia si sarebbe prosciugato in fretta». A quel punto Savitha s'interruppe. Poornima sollevò il capo dal suo grembo e si drizzò a sedere.
«E cos'aveva pensato? Che idea aveva avuto?» domandò.
Savitha si girò per mettersi di fronte a lei. Sorrise. «Devi sapere che l'elefante incontrò un povero vecchio corvo che si aggirava per i sentieri della foresta in cerca di cibo, e gli ordinò di sorvegliare lo stagno. "Solo io posso berne l'acqua" spiegò al corvo. Perciò il vecchio corvo si sedette a fare la guardia allo stagno. Arrivò una scimmia e disse: "Fammi bere!" e il corvo rispose: "L'acqua appartiene all'elefante". La scimmia scosse la testa e se ne andò.
«Poi venne una iena e disse: "Fammi bere!" e il corvo rispose: "L'acqua appartiene all'elefante".

«Venne anche un cobra e disse: "Fammi bere!" e il corvo rispose: "L'acqua appartiene all'elefante".

«Quindi arrivò un gatto della giungla e disse: "Fammi bere!" e il corvo rispose: "L'acqua appartiene all'elefante".

«Poi vennero un orso, un coccodrillo e un cervo. Tutti chiesero acqua, e il corvo diede loro sempre la stessa risposta. Infine venne un leone. Il leone disse: "Fammi bere!" e il corvo rispose: "L'acqua appartiene all'elefante". A queste parole, il leone ruggì; afferrò il povero corvo per il collo e lo mise fuori combattimento. Dopo di che si fece una lunga e rinfrescante bevuta e si allontanò inoltrandosi nel folto della foresta.

«Quando l'elefante tornò, vide che lo stagno si era prosciugato. "Corvo" esclamò, "dov'è finita l'acqua?" Il vecchio corvo abbassò tristemente lo sguardo e rispose: "L'ha bevuta tutta il leone". L'elefante s'infuriò. Proruppe con rabbia: "Te l'avevo detto di non permettere a nessuno di abbeverarsi allo stagno. Per punizione, devo masticarti o semplicemente mandarti giù intero?"

«"Mandami giù intero, per favore" disse il corvo.

«E così l'elefante inghiottì il corvo. Ma una volta all'interno del pachiderma, il corvo – il nostro piccolo corvo – gli squarciò il fegato, i reni e il cuore finché l'elefante non morì, contorcendosi dal dolore. Dopo di che il corvo uscì senza difficoltà dalla carcassa e se ne andò».

Savitha tacque.

Poornima la guardò. «E la pioggia?» le chiese.

«La pioggia?»

«Tornò indietro? Riempì di nuovo lo stagno?»

«La pioggia non ha importanza».

«No?»

«No».

«E il...»

«Nemmeno questo ha importanza».

«Ah no?»

«No» ripeté Savitha. «Adesso te lo spiego io cos'è importante. Devi capire una cosa, Poornima: è meglio essere inghiottiti interi che lasciarsi divorare a brandelli. Solo così si può vincere. Nessun elefante sarà mai troppo grosso. E solo in quel caso non ci sarà pachiderma capace di farti del male».

Rimasero entrambe in silenzio.

Savitha riprese il suo posto al telaio, e Poornima, mentre lavava le stoviglie del pranzo, si guardò la ferita alla mano, che con l'acqua si era riaperta, e pensò al padre, pensò al vecchio corvo e poi disse tra sé: Ti prego, Nanna. Se devi inghiottirmi, inghiottimi intera.

6.

Savitha iniziò a lavorare più di prima. Era veloce, ma gli ordini per la stagione dei matrimoni erano più numerosi di quanto si prevedesse. Arrivava al mattino presto e se ne andava la sera tardi, sgobbando più di qualunque uomo il padre di Poornima avesse conosciuto. A volte Savitha lo sorprendeva mentre la fissava con aria bramosa, come se stesse già contando le monete che gli avrebbe fatto intascare. La cosa non la disturbava. «Mi ha aumentato la paga» disse a Poornima. «E poi, appena finirà questo periodo frenetico, potrò tessere il tuo sari». Cercava di rallegrarla, ma Poornima si limitava a restituirle lo sguardo con tristezza. Ramayya si presentava ogni giorno all'ora del tè ad annunciare la sconfitta. Un pomeriggio, raccontò Poornima a Savitha, si era fermata ad ascoltare dietro la porta della capanna. «Non la vorrà nessuno. Nessuno» aveva dichiarato Ramayya parlando con suo padre. «L'hanno saputo tutti. Come sentono il suo nome, il *tuo* nome, scuotono la testa e dicono di non essere interessati. E per giunta tua figlia ha la pelle scura. Le voci corrono, in fin dei conti. No, forse bisognerà aumentare la dote. Ci sarà pure qualche povero idiota che ha bisogno di soldi».

Savitha le propose: «Vieni da me, domani. Voglio mostrarti una cosa». Al suo arrivo, le fece vedere le matasse di filo color indaco per il suo sari. «Non ho ancora finito di pagarle, ma la cooperativa me le ha date a credito». Ne accostò una alla pelle di Poornima. «Come il cielo della notte» soggiunse sorridendo. «E tu sei la luna piena». Anche Poornima riuscì a sfoderare un sorriso. Savitha le offrì il tè, e quando lei rifiutò, si girò verso un angolo della capanna e domandò: «Nanna, tu ne vuoi?»

Poornima si voltò di scatto. C'era un vecchio seduto in quell'angolo della stanza, rannicchiato. Era rimasto in silenzio per tutto il tempo, invisibile. Le parve di cogliere un movimento, e pensò di dire: «No, la prego, non si alzi per me», ma poi vide che il vecchio stava tremando. Quindi si udì un grugnito, forse una mezza parola spezzata, e, come in risposta, Savitha versò un po' dell'infuso in una tazza d'acciaio. Si avvicinò al padre e gli sorresse la testa mentre gli portava la tazza alle labbra. L'uomo notò lo sguardo di Poornima. In un roco bisbiglio, ma con energia, con più energia di quanto Poornima avrebbe creduto capace una persona dall'aspetto così debole, le domandò: «Lo vedi quello? Lo vedi il tempio?» Stava indicando l'Indravalli Konda, al di là della piccola finestra. «Loro ci vedono, come noi vediamo loro. Ho controllato. Mi sono messo sui gradini del tempio e ho controllato. La porta di questa topaia sembra misteriosa e invitante come ci appare quella lassù vista da qui».

«Bevi» lo esortò Savitha.

Il vecchio – troppo vecchio per essere il padre di Savitha; aveva più l'aria di un nonno – commentò: «Ho già bevuto anche troppo. Anche troppo, non credi?»

Savitha inclinò la tazza. Ne scivolò fuori una goccia di tè. Istintivamente, l'uomo tirò fuori la mano dalla coperta, e Poornima indietreggiò inorridita. Era un mucchietto di ramoscelli spezzati, le dita lisce ma contorte. Savitha vide l'espressione dell'amica. «Artrite» spiegò.

«Non è esatto. Non è solo artrite. Sarebbe troppo semplice. La vedi questa?» Sollevò la mano nell'aria e la luce del sole ne illuminò la punta, quasi fosse la fronda più alta di un albero. «Questa è libertà. È spirito umano nella sua forma più perfetta. Se nascessimo tutti così, non esisterebbe la guerra. Vivremmo da fratelli, timorosi di toccarci. Lo sai, Savitha, cos'ho visto l'altro giorno? E tu come ti chiami?» Quando Poornima glielo disse, lui le domandò: «Sapevi che ci sono dei posti al mondo in cui i nomi delle persone non hanno alcun significato? È vero. Riesci a immaginartelo? Che razza di posti sono? Vuoti, dico io. Vuoti e tristi. Un nome senza significato è come la notte senza il giorno. Ci sono anche dei posti così, ho sentito. Di cosa stavo parlando? Savitha, il tè è freddo» soggiunse ridendo. «Lo vedi? Parlo troppo. Di gran lunga troppo. Il mondhoo mi faceva tacere. Il mondhoo teneva buone le parole, le teneva incatenate a un albero. Ah, sì! Di quello che ho visto l'altro giorno. Be', adesso non me lo ricordo più». Rise, senza ritegno, con gioia, come un bambino.

Poornima lo trovò simpatico. Non le importava di ciò che intendeva dire, né di non aver capito a cosa alludesse con la frase «parole incatenate a un albero»: il padre di Savitha le piaceva perché era tanto diverso dal suo. Diverso da Ramayya, diverso da qualsiasi uomo avesse mai conosciuto. In quel momento, e lungo l'intero tragitto di ritorno a casa, dimenticò di avere la pelle scura, di essere una sposa indesiderabile, dimenticò che non c'erano abbastanza soldi per la sua dote e che esisteva qualcuno ancora più povero di lei.

Ramayya era esultante quando venne da loro la settimana successiva. Varcò la soglia quasi a passo di danza. Era l'inizio di maggio. Nei pozzi non rimaneva più una goccia d'acqua. La polvere soffocava i ruscelli. Il livello del Krishna era calato al punto che le lavandaie, partendo da entrambe le sponde, riuscivano a camminare fino al centro del fiume per mettersi a spettegolare tra loro. In capo a due settimane e dopo la morte per dissenteria di alcuni bambini, il governo locale cominciò a distribuire acqua da enormi serbatoi, intorno ai quali si formavano code a volte di cento, duecento persone. La gente scrutava il cielo in cerca di una minima traccia di nubi. Anche una nuvoletta piccola, insignificante, li avrebbe tenuti col fiato sospeso, in attesa della pioggia. Tutti sapevano che i monsoni non sarebbero arrivati prima di giugno o luglio, ma qualcuno aveva sentito parlare di un breve rovescio a Vizag, giusto quel tanto che bastava per riempire i corsi d'acqua. Forse le nuvole sarebbero scese lungo la costa.

Eppure Ramayya non sembrava preoccuparsene. «Poornima» gridò appena fu a portata d'orecchio, «portami un bicchier d'acqua, ti spiace? Ho la gola secca. E portamene un po' per i piedi. Abbastanza da poterli lavare. Guarda quanta polvere. Praticamente ho corso fin qui».

Acqua? si chiese Poornima. Controllò tutti i contenitori di terracotta vuoti, e raschiò il fondo di uno dei vasi per riempire un piccolo bicchiere. Quando lo consegnò a Ramayya, l'uomo era già assorto in una fitta conversazione con suo padre. «È perfetto. Non ho ancora contattato la famiglia, ma lui è perfetto».

«Chi è perfetto?» domandò Poornima.

«Tu di chi credi che parli? Vai a fare qualcosa. Trova un motivo per tenerti occupata».

Poornima rientrò nella capanna e si fermò appena al di là della porta.

«Ci crederesti? E non ho nemmeno dovuto spingermi troppo lontano. Solo fino a Namburu. I nonni del ragazzo erano tessitori. Hanno fatto buoni affari, a quanto sembra. Si sono comprati una proprietà terriera considerevole intorno a Namburu. Prima dell'indipendenza erano agricoltori, ma ormai hanno venduto la maggior parte dei campi. E ne hanno anche ricavato un bel gruzzolo. Il giovanotto ha due sorelle minori. La famiglia sta cercando un fidanzato per la più grande, coetanea della nostra Poornima e piuttosto esigente, pare. Del resto, se lo possono permettere».

Poornima udì il padre che diceva: «Che mestiere fa il ragazzo?»

«È contabile!» rispose Ramayya gongolante. «Ha studiato. Non c'è guadagno nella tessitura. Tu lo sai bene. Non c'è da cavarci niente».

«Quanto vogliono?»

«È questo il bello: le loro richieste sono alla nostra portata. Be', quasi. Ma ho saputo che c'è la possibilità di fargli abbassare la cresta».

«Abbassare la cresta?»

A quel punto Poornima udì un fruscio confuso. Quando infine Ramayya riprese il discorso, parlò in tono più sommesso. «Non c'è niente che non va in lui. No, nulla del genere». Un altro fruscio, un nuovo abbassamento del tono.

«Ma qual è il problema?» Il padre di Poornima alzò la voce con un timbro sospettoso.

«La nostra ragazza non è certo un buon partito, lo sai. Perciò non è il caso di lasciarsi prendere da tutti questi dubbi. È solo un piccolo dettaglio. Una peculiarità. Niente di cui preoccuparsi. Per lo meno questo è quello che ho sentito, in realtà chi può saperlo?»

Savitha lanciò un gridolino di gioia. Strinse Poornima tra le braccia. «Allora ti sposi! E lui abita a Namburu! Non è per niente lontano. A un passo da qui. Potrò venirci a piedi».

«Sì» disse Poornima. «Forse». Poi tacque. Infine domandò: «Cosa significa peculiarità?»

Poornima era in piedi davanti alla capanna a guardare le palme. Si agitavano nella brezza, una brezza leggera, appena sufficiente a far stormire le loro fronde più alte. Le altre piante che circondavano l'edificio – un albero di neem, una guava striminzita, un tralcio di zucca invernale – avevano tutte l'aria esausta. Erano afflosciate, avvilite senza speranza nella calura. Non era caduta neanche una goccia di pioggia: sarebbe stato assurdo aspettarsi il contrario. Era solo metà maggio. La temperatura si aggirava intorno ai trentanove gradi al mattino, per salire a quarantuno o quarantadue nel pomeriggio. La parola ombra – un concetto elusivo – non aveva più alcun significato. La capanna arrostiva come se si trovasse su una padella arroventata.

Le informazioni arrivarono a poco a poco, man mano che Ramayya le veniva a sapere. Aveva parlato con i genitori dello sposo: il figlio, avevano dichiarato, non sarebbe stato pronto a prendere moglie per altri due mesi; doveva sostenere gli esami, spiegarono. Un tempismo perfetto. Quel termine cadeva subito dopo la cerimonia con cui si concludeva l'anno di lutto per la morte della madre di Poornima. Il ragazzo si chiamava Kishore. Aveva ventidue anni. «Non l'ho ancora conosciuto» disse Ramayya, «ma loro non hanno menzionato alcun problema fisico. A quanto sembra gode di ottima salute. Ha frequentato l'università. Fa il contabile. Cosa potrebbe sperare di più la nostra Poornima?»

«Vogliono vederla? È necessario, no?» domandò il padre di Poornima.

«Certo. Certo» lo rassicurò Ramayya. «Però non hanno precisato quando potrà venire anche il giovanotto. Come ho già detto, deve sostenere gli esami».

«E la dote?»

«Fissata».

Si decise che i famigliari dello sposo – i genitori per lo meno – sarebbero venuti in visita alla fine di maggio. Se l'incontro fosse andato bene, restava un mese intero per organizzare il matrimonio, e poi, alla fine di giugno, avrebbero celebrato la cerimonia. Giugno! «Ma è così presto» commentò Poornima.

Savitha era già tutta presa a fare progetti. «Infatti. È proprio questo il punto. Ho appena il tempo di finire tutti i sari. E devo ancora tessere il tuo. Che ne diresti di un bordo rosso? Credo che il rosso starebbe bene con l'indaco. Non vedo l'ora! Tu, sposata. Ti dispiace se qualche volta mi fermo a dormire qui? Mi renderebbe le cose più facili. Potrei lavorare al telaio fino all'ora che voglio».

Più tardi, quella sera, Poornima lo chiese al padre, e lui rispose: «Bene, bene» senza quasi ascoltarla mentre si arrotolava il tabacco.

E così Savitha cominciò a trascorrere la notte da loro. Lei e Poornima dormivano insieme sulla stessa stuoia: non ne avevano una in più. Benché il clima fosse afoso, a Poornima piaceva sentire la vicinanza fisica di Savitha. Le piaceva la sua capacità di apprezzare ogni cosa, anche la più semplice. «Guarda il cielo!» la udiva esclamare. «Hai mai visto tante stelle?»

«Fa troppo caldo per guardare il cielo».

Allora Savitha le prendeva la mano e gliela stringeva. «La mia Amma ha detto che forse l'anno prossimo avremo abbastanza soldi per la dote di una delle mie sorelle. Dopo di lei ce ne sono altre due, ma è già un buon risultato, non credi?»

Poornima annuiva nel buio. In quei momenti pensava che avrebbe potuto parlarle della madre, e della sveglia dal quadrante azzurro, ma poi non lo faceva. Rischiava di farsi sentire dal padre. Giaceva immobile e ascoltava il respiro dei fratelli e della sorella, colpita dall'idea che forse non avrebbe mai conosciuto Savitha se la madre fosse rimasta viva. Non vedeva nessuna slealtà in questo: la madre era morta, e adesso c'era Savitha. Ma la persona su cui si poneva più domande era Kishore, il futuro marito. Era arrivata una fotografia. L'aveva portata Ramayya, e l'aveva mostrata alla famiglia. Ma lo raffigurava bambino, di forse otto o nove anni. In piedi tra le sorelle, una per lato. Si erano messi in posa davanti allo sfondo, un luminoso palazzo bianco circondato da giardini e fontane. Al di sopra, in cielo, brillava una falce di luna, cui si avvicinavano nubi diafane e romantiche. Poornima aveva fissato con attenzione il volto del piccolo Kishore. Un ovale perfetto. La bocca simile a una minuscola mandorla. Teneva una mano abbandonata inerte lungo il fianco, come se le dita anelassero ai giocattoli o alle biglie o ai dolci che era stato costretto a mettere da parte. L'altra mano era nascosta dietro la schiena. Aveva un viso più infantile di quelli delle sorelle. Tenero, ancora con le fattezze di un bebè. A Poornima questo piaceva. Poi aveva studiato i suoi occhi, sforzandosi di guardarvi attraverso, o almeno di vedervi qualcosa dentro, ma erano vuoti. Privi di espressione. Quasi stesse contemplando un abisso. Un territorio sconosciuto. «È solo una fotografia» l'aveva rimproverata Savitha. «Cosa ti aspetti di vedere, il suo cuore?»

Sì, avrebbe voluto risponderle Poornima. Voglio vedere il suo cuore.

Stavolta, durante la visita prematrimoniale, a Poornima non fu permesso di commettere errori. Avvolta di nuovo nello stesso sari appartenuto alla madre, anche se quel giorno la ghirlanda di gelsomini era diversa, i fiori bianchi alternati a quelli arancioni del kankabaram, capì di essere tenuta sotto stretto controllo. La zia si sedette più vicina a lei. Invece di guidarla fuori stringendola per il gomito, come nella precedente occasione, le tenne una mano sulla treccia, pronta a tirargliela in qualsiasi momento. Quando si sedette sulla stuoia, il padre le sorrise. Le sorrise. Ma non fu un sorriso d'incoraggiamento, d'affetto o d'amore paterno. Quel sorriso diceva una cosa sola: ti tengo d'occhio. Ti tengo d'occhio, e al primo segno di ribellione – al primo scintillio del tuo sguardo che faccia presagire una ribellione – prenderò provvedimenti. Che genere di provvedimenti? Poornima chinò il capo e rabbrividì al solo pensiero.

Tuttavia non progettava di rovinare la visita. Lo sposo non c'era – stava studiando per gli esami, aveva spiegato il padre del giovane – ma erano venuti i genitori, la più grande delle due sorelle e una lontana cugina che abitava a Indravalli. Dopo aver guardato suo padre, Poornima sollevò gli occhi quel tanto che bastava per vedere che quello di Kishore sembrava gracile accanto al suo, timido ed esitante. La madre, piazzata di fronte a lei, era grassa e sgarbata, forse irritata dal caldo patito durante il tragitto tra Namburu e Indravalli, anche se i suoi occhi apparivano duri e severi. La sorella, seduta vicino a Poornima, la sbirciava in tralice senza quasi pronunciare una parola. Il suo sguardo somigliava a quello della madre: scrutatore, vanesio e insofferente, freddo. Però erano entrambe paffute, e questo piacque a Poornima; per lei la grassezza denotava una certa allegria o un carattere estroverso, e indicava di sicuro ricchezza. La sorella allungò un braccio e le strofinò bruscamente le dita, una a una, come per contarle. Poi le lasciò andare la mano con un sorriso gelido. Gli uomini continuarono a chiacchierare, e Poornima, silenziosa e a disagio per il resto della visita, fu lì lì per abbracciare la futura suocera quando, subito prima di congedarsi, la donna le afferrò il mento – non con dolcezza, no; non lo si sarebbe potuto definire un gesto gentile, ma con quello che a Poornima parve uno slancio sincero – e disse: «Non sei nemmeno lontanamente scura come ti descrivevano».

La sorella sbuffò, o la sua fu una risata di scherno? Poi se ne andarono.

Quella sera Poornima descrisse la visita a Savitha, che era andata a casa ad aiutare la madre in cucina ed era tornata prima del calar del buio. Savitha lavorò al telaio per un'altra ora e quando entrò per cenare Poornima le aveva già riempito il piatto. Aveva preparato i roti con curry di patate. C'era un po' di yogurt e del riso, avanzati dal pranzo. «Ma non ti hanno chiesto di cantare» osservò Savitha. «Già mi piacciono. Non ci sono sottaceti?» Mentre Poornima si alzava per prenderglieli, lei le domandò: «E lo sposo? Che mi racconti di lui?»

«Aveva gli esami» rispose Poornima. Dopo di che restarono entrambe in silenzio. «E se non avremo niente di cui parlare? Insomma, in fin dei conti lui va all'università. Mi giudicherà una stupida, non credi? Penserà che sono solo una provinciale. Una zoticona. E cos'è la contabilità? Quella roba che sta studiando?»

«Numeri» disse Savitha. «Sono numeri. Tuo padre ti dà dei soldi, no? Per comprare il cibo. E tu vai al mercato, giusto? E prendi il resto. E poi scrivi su un quaderno quello che hai pagato, l'ho visto io. Un quaderno con l'elenco delle spese, da mostrare a tuo padre ogni settimana. È quella la contabilità. Tutto lì. E poi Namburu è un villaggio più piccolo di Indravalli. È più provinciale lui di noi».

Poornima non ne era convinta. Non poteva essere tutto lì.

Cominciarono i preparativi per il matrimonio. Rimanevano ancora da definire alcuni dettagli sulla dote e i doni di nozze, ma Ramayya era fiducioso di poter convincere i famigliari dello sposo a moderare le loro pretese. Savitha si stava sbrigando a completare le ordinazioni dei sari, in modo da avere il tempo necessario per tessere quello di Poornima. Kishore, il fidanzato, doveva affrontare gli esami alla fine del mese. Ma prima avrebbero celebrato la cerimonia per il primo anniversario della morte della madre di Poornima. La data era fissata per l'inizio di giugno. Ci sarebbe stato anche un giorno dedicato a un banchetto. Avrebbero macellato una capra e il sacerdote avrebbe recitato una puja. Il padre avrebbe acceso una pira funebre come da rito. Nelle giornate successive, Poornima lo osservò con ansia: il suo umore si era incupito. Per il ricordo della morte della moglie, immaginava lei, o per le richieste dei futuri suoceri in fatto di dote. Lui sosteneva che il motivo era il ritardo nella tessitura dei sari per le ordinazioni. «Non lo sa che abbiamo del lavoro da fare?» esclamava se Savitha tornava a casa la sera anche solo per un'ora o due. «Dille che le darò altri soldi se si ferma più a lungo. Non molti, non me lo posso permettere. Non ho quasi nulla, a parte lo stretto necessario. Ma qualcosa le darò» ripeteva.

Il giorno della cerimonia portò con sé un calo della temperatura lungo l'intera costa dell'Andhra Pradesh. Quella mattina Poornima si svegliò e sentì soffiare un po' di brezza. Non una brezza fresca, non proprio, ma si rallegrò. Doveva essere la madre che vegliava su di lei. Che le parlava. Che le diceva: Poornima, sono felice. Il tuo sarà un buon matrimonio. Anch'io sento la tua mancanza, le diceva. E quel pettine, lo stringo ancora tra le dita.

La giovane capra da macellare era legata a un palo davanti alla capanna. Era bianca e marrone; le parti bianche disegnavano delle strisce, una intorno al corpo, all'incirca a metà, una intorno a ogni zampa e una che le scendeva dalla testa e le passava tra gli occhi. Poornima cercò di darle da mangiare una manciata d'erba secca e avvizzita che aveva raccolto fuori dalla capanna. La capra la annusò e poi fissò Poornima. Gli occhi erano globi scuri che la scrutavano curiosi – per vedere se aveva qualcosa di diverso da offrirle – ma appena capì che non c'era altro, l'animale distolse lo sguardo. Poornima sapeva che non avrebbe dovuto guardare la bestiola troppo a lungo, che rimanerle accanto avrebbe solo accresciuto la sua simpatia per la capra condannata, eppure il suo odore la tratteneva lì: di orina, di selvatico e di fieno.

Pensò a quell'odore mentre assisteva all'uccisione. Fu necessario passare il coltello – evidentemente non abbastanza affilato – avanti e indietro sul collo come su una forma di pane duro. Per tenere giù l'animale, lo costrinsero a coricarsi su un fianco e uno degli uomini si sedette sulla parte posteriore del corpo mentre altri due afferravano un paio di zampe ciascuno. Un quarto uomo reggeva un secchio sotto la gola della capra. Ma non ci sarebbe stato bisogno di tutti quegli sforzi. La bestia, che all'inizio lottava, nel vedere il coltello, o forse nel sentirlo, si afflosciò. Aveva perso le speranze, pensò Poornima, o forse si era persa d'animo. Il primo colpo di coltello la fece sgroppare dal dolore, una rapida impennata che percorse l'intera lunghezza del corpo e infine cessò. Il coltello penetrò più a fondo, eppure la capra continuò a battere le palpebre, fissando, immaginava Poornima, un grigiore, una tenebra sempre più fitta, mentre le pupille perdevano la loro luce. La coda si agitò un'ultima volta, i muscoli non più fedeli al corpo a cui appartenevano, e l'uomo che stava segando il collo infilò il pollice in bocca alla giovane capra. Poornima si chiese se l'avesse fatto apposta, per dare all'animale un ultimo conforto, un'ultima opportunità di succhiare, o se fosse stato semplicemente un gesto casuale. Un attimo dopo la capra era morta. Fu il corpo a immobilizzarsi per primo, poi si fermò il movimento delle palpebre. Eppure Poornima ebbe l'impressione che qualcosa, un'energia, un palpito di vita, durasse ancora per un momento; quindi svanì anche quello.

L'odore della capra – di orina, di selvatico e di fieno – fu spazzato via da quello del rame e di altri metalli che Poornima non riuscì bene a identificare: lo stesso odore che le rimaneva sulle mani dopo aver sollevato il secchio al pozzo, l'odore delle pentole appena lustrate, l'odore dell'acqua e del fango al fiume. Era anche un odore caldo, e le mosche accorsero sulla carcassa in grandi armate. Bevvero e bevvero, come fanno gli eserciti, e poi attaccarono la carne.

Quella notte, Poornima rimase sveglia a lungo. Credeva che a impedirle di dormire sarebbero state le immagini della capra e dei suoi occhi, ma non era così. Pensava alla madre, invece. Quando aveva nove o dieci anni, erano andate in visita al villaggio dei nonni materni. Kaza di trovava a due ore di tragitto in pullman, e Poornima e la madre erano partite presto, sperando di poter rientrare al tramonto. La madre l'aveva svegliata mentre fuori era ancora buio, le aveva lavato i capelli e poi l'aveva massaggiata con una polvere detergente, lasciandole la pelle morbida e arrossata. Quindi l'aveva vestita con il suo langa più bello, scegliendo per lei i braccialetti rossi e le cavigliere d'argento che aveva ricevuto in dote; lungo la strada, verso la fermata dell'autobus, si era concessa il lusso di comprare due rose rosa con cui adornare la propria treccia e quella della figlia. Il pullman era partito poco dopo le sette. Era pieno di gente. Loro avevano preso posto davanti, nel settore riservato alle donne, mentre il retro era destinato agli uomini. Poornima aveva scavalcato i polli, i fagotti di ortaggi e le fascine di ramoscelli che ingombravano il corridoio; i bambini piccoli piangevano e si agitavano. Dopo essersi seduta accanto alla madre, si era messa a guardare fuori dal finestrino. Le era capitato di rado di salire su un autobus, e la velocità con cui i campi sfrecciavano via dietro il vetro la divertiva un mondo. Guardando fuori, aveva provato a contare tutti i cani e i maiali e le capre che superavano. Ma ce n'erano così tanti che perse il conto, e ricominciò da capo con le capanne, e quando anche queste divennero troppe, rise, pensando: Le montagne, conterò le montagne.

In quel momento, però, con un sonoro sferragliare e uno stridore di freni, il pullman si fermò. Tutti si guardarono. Qualcuno degli uomini sul retro inveì. Seduto dritto e calmo al posto di guida, il conducente, con i baffi ben curati e la divisa color kaki stirata di fresco, cercò di riaccendere il motore, che produsse un rumore raschiante senza riprendere vita. Dal retro si levarono voci. «Aré, aré, forse l'Azienda dei trasporti pubblici ci manderà un mezzo». «Come no» gridava qualcuno di rimando. «Si chiama Gowri e va a erba». L'autista li zittì.

Dopo di che scese – seguito dalla maggior parte degli uomini – e controllò sotto il cofano. Poornima udì i colpi di una chiave inglese o di qualche altro strumento metallico contro il motore; poi, silenzio. Il pullman collassò. Si afflosciò letteralmente su se stesso, come se a un tratto fosse troppo esausto per continuare ad avanzare. Scesero anche le donne. I bambini tacevano, vigili.

Era una fresca giornata di fine ottobre, e aleggiava ancora nell'aria il freddo del mattino.

Poornima scese insieme alla madre, che la avvolse nello scialle che si era portata. Buona parte delle altre donne si erano già sistemate lungo il bordo della strada, mentre i figli correvano o giocavano con la terra. Gli uomini si assieparono intorno al cofano aperto.

Poornima scrutò la strada, da una parte e dall'altra. Molto lontano, seminascosto dalla foschia, c'era un carro trainato da buoi, in marcia verso di loro. Donne dai sari variopinti fatti passare in mezzo alle gambe e fissati in vita punteggiavano i campi, chine sulle risaie allagate. Un minuscolo tempio si stagliava bianco contro gli steli color smeraldo del riso. Poornima pensò a quel tempio, alla statua annerita della divinità che custodiva e alla semplice offerta di un fiore – forse una rosa rosa, come quella che portava sui capelli – lasciata ai suoi piedi. Poi si piazzò accanto alla madre. Adesso gli uomini fumavano beedie, sputando e ridendo, e le donne badavano ai bambini. Nel giro di un'ora o due sarebbe passato un altro autobus, e si sarebbero affollati tutti a bordo, spazio permettendo. Probabilmente a qualcuno sarebbe toccato inerpicarsi sul tetto, o viaggiare appeso alla portiera. Ma per il momento ognuno sembrava perfettamente soddisfatto di starsene seduto sul margine della strada. Il sole somigliava a un uccellino giallo che si sveglia con un battito d'ali.

Poornima si girò verso la madre. Non era mai stata da sola con lei; c'erano sempre il padre, i fratelli o la sorella, nelle vicinanze o appena fuori dalla capanna. Faceva commissioni per lei, ma mai con lei, e in passato, quando erano andate a trovare i nonni, le aveva sempre accompagnate qualcuno dei fratelli. In una sorta di rivelazione – nella luce del mattino, seduta sulla terra rossa ai bordi della strada – vide che la madre era bella. Persino in mezzo a tutte le altre giovani madri e alle adolescenti in boccio, graziose e fresche, che ridacchiavano tra loro, restava sempre lei la più bella. Quando rideva gli occhi erano profondi laghi neri in cui brillavano minuscoli pesciolini d'argento. I capelli s'inanellavano sulla nuca in una serie di riccioli, e le labbra avevano il colore delle rose. Persino le occhiaie scure possedevano un che di leggiadro, quasi fossero grigi semicerchi rischiarati dalla luna, capaci di assorbirne lo splendore.

«Hai fame?» le domandò la madre, aprendo l'involto in cui c'erano il riso della sera prima, lo yogurt alle spezie e la cucchiaiata di manghi sottaceto che si era portata da casa.

«Sì» rispose Poornima.

E la madre, sovrappensiero, senza nemmeno guardarla ma scrutando l'orizzonte lontano, forse per avvistare il secondo autobus o il carro che si avvicinava, prese un po' di riso, ne fece delle palline aiutandosi con i palmi e, come quando Poornima era piccola, la imboccò. Poornima masticò. Quel riso era più buono di qualsiasi cosa avesse mai assaggiato; non riusciva a immaginare un cibo migliore. Ma la madre continuava a non badarle. I suoi pensieri erano altrove. Forse pensava al marito o ai figli rimasti a casa, o alle faccende che non aveva sbrigato. Ma per quei pochi istanti a Poornima parve che la sua presenza fisica fosse abbastanza. Più di quanto potesse desiderare. Mangiare dalla sua mano, starle seduta accanto, così vicina da percepire il calore della sua pelle nel freddo di quella mattina di ottobre, e sapere che presto la vita e le sue folle le avrebbero separate. Non adesso, però. Per il momento, almeno fino all'arrivo del secondo autobus, il suo corpo le apparteneva. E quando infine la madre si accorse delle lacrime che le colmavano gli occhi, si fermò, la guardò con aria interrogativa e poi sorrise. «L'autobus arriverà. Da un minuto all'altro sarà qui. Non è il caso di piangere, non credi? Non resteremo qui ancora per molto».

Poornima annuì, con il riso bloccato in gola.

7.

L'indomani, Savitha la destò al mattino presto, mentre fuori era ancora buio. «Faresti il tè?»

Poornima rotolò via dalla stuoia. Piegò le coperte, le appoggiò sul cuscino e sistemò il tutto nell'angolo della capanna. Il padre, i fratelli e la sorella dormivano.

«È così presto» disse sbadigliando e raccogliendosi i capelli. «Perché ti sei alzata a quest'ora?»

«Quel sari non si fa da solo. E poi tuo padre mi ha promesso dei soldi in più se riesco a completarne sei per il giorno del tuo matrimonio».

«Sei? Sarebbe un sari ogni tre giorni».

«Sette, in realtà. Devo sempre tessere il tuo».

Poornima scosse la testa. Staccò un rametto dall'albero di neem e cominciò a masticarlo. Una volta che Savitha si fu seduta al telaio, le portò il tè. Lei ne bevve un sorso. E poi un altro. «Niente zucchero?»

«Mio padre sta risparmiando tutto per le nozze».

«Ma almeno lo sposo ti ha vista?»

Poornima si strinse nelle spalle. «Te l'ho detto. Ha gli esami».

«Gli esami, Poori? Ma come fa a sognarti se non ti ha neanche vista?»

Poornima arrossì. E poi si sentì confusa. La cerimonia per il primo anniversario della morte di sua madre l'aveva tenuta occupata per un po', ma adesso tornava a interrogarsi. Non era insolito sposarsi senza essersi mai visti, né avere mai sentito la voce del fidanzato, ma a sembrarle strano era il fatto che Kishore, il suo futuro marito, non mostrasse alcun interesse a conoscerla. I genitori erano già venuti due volte per contrattare la dote, la cugina di Indravalli si era fermata la settimana precedente per il tè della sera, e di lì a pochi giorni il padre di Poornima e Ramayya sarebbero andati a Guntur a fare acquisti per le nozze, eppure lui non era mai passato da loro, nemmeno tornando a Namburu dall'università. Neppure una volta. E pensare che doveva attraversare Indravalli per arrivare a casa! Poornima scosse la testa. Sarebbe bello vederlo, pensò, ma non poteva insistere. Insistere con chi? E poi era un buon partito, lo dicevano tutti. Un fidanzato che aveva frequentato l'università: Poornima non avrebbe potuto sperare di meglio. Ma quella peculiarità a cui aveva alluso Ramayya? Nessuno vi aveva più accennato. Probabilmente non era nulla d'importante.

Poornima si guardò intorno. Savitha aveva finito di bere il tè; la tazza vuota era sul pavimento di terra battuta del capanno, e lei stava lavorando al telaio. Il sole illuminò l'interno dell'edificio entrando dal lato orientale, che era aperto, e Poornima si chiese cosa stesse facendo in quel momento il suo sposo. Osservava l'alba? Pensava a lei?

A volte si domandava anche se il padre avrebbe sentito la sua mancanza una volta che lei si fosse sposata e trasferita a Namburu, o se il marito avrebbe trovato lavoro. Le era venuto in mente, nonostante i discorsi di Savitha, che forse le sarebbe toccato stabilirsi più lontano che a Namburu. Magari a Guntur. O addirittura a Vizag.

A prescindere da questo, non sarebbe più vissuta lì. I fratelli e la sorella avrebbero avuto nostalgia di lei? Ormai la sorella era abbastanza grande per cucinare e pulire la casa; aveva dodici anni, e forse tra non molto sarebbe stata in grado di lavorare al charkha. Almeno per due o tre anni, finché non si fosse sposata anche lei. La famiglia – il legame che univa Poornima al padre e ai fratelli – all'improvviso le sembrò strana. Cosa li aveva raccolti come conchiglie su una spiaggia per poi metterli insieme sul davanzale di una finestra?

L'avrebbe chiesto al padre, nelle settimane che mancavano al matrimonio. Non se avrebbe avuto nostalgia di lei – quello ovviamente non poteva chiederglielo – ma se gli sarebbero mancati i suoi manghi sottaceto, per esempio, o le melanzane ripiene che gli preparava, il suo piatto preferito. Ma poi pensò che non c'era bisogno di fargli certe domande. Conosceva già la risposta. Aveva capito quale fosse origliando i discorsi del padre con Ramayya e ascoltandolo raccontare una storia che non aveva mai sentito.

Si trattava di un episodio avvenuto quando era piccola. Aveva poco più di un anno e i genitori l'avevano portata al tempio di Vijayawada. Aveva piovuto per tutta la mattina. Era il giorno del suo mundan, l'offerta agli dèi del primo taglio di capelli di un bambino, e dopo il rito la famigliola si era trovata un riparo, il capanno di fronde di palma di un pescatore, sulle rive del fiume Krishna. La madre aveva tirato fuori le provviste per il pranzo. A quel punto la pioggia era diminuita, spiegò il padre a Ramayya, ma il tempo rimaneva grigio, la foschia continuava ad aleggiare sul fiume, che scorreva ad appena qualche metro di distanza. Secondo il padre, mentre lui e la moglie erano indaffarati a preparare l'occorrente per il pasto, Poornima era sgattaiolata via. «Dritta nell'acqua» disse il padre. «Probabilmente per seguire una barca o qualche altro bambino. Lo faceva spesso. Seguiva qualsiasi cosa catturasse il suo sguardo». Nel giro di pochi secondi, continuò, si era immersa fino al collo. «Sua madre fu presa dal panico. Io scattai in piedi e corsi più veloce che potei. Erano solo pochi passi, ma mi parve di metterci un'eternità. Un'eternità. Fissavo la bambina senza distogliere lo sguardo, tentando di mantenerla dove si trovava con la forza di volontà. Avevo paura che se avessi detto, se avessi anche solo sussurrato "Non muoverti!", si sarebbe spostata. Sarebbe caduta. E il fiume l'avrebbe trascinata via. Perciò restai in silenzio. Mi limitai a guardarla e a imporle di rimanere immobile col pensiero». E lei era rimasta immobile, raccontò a Ramayya, immobile come una statua. La sua testolina appena rasata brillava sotto uno squarcio tra le nuvole.

«Quando arrivai vicino alla riva» proseguì «mi fermai. Sapevo che avrei dovuto tirarla fuori di là e darle uno schiaffo, ma non ci riuscivo» disse. «Mi parve così insignificante. Solo un minuscolo rimasuglio galleggiante. In quella foschia, in quel grigiore, in quel vasto flusso d'acqua scivolosa, sembrava meno di niente. Forse la testa di un pesce ributtata nel fiume. O un pezzetto di legno, neppure molto grosso. La guardavo, continuavo a guardarla, e sentivo sua madre che gridava, che correva verso di me, ma non riuscivo a muovermi. Me ne stavo lì a pensare. Pensavo: È soltanto una femmina. Lasciala andare. A quel punto sua madre mi aveva raggiunto e l'aveva tirata fuori. Poornima piangeva» raccontò il padre «e piangeva anche sua madre. Forse sapevano entrambe cos'avevo pensato. Forse ce l'avevo scritto in faccia» confessò a Ramayya. E poi si lasciò sfuggire una risatina. «È così che succede con le femmine, no?» aggiunse poi. «Ogni volta che le vedi sull'orlo di un baratro, non ne puoi fare a meno, non puoi. Pensi: Una spinta. Non ci vorrebbe altro. Solo una piccola spinta».

Una settimana prima delle nozze, Ramayya portò un messaggio urgente da Namburu. «Che c'è? Che succede?» gli domandò il padre di Poornima, sedendosi sul bordo della branda di canapa intrecciata con una tazza di tè leggero e non zuccherato tra le mani, le sopracciglia inarcate.

«È per la dote» spiegò Ramayya scuotendo la testa. «Vogliono altre ventimila rupie». Nel tè di Ramayya lo zucchero c'era, eppure l'uomo alzò lo sguardo verso Poornima come se fosse lei la causa di quella repentina pretesa.

«Altre ventimila! Ma perché?»

«Devono aver saputo qualcosa. Forse dalla famiglia di Repalle. Chissà cos'hanno sentito dire. Ma sanno anche che è troppo tardi. Ti sei impegnato, e dovrai pagare».

Il padre lanciò a Poornima un'occhiata talmente piena di disgusto che lei si rifugiò nella capanna. Pensò alla futura suocera, e a come le sue parole gentili si fossero tramutate così presto in polvere; pensò alla rassegnazione negli occhi del padre di Kishore, alla risata di sua sorella. Ma lui dov'è? si domandò. Dov'era lo sposo? E cos'aveva da dire su quella richiesta improvvisa e inesplicabile?

L'indomani mattina, Savitha le annunciò con un sorriso: «Lo comincerò nel pomeriggio».

«Non dartene la pena» rispose Poornima tristemente. Poi le raccontò delle nuove pretese in fatto di dote, e le riferì il commento del padre: anche se avesse venduto entrambi i telai, sarebbe riuscito a stento a raggranellare i soldi.

«Cosa farà?»

Poornima si strinse nelle spalle e guardò la luce infuocata del tardo mattino che splendeva all'esterno.

Il caldo – dopo una lieve rinfrescata – si era risollevato come una bestia ferita. Grondando afa e sferrando colpi e dilagando nelle pianure dell'Andhra Pradesh, con un astio così accanito da uccidere più di trecento persone nel giro di una settimana. Le ore centrali della giornata erano troppo torride per lavorare; dopo mezzogiorno dormivano tutti, oppressi dalla spossatezza, per poi svegliarsi in un bagno di sudore. Nonostante ciò, nonostante la calura, fedele alla parola data, Savitha cominciò a tessere il sari quel pomeriggio stesso. Finito di mangiare, mentre tutti gli altri stendevano le stuoie, infilò nel telaio il filo color indaco e quello rosso per il bordo. «Siediti accanto a me» disse a Poornima. «Porta qui la tua stuoia». Poornima si sedette con la schiena appoggiata a uno dei sostegni di legno finché non le si chiusero gli occhi, e poi trascinò la stuoia all'interno del capanno della tessitura.

Parlarono; Poornima rimase sveglia fino a quando ci riuscì, fino a quando le palpebre, nel caldo cocente di mezzogiorno, non calarono, pesanti come piombo. Per lo più ascoltava i discorsi di Savitha. L'amica le raccontò che il padre stava male. Peggio del solito. Buona parte dei soldi in più che aveva guadagnato lei nelle ultime settimane, le disse, se n'erano andati in medicine. «Ma forse l'anno prossimo ce ne rimarranno ancora abbastanza» aggiunse. Il volto morbido e aranciato contro la vivida luce bianca del sole che lo circondava, la treccia raccolta in un nodo sulla nuca. Concentrata, assorta nel funzionamento del telaio.

Poornima ne udiva il ticchettio, ripetitivo eppure così simile a una ninnananna. Il fruscio della navetta le dava la sensazione di essere sotto un getto d'acqua, e Poornima chiuse gli occhi. Savitha le stava raccontando qualcosa. Qualcosa su una delle sorelle, che aveva fatto bruciare il latte. E poi la sentì dire che c'era un cinema in costruzione a Indravalli. Magari potremmo andare a vedere un film, quando tornerai qui in visita, stava dicendo. In platea, ovviamente. Ma pensa, Poori, un cinema!

Poornima aveva l'impressione di sprofondare, di cadere a picco come una pietra. Sapeva di essersi addormentata, ma riusciva ancora a udire la voce di Savitha. La sua voce sembrava non cessare mai. Era il mormorio del vento, il sussurro della pioggia. E la sentì dire: «Non dimenticare niente. Niente. Se dimenticherai, sarà come se avessi raggiunto la pietra in fondo al mare. Quella a cui siamo legate tutte quante. Perciò ricorda ogni cosa. Conserva i ricordi. Infilali come fiori tra le pieghe del tuo cuore. E quando vorrai guardarli, guardarli sul serio, Poori, mettili controluce».

Quella notte, Savitha lasciò dormire Poornima. Sedette al telaio da sola. Sistemò la lanterna in modo che il suo chiarore spiovesse sul sari, ormai a buon punto. Il filo color indaco era semplicemente la notte che s'intesseva nel cielo, tra le stelle. Le sue mani e i suoi piedi solamente il giorno che la guardava cadere.

I pensieri di Savitha vagavano. Il ticchettio del telaio la portava altrove. La riconduceva all'infanzia. A ciò che aveva infilato nelle pieghe del proprio cuore. A ciò che adesso reggeva controluce.

Aveva tre anni, forse quattro. Il padre all'epoca faceva lavoretti saltuari, perciò a volte la portava con sé, quando la madre era occupata con le pulizie o con la raccolta dei rifiuti. Quel giorno avrebbe lavorato presso una famiglia ricca la cui figlia stava per sposarsi. Il suo compito consisteva nel fabbricare uccellini di zucchero usando stampi speciali. Savitha non aveva idea dello scopo di quelle figurine, appena più grandi della sua mano (erano decorazioni, le spiegò il padre, ma com'era possibile, si domandava lei, visto che sembravano così gustose), perciò sedeva in silenzio a osservare la pentola, e poi gli stampi, sperando che un po' di zucchero colasse fuori. Al padre era stata consegnata solo una dozzina di stampi, perciò la pentola rimaneva a sobbollire sul fuoco mentre loro aspettavano che ogni serie s'indurisse. Al momento giusto, il padre estraeva con cautela, uno per uno, gli uccellini dalle ali spiegate, e li metteva ad asciugare al sole. Savitha si domandava se potesse leccarne uno, solo una volta, senza farsi vedere, ma quando alzò gli occhi il padre la stava scrutando. A quel punto ne aveva fabbricati circa un centinaio. Savitha era accovacciata accanto agli uccellini da qualche minuto quando udì il padre inspirare bruscamente; girandosi dalla sua parte vide che aveva gli occhi sbarrati. E puntava l'indice. «Guarda. Guarda quello. Ha un'ala spezzata».

Savitha seguì la direzione del dito. Uno degli uccellini, al centro delle file, aveva davvero un'ala rotta. Savitha balzò in piedi, spaventata. «Cosa facciamo, Nanna? Ci chiederanno dei soldi per quell'uccellino?»

Il padre scosse la testa con solennità. «No. Non credo. Ma sarà meglio mangiarselo, tanto per non correre rischi».

Savitha ci pensò su, sorrise e poi scoppiò a ridere. «Lo prendo io, Nanna. Lo prendo io, l'uccellino». Corse all'estremità della fila e si chinò cautamente, con la massima attenzione, ma perse l'equilibrio e cadde, distruggendo tutte le figurine sotto di sé a parte una o due. Per un attimo rimase sdraiata sugli uccellini ridotti in frantumi. Le si riempirono gli occhi di lacrime. Sapeva che si sarebbe buscata dei rimproveri, forse le avrebbe addirittura prese, e per di più il padre sarebbe stato costretto a rifare tutto il lavoro. Poi si rimise in piedi, con circospezione, le braccia, le gambe, il vestito e persino la faccia costellati di schegge di zucchero. Le gote calde di pianto. Aveva paura di guardare il padre, di alzare le palpebre, ma quando lo fece si stupì di vederlo ridere. Aveva una luce negli occhi. Non capì. «Ma Nanna, ti toccherà ricominciare da capo». Il padre continuò a ridere. La indicò. «E pensare che ti credevo dolce anche prima» disse.

Le ci volle un momento per capire, e appena comprese volò tra le sue braccia; lui rise ancora un po', la strinse a sé e la sollevò da terra. «Dimentica quegli uccellini» la tranquillizzò. «Sei tu, bambina mia, sei tu quella con le ali».

Adesso, seduta al telaio in una calda notte di giugno, Savitha rifletteva su quei due prodigi: una bambina tempestata di zucchero e le parole *sei tu quella con le ali.*

Un'ombra schermò la luce della lanterna.

Savitha si girò e vide il padre di Poornima. L'uomo le sorrise, e lei pensò: È la prima volta che lo vedo sorridere. E poi lui le disse: «Vieni con me».

8.

Poornima dormiva. Un rumore la raggiunse. Penetrò tra i suoi sogni. Pensò che fosse qualche bestia, un cane randagio o un maiale. Rimase in ascolto. Lo sentì di nuovo. Un pianto.

Da dove? Da dove?

Il capanno della tessitura.

Poornima scattò in piedi. Corse.

Vide che il capanno era immerso nell'ombra. Ardeva soltanto una lanterna. «Savitha?» bisbigliò.

All'inizio solo silenzio, ma un silenzio greve, come ispessito dal caldo, dal buio. E poi un gemito sommesso.

«Savitha?» Poornima camminò verso il rumore. Proveniva da un angolo del capanno. I suoi occhi si abituarono all'oscurità, e videro un fagotto, un'ombra più scura di quelle che la circondavano. Oltrepassò entrambi i telai. Sembravano enormi, sinistri nelle tenebre, quasi fossero due giganti ingobbiti e bramosi. Ma il fagotto... capì che quel fagotto stava piangendo, singhiozzava così quietamente, così penosamente che Poornima si domandò se fosse un essere umano, se la creatura davanti a lei fosse in grado di fare qualcosa che non fosse piangere.

Incespicò. Si chinò.

Poi s'immobilizzò. Per un solo, fuggevole istante, pensò: Forse sto sognando. Presto aprirò gli occhi. Ma quando protese la mano, toccò pelle nuda. Calda, rovente come la terra bruciata dal sole. Come la sabbia del deserto. Fu allora che vide gli abiti di Savitha, strappati. Alcuni addosso a lei, altri giacevano intorno come vele lacerate. «Savitha. Che c'è? Cos'è successo?»

I singhiozzi cessarono.

Poornima s'inginocchiò e la prese per le spalle. Sentì le ossa, i loro contorni affilati. Le ossa di un minuscolo animale. La chiglia di una piccola nave. Savitha si ritrasse. In quel momento, Poornima vide la scriminatura tra i suoi capelli. Un fiume illuminato dalla lanterna. La treccia disfatta, i lunghi capelli in disordine, ma la scriminatura inviolata. Argentea. Acque pulsanti attraverso un passo di montagna.

Fu allora che allentò la stretta sulle spalle di Savitha. «Chi è stato?»

Savitha, che teneva il capo chino sulle ginocchia, emise un lamento. Sommesso e tenero e spezzato.

«Chi?»

I suoi occhi si riempirono di lacrime.

Tremava così forte che Poornima la sorresse contro di sé. Si strinse al petto la testa di Savitha e si dondolarono insieme in quella posizione. Poornima pensò che avrebbe dovuto chiamare aiuto, svegliare il padre, i vicini. Ma non appena si mosse, al primo, lievissimo spostamento Savitha le afferrò la mano. Gliela serrò con tanta forza che Poornima la fissò sbalordita.

«Chi?»

I loro sguardi s'incrociarono.

«Poori» mormorò Savitha.

E fu allora che capì. Fu allora che Poornima seppe.

Lanciò un urlo così assordante che arrivarono di corsa almeno dieci persone. Ormai Savitha si era ritirata in se stessa. Rannicchiata come un animale ferito. Brandelli di corpetto le cadevano dalle spalle. Spalle brune e nude come colline lontane. I nuovi arrivati circondarono le due ragazze: domande, respiri affannosi ed esclamazioni fischiavano intorno a Poornima come frecce. Si lasciò ricadere in ginocchio. Un vicino la sovrastò e disse: «Cos'è successo? Cosa? Che c'è, ragazze?»

«Portate un lenzuolo» gridò qualcuno, tentando di risollevarla, ma Poornima resisteva, coprendo il corpo di Savitha con il proprio. Quale altro uso potrebbe avere questo mio corpo? pensava. Quale altro uso?

L'indomani mattina il cielo era incandescente di febbre. L'aria era così densa e bollente da sapere di fumo. Poornima si svegliò con gli occhi infelici e increduli. Savitha era rimasta seduta dov'era, sotto il lenzuolo che le avevano gettato addosso, e Poornima la fissò disperata, pensando: No, non è un sogno. Perché non può essere un sogno? Un attimo dopo, uno dei suoi fratelli entrò a passi furtivi, distolse lo sguardo e disse: «Nanna vuole il tè».

Poornima guardò il fratello, e poi, una volta che se ne fu andato, guardò la soglia vuota.

«Nanna vuole il tè» ripeté a pappagallo in un sussurro, come se non solo quelle parole, ma l'intero linguaggio le fosse estraneo.

Restò seduta riflettendo su ciascuna di quelle parole, e poi si alzò lentamente in piedi. Savitha non si mosse. Non sembrava neppure sveglia, sebbene avesse gli occhi aperti.

Poornima attraversò la calura, frastornata dalla luce, stordita, uscendo dal capanno per entrare in casa, e mise l'acqua sul fuoco. Aggiunse il latte, lo zucchero, il tè in polvere. Fissò la fiamma. Le sembrava impossibile: le sembrava impossibile riuscire a preparare il tè, fare una cosa così banale come preparare il tè. Il mondo si era allineato in un nuovo ordine quella notte, e preparare il tè, il tè per suo padre, le pareva in qualche modo un delitto più grande di quello che aveva commesso lui. Guardò con disgusto il liquido che prima iniziava a tremolare e poi a bollire, dopo di che tenne la tazza lontano da sé, come se la ferita che lui aveva aperto, che lui aveva provocato, stesse già suppurando, brulicando di vermi; come se lei stesse reggendo in mano quella ferita.

Il padre sedeva sulla branda di canapa intrecciata, fuori dalla capanna. Gli anziani si trovavano a una certa distanza, e Poornima capì che lui si sforzava di sentire i loro discorsi. Quando vide la figlia, raddrizzò la schiena e allungò la mano con un gesto duro e insensibile. Un fiotto di veleno rovente saettò attraverso Poornima, che per un attimo si ritrasse. Avanzò verso di lui, ma le sembrò che i piedi non toccassero niente di solido, niente di concreto. Il terreno è così soffice, pensò, così simile al cotone. Ma poi il veleno si trasformò in nausea, la calura e il bagliore accecante del mattino la fecero vacillare, all'improvviso nel suo campo visivo fluttuarono puntolini iridescenti, lampi di luce fosca.

Era arrivata ad appena un passo o due da lui quando il suo corpo cedette, si arrese alle vertigini, alla forza di attrazione della terra. Poornima incespicò, qualche goccia di tè schizzò via, lei protese il braccio libero per fermare la caduta, e fu quel braccio che il padre afferrò. Fu quel braccio – un braccio che non aveva mai sfiorato prima, mai, a quanto lei riusciva a ricordare – quello che toccò. Poornima percepì il bruciore della pelle di suo padre. La curva serpentina degli artigli, della lingua, delle dita. Scaglie come carboni ardenti. Scattò indietro con violenza, in preda all'orrore, e fuggì nel capanno della tessitura.

Tornò da Savitha.

Si rannicchiò contro di lei, stringendosi al suo corpo come se fosse stata lei a subire un torto. Un torto? Era solo un padre che aveva sorretto la figlia. Eppure l'atto di sorreggerla in quel modo, in quel momento, con quel nauseante barlume di gentilezza, sembrò a Poornima un oltraggio più grave che se l'avesse semplicemente lasciata galleggiare via sul Krishna tanti anni prima. Perché, avrebbe voluto chiedergli, perché non l'hai fatto?

Fu allora che arrivò il padre di Savitha. Le sue mani – quelle dita nodose, ricurve e deformi – non più nascoste. Tese di fronte a sé, come per supplicare. Per implorare. Gli ondeggiavano davanti, simili a rami selvaggi. Distorti dai fulmini, dagli insetti, dalle malattie. Ma la sua faccia, la sua faccia,

Poornima lo vide, era raggelata da una disperazione che lei non aveva mai visto.

«La mia bambina» disse soltanto, gli occhi rossi, distrutti. La voce in rovina.

Cercò di sollevare Savitha, di portarla via con sé, ma lei si avvinghiò al braccio di Poornima. «Lasciala stare» urlò qualcuno attraverso la porta. Lui provò a sollevarla un'altra volta, ma Savitha si avvinghiò con più forza, e alla fine, vedendolo lottare così, Poornima lo guardò come avrebbe guardato un campo deserto e disse: «Vuole essere lasciata qui».

Il pomeriggio portò vortici di caos e di esasperante confusione. Vicini, anziani, curiosi, bambini zittiti e mandati via, e uomini, uomini ovunque. Ma Savitha non si mosse. Da quando si era aggrappata al braccio di Poornima non aveva neppure girato la testa. Si era limitata a tirarsi su il lenzuolo fino al collo, a battere le ciglia una volta, e poi era rimasta seduta, immobile come una pietra, sempre nella stessa posizione. Poornima le sedeva accanto, e a un certo punto, agitata e presa dal panico per quell'immobilità, portò le dita sotto il naso di Savitha per un attimo, per accertarsi che respirasse ancora. Il calore rugiadoso del suo fiato, la sua delicatezza, vanificò tutte le voci, il rumore, l'infinito flusso di gente.

Nel corso del pomeriggio delle mani tentarono di allontanare Poornima. Tentarono di separarla a forza da Savitha. Ma stavolta fu Poornima ad avvinghiarsi a lei con una sorta di folle frenesia. Udì qualcuno dire, senza neanche abbassare la voce: «La contaminerà. Succede sempre in questi casi. E così vicino alla conclusione delle trattative per il suo matrimonio». Un altro commentò: «Un mucchio di letame è un mucchio di letame. Se ci finisci dentro...»

Poornima piuttosto si sentiva come un filo d'erba crudelmente piegato dal vento. E al vento rivolse le sue parole. «Ti prego» sussurrò in tono sommesso, «ti prego, fermati». Ma quando il vento si fermò solo per un attimo, Poornima fu stordita dal silenzio. Ed ebbe paura. Paura che quel silenzio le raggiungesse al di là del fumo, della calura, del torpore, e le inghiottisse, lei e Savitha, pezzo per pezzo.

Il giorno si trascinò verso la fine. Il caldo rimaneva feroce. Graffiante. Pronto a invadere ogni cosa. Persino la lingua, le orecchie e il cuoio capelluto di Poornima erano ricoperti da uno strato di polvere. Lei non ci badava; la sera giunse al termine. Poornima stava in ascolto. Sentì tutto. Gli anziani del villaggio erano ancora riuniti davanti alla capanna, per decidere il da farsi. In tarda serata, si unì a loro anche il padre di Savitha, e di tanto in tanto Poornima udiva delle urla, urla che le sembravano strida di strani uccelli spaventati, intrappolati nella rete.

«Tu» disse una voce.

Poornima alzò gli occhi. In piedi, sulla soglia del capanno, c'era una donna che non riconobbe. La donna invece sembrava conoscerla.

«Tu» ripeté in un sibilo di rabbia. «È colpa tua».

Poornima si rannicchiò ancora di più nel suo angolo. Sentì la parete alle sue spalle dura, ruvida e inflessibile. Aveva capito, adesso: quella era la madre di Savitha.

«Colpa tua. Colpa tua».

«Io...»

«Se non fosse stato per te, se non fosse stato per la tua amicizia, la mia Savitha non sarebbe mai venuta qui. Non si sarebbe mai fermata qui. In questa casa di demoni. In questa casa. Mai. Tu sei un demonio. La tua casa è diabolica. E quel sari». Cominciarono le lacrime; le si spezzò la voce. La donna scivolò a terra. Si aggrappò allo stipite. Arrancò verso Poornima come un animale. «Quel sari. Quel sari. Lo stava facendo per te. Altrimenti tutto questo non sarebbe mai successo». Ormai era così vicina che Poornima avvertiva il suo alito sulla faccia. Rovente, rancido, velenoso. «La mia bambina. La mia bambina, capisci? No. No, non capisci. Non puoi capire, demonio che non sei altro».

Entrò qualcuno. Videro la donna. La portarono via con la forza. Lei gridò: un grido disperato, informe, come se le stessero trafiggendo il cuore con un palo. Scalciò mentre la trascinavano via. La polvere volò negli occhi di Poornima. Lei batté le palpebre. Nella quiete che seguì, sul capanno calò un sudario. Su Savitha e Poornima. Un grande silenzio intollerabile. Come se la madre di Savitha avesse aperto un portale e fosse entrata una raffica di vento. Fu allora che cominciarono le lacrime. E una volta cominciate, Poornima si rese conto che non avevano fine. Sgorgavano con forti singhiozzi incontrollabili. Se la morte della madre aveva innescato una bufera, quel pianto avrebbe potuto sommergere la terra e tutti i suoi abitanti.

Nessuno badò a lei. La gente andava e veniva nel capanno della tessitura. Persone di ogni genere. A tarda sera un bambino – un maschio – si affacciò alla porta, e uno degli anziani del villaggio lo prese per un braccio e lo portò via. Lo sgridò. «Cosa c'è da vedere?» lo udì dire Poornima. «La frutta guasta è frutta guasta».

Le lacrime continuavano a scendere.

A un certo punto Poornima si sentì soffocare dal pianto, e capì che si era dimenticata di respirare. Si era dimenticata che esisteva una cosa chiamata aria. Che esisteva qualcos'altro oltre al dolore.

Prese la mano inerte di Savitha e la tenne tra le sue, e la giovinezza, la mezza età e la vecchiaia le passarono davanti come le immagini dei film che non aveva mai visto, come il film che Savitha pregustava di vedere un giorno.

«Savitha?»

Nessuna reazione.

«Savitha?»

Nessun movimento. Non un guizzo né un respiro né un battito di ciglia.

«Di' qualcosa».

Nel cuore della notte gli anziani giunsero a una decisione: il padre di Poornima doveva sposare Savitha. Erano tutti d'accordo: sarebbe stata la sua punizione, ed era giusta.

Nessuno si prese la briga di comunicare la decisione a Savitha. Poornima la venne a sapere solo quando Ramayya si avvicinò alla porta del capanno e sibilò: «Si sposerà prima di te. Quella raccoglitrice di rifiuti. E senza nemmeno bisogno di dare una dote a tuo padre».

Poornima lo fissò. Distolse l'attenzione dalla porta soltanto perché avvertì un movimento: Savitha aveva battuto le ciglia. Poi, per l'intera durata della seconda notte, Savitha continuò a rimanere seduta immobile. «Savitha» tentò Poornima ancora una volta, scuotendola, implorandola di dire una parola, di fare un gesto, prima di crollare in un sonno inquieto e disturbato. Soprattutto da sogni, incubi, visioni e premonizioni, e persino dalla voce di Savitha.

«Ti ricordi?» disse quella voce.

Poornima si girò nel sonno; mormorò: «Di cosa?»

«Di Majuli. Del canto del flauto. E di quel frutto perfetto. Te ne ricordi?»

«Sì».

Silenzio. Poornima si agitò di nuovo nel sonno, cercò tentoni il corpo ingobbito di Savitha ma trovò solo aria.

«Sarò molte cose, Poori, ma non la tua matrigna».

«D'accordo».

Uno scalpiccio.

«Poornima?»

«Sì?»

«Sono quella con le ali».

Al mattino, Poornima fu svegliata dalle grida, dallo strepito e dagli appelli a organizzare una squadra di ricerca; si guardò intorno nel capanno della tessitura e scoprì che era vuoto. Savitha se n'era andata.

Poornima

1.

Il matrimonio di Poornima venne rimandato a data da destinarsi. I famigliari dello sposo non volevano saperne di rinunciare alla pretesa di altre ventimila rupie. Tanto meno adesso che circolavano voci sulla ragazza disonorata in fuga e sulla sua amicizia con la sposa, e serpeggiavano insinuazioni – da parte di persone che Poornima non aveva nemmeno mai conosciuto, gente che non abitava neppure a Indravalli – secondo le quali Poornima l'aveva aiutata a fuggire. E come si poteva giudicare una ragazza così? si mormorava. Che razza di moglie sarebbe stata?

Non solo: ogni giorno da Namburu giungevano nuovi particolari a confermare le esitazioni della famiglia dello sposo. Il padre aveva mandato a dire che al figlio, oltre alle ventimila rupie, occorrevano anche un orologio e una motocicletta. La più grande delle due sorelle, che si chiamava Aruna, aveva espresso davanti ad alcune donne di Namburu i propri dubbi su quanto sarebbe stato difficile avere una cognata tanto inferiore. Inferiore? le aveva chiesto una delle donne. In che senso? A quanto pareva, Aruna l'aveva guardata con un'espressione seria prima di rispondere: «È inferiore come può esserlo una scimmia».

Ma era stato il commento della futura suocera a preoccupare di più Poornima. La donna, lamentandosi del matrimonio di suo figlio, studente universitario, con una ragazza di campagna, aveva confidato a una lontana cugina di Poornima: «Che ci vuoi fare? È questo il problema con un figlio di successo: o bisogna dargli in moglie una donna istruita e moderna che finirà per rovinarlo con i suoi eccessi e le sue pretese, chiedendogli cosmetici, sari alla moda e gioielli ogni volta che scorreggia, oppure gli si deve far sposare una bifolca scura come un seme di sesamo, con la raffinatezza di una scrofa nel fango». Ma non aveva detto che Poornima non era scura come dicevano? Non le aveva afferrato il mento con la mano?

Poornima desiderò che Savitha fosse lì, per poterne parlare con lei. Savitha... Il suo cuore divampò di dolore. E poi si spense come una candela.

Savitha era scomparsa ormai da un mese. Da trentatré giorni. La squadra di ricerca partita nel tentativo di ritrovarla – costituita da un gruppetto di giovani di Indravalli, e anche da un poliziotto del posto, che però era rientrato nel giro di due ore e aveva dichiarato, asciugandosi la fronte nella calura: «L'ultima volta che ho passato più di un'ora a cercare una ragazza era la figlia di un parlamentare. Abbiamo finito per trovarla in fondo a un pozzo, a meno di duecento metri dalla casa del padre. È sempre la stessa storia; credete a me. Con questo caldo, vi do un paio di giorni. Forse tre. E poi riaffiorerà, galleggiando sull'acqua, gonfia come un puri» – si era spinta fino ad Amravati a ovest, a Gudivada a est, a Guntur a sud e Nuzividu a nord. Niente. I giovani erano tornati senza aver avuto alcuna informazione sui suoi spostamenti. Dove poteva essere andata? si domandavano le donne di Indravalli. Come si può sparire?

Poornima guardò in direzione del Krishna, verso est, e si chiese la stessa cosa.

In capo a due mesi di trattative, Ramayya e il padre di Poornima raggiunsero finalmente un compromesso con la famiglia di Namburu. Il padre di Poornima avrebbe aggiunto altre diecimila rupie alla dote, versandone cinquemila subito e consegnando le restanti cinquemila entro il primo anno di matrimonio, insieme a uno scooter al posto della motocicletta: Ramayya aveva fatto notare che sarebbe stato un mezzo più comodo quando sarebbero arrivati i figli (maschi, si era premurato di aggiungere). Dopo una settimana di silenzio carico di tensione, la famiglia di Namburu si decise ad accettare di malavoglia, lamentandosi delle concessioni accordate. Ramayya esultava per il felice esito delle trattative, mentre il padre di Poornima era di pessimo umore. «Ma così non dovrai vendere i telai» gli disse Ramayya nel tentativo di rallegrarlo. «E poi pensa una cosa: te ne rimane solo una da maritare». Il padre di Poornima alzò gli occhi foschi sulla figlia maggiore quando lei gli porse il tè e la fissò con disprezzo. E Poornima, sorprendendo persino se stessa, gli restituì lo sguardo.

La data delle nozze venne fissata per il mese successivo. Poornima trascorse nella capanna la maggior parte di quel mese. Era considerato inopportuno che una ragazza si facesse vedere in giro per il villaggio dopo il fidanzamento ufficiale, e c'era anche il rischio del malocchio da parte dei compaesani che, invidiosi della buona sorte di Poornima, promessa in sposa a un universitario, avrebbero potuto colpirla con qualche maledizione. «E poi» le disse la zia, venuta a stare con loro per dare una mano con i preparativi «non è il caso che tu diventi più scura di quello che sei». A Poornima non importava: i concetti di chiaro o scuro, dentro o fuori, speranza e disperazione cominciavano pian piano a perdere significato per lei.

A volte, mentre sedeva apatica al charkha o pettinava i capelli della sorella, guardava oltre la porta aperta della capanna e si chiedeva: Cos'è quel bagliore là fuori? Cosa c'è di così doloroso, di così splendente? Anche le persone avevano perduto il loro posto nei suoi pensieri; non erano più ancorate a nulla che Poornima riconoscesse, controllasse o addirittura comprendesse come se stessa. Un giorno, all'inizio del mese, il fratellino più piccolo corse in casa con un braccio ferito. Lo sollevò verso di lei, piangendo, in attesa di essere medicato, ma Poornima si limitò a guardarlo, sorridendogli distratta. Gli consegnò una moneta da cinquanta paisa e lo sospinse fuori, con il sangue che gli sgocciolava dal taglio, dicendo: «Va' a comprare una banana. Sbrigati. Sta arrivando Savitha». Un'altra volta, sempre in quel mese, la zia le chiese di cuocere il riso per la cena, e Poornima alzò lo sguardo da dov'era seduta, la fissò e con gli occhi vuoti come un campo deserto le domandò: «Tu chi sei?» Due, forse tre volte, Poornima fu colpita da un lampo di luce, da una fitta di qualcosa che non sapeva nominare. Qualcosa che somigliava a un pezzo di ghiaccio tagliente, o a una folata di caldo abbacinante. Cos'era? Cos'era?

Pensò di essersi ammalata, di essersi presa qualcosa. La malaria, forse. Ma poi quelle sensazioni si stabilizzarono. Si insediarono nel suo petto, sul lato sinistro, appena sopra il cuore. All'inizio era solo una spruzzatina, simile alla caduta di pochi chicchi di riso su un pavimento di pietra. Tutto quello che doveva fare era chinarsi a raccoglierli, uno per uno. Poi però la spruzzatina di riso acquistò peso. Densità. Divenne un mucchio di riso. Poornima cercava di premersi il palmo sul petto, nel tentativo di alleviare quella pressione. Ma la pressione non diminuiva, non si allentava; restava lì, solida come un pugno. Ripensò al peso della mano della madre posata sui suoi capelli, ma adesso nel suo petto ce n'era un altro. Un peso che la devastava, senza evocare nessun ricordo, nessuna nostalgia, nessuna infanzia perduta; senza riportarle alla memoria una dolce voce né una mano sollevata per nutrirla; senza evocare niente, assolutamente niente a parte le parole *se n'è andata.*

2.

La settimana prima delle nozze cominciarono ad arrivare altre zie, altri zii e cugini. La capanna era in subbuglio. Fu eretta una tenda, azzurra, rossa, verde e oro. Erano state acquistate foglie di mango per farne ghirlande da appendere alla porta di casa e lungo i muri. Ogni momento arrivava qualcuno con l'occorrente per la cerimonia: curcuma, kumkum, noci di cocco, riso e dal, confezioni di canfora, incenso e unguenti. Bisognava sistemare e mettere a posto ogni cosa. E poi bisognava cucinare. Tutti quei parenti: dovevano essercene più di trenta secondo gli ultimi calcoli di Poornima. Andavano nutriti dal primo all'ultimo: foglie di banano verde vivido piazzate davanti a ciascuno a mo' di piatti, quelle sporche da raccogliere e gettare ai maiali. Zie e cugine collaboravano, ma ogni minuto una di loro, di solito una delle cugine più giovani, si rivolgeva a Poornima e le diceva: «Dove tieni il sale?» oppure «Te lo immagini? Sarai la moglie di un uomo speciale», o ancora «Cosa c'è? Perché mi guardi in quel modo?» Di fronte a tutto questo, Poornima si metteva una mano sul cuore e rifletteva sulla tensione e sul dolore che provava.

Passarono i giorni.

Giunse il mattino delle nozze, giunse come un invasore. Il sole sorse in uno sfolgorio di pennellate variopinte – rosa, viola, arancioni, verdi – e poi si piazzò rabbioso sull'orizzonte, aspettando che campi, donne e villaggi prendessero fuoco. Di buon'ora, tutte le parenti di Poornima si riunirono intorno a lei insieme alle future cognate e ad alcune vicine per la cerimonia della sposa. Le cosparsero d'olio i capelli e le massaggiarono il corpo con la curcuma. Poi ciascuna di loro, a turno, la benedisse con il riso macerato nella curcuma, nel kumkum e nella polvere di legno di sandalo. Di fronte alle più anziane, Poornima si alzò e si chinò a toccare loro i piedi nel tradizionale gesto di rispetto. Aruna, la sorella dello sposo che l'aveva paragonata a una scimmia, rimase un po' in disparte a osservare la scena, come se l'intera faccenda l'annoiasse. Quando toccò a lei benedire la sposa spruzzandole sul capo chino il riso macerato nella curcuma, Poornima ebbe l'impressione che i chicchi le colpissero la testa con una certa violenza, come se fossero grandine; ma questo servì a riscuoterla. Le parve di riemergere da un sogno lungo e complesso, un sogno così realistico, così profondamente irrefutabile che a sembrarle artefatto fu il mondo del risveglio, quello in cui era attorniata da venti donne tutte intente a sorriderle con i loro denti gialli. Ridestandosi batté le ciglia, abbassò di più il capo, vide il lancio del riso e pensò: Riso. C'è qualcos'altro al mondo oltre al riso?

Il muhurthum, il momento esatto nel quale avrebbe avuto inizio il rito nuziale, scelto in base agli oroscopi degli sposi, era fissato per quella sera alle otto e sedici minuti. Erano le sette passate da poco e Poornima sedeva sulla veranda senza lo sposo, impegnata a celebrare con il sacerdote la Puja di Gauri. Solo dopo questa cerimonia sarebbe stata condotta al mandapam, il baldacchino degli sposi, e fatta accomodare accanto a Kishore a recitare altre puja fino a quando lui non le avesse infilato al collo la collana nuziale, il mangalsutra. Poornima sedeva concentrandosi sul sacerdote, seguendo le sue istruzioni, ma tutto continuava ad apparirle come un miraggio, un luogo remoto e irraggiungibile. Ascoltò la voce monotona dell'officiante; tenne lo sguardo fisso sul proprio grembo, a capo chino, nella posizione più adatta a una sposa, le mani giunte in preghiera.

Indossava un sari rosso e verde, di seta pesante. Portava pochi gioielli, per lo più falsi o presi in prestito: i braccialetti infilati su ciascun polso scintillavano alla luce del fuoco di canfora. I motivi disegnati con l'henné si arrampicavano sulle braccia e sui piedi come muschio, soffocanti e asfittici.

Era come se Poornima non riuscisse a sentire veramente ciò che era accaduto fino a quel momento: la cerimonia della sposa, i gesti compiuti per vestirsi nell'ombra della capanna, aiutata dalle zie, le puja con il giovane sacerdote che sbadigliava salmodiandole, la continua confusione di colori, rumori e persone. Si limitava a vedere ogni cosa, come se stesse sbirciando da una finestra.

Attraverso quella finestra, il sacerdote scrutò Poornima, che si stava agitando un poco, il respiro intralciato dal fumo dell'incenso, e le intimò: «Fai attenzione». Poi soggiunse: «Alzati». Era il momento di raggiungere il mandapam, dove la aspettava lo sposo.

Il padre le stava accanto, in attesa di condurla al baldacchino nuziale. Poornima lo guardò, gli guardò la faccia indurita dall'ostilità verso di lei, o forse verso i consuoceri e le loro accresciute pretese in fatto di dote, o magari verso la sua stessa debolezza, anche se non vide nulla di tutto questo; vide solo follia, la propria, e lui le disse: «Andiamo», e lei domandò: «Dove?»

Ormai il sole cominciava a tramontare, il cielo a ovest fiammeggiava verde, arancione, rosso. La linea dell'orizzonte orientale era di nuovo bianca per la calura. Dove mi portano? si chiese Poornima. Dovunque fosse, non le importava. Non davvero. Notò il tramonto con un senso di meraviglia, e rifletté: È una serata così bella, e che bel sari ho addosso. Questo la allietò. La finestra da cui stava sbirciando: quanta bellezza le mostrava. Eppure, da qualche angolo remoto dentro di lei scaturì un pensiero: No, non voglio questo sari. Non voglio questa giornata. Non voglio questo padre. Cosa voglio? Cos'è che voglio? Non seppe rispondersi, perciò tutto rimase com'era e lei continuò a camminare, fingendo di essere felice.

Teneva la testa bassa, naturalmente. Non alzò lo sguardo, ma capì che si stava avvicinando alla tenda quando il calore e l'aria intorno a lei si fecero più pesanti. Il padre sembrava non accorgersene; pareva concentrato soltanto sul baldacchino nuziale, sullo sforzo di condurla fin là. Ma l'aria era opprimente, non più piacevole, e Poornima fu colta dal panico. Provò a rallentare il padre, cercò di divincolarsi, ma lui mantenne la presa sul suo gomito e la guidò verso il baldacchino.

«Voglio fermarmi» disse.

Lui le strinse il gomito con più forza. «Non fare la sciocca» le rispose.

Non fare la sciocca, pensò Poornima, e queste parole le parvero abbastanza sensate. Perciò le cantilenò tra sé: Non fare la sciocca. Non fare la sciocca. Non fare la sciocca. Non fare la sciocca. Non fare la sciocca. Non fare la sciocca. Non fare la sciocca. Non fare la sciocca. E continuò a ripetersele ancora e ancora finché non arrivò al mandapam, salì i due gradini e venne fatta sedere accanto allo sposo.

Non fare la sciocca, si disse.

Il padre mise la mano di Poornima in quella dello sposo. Lei non guardò. Perché guardare? Chi era quello sconosciuto? In ogni caso gliela stringeva a malapena. Altre puja. Il sacerdote le porse due banane e una mela. Due banane e una mela. Poornima le fissò. Avevano un'aria talmente familiare. Talmente invitante. Come se avesse aspettato tutta la vita di vedersi offrire esattamente quella quantità e varietà di frutti.

Perché?

Avrebbe voluto domandarlo all'uomo seduto accanto a lei. Forse lui lo sapeva. Era sul punto di girarsi per farlo quando il sacerdote, in tono impaziente, come se gliel'avesse già ripetuto molte volte, esclamò: «Ammai, mi senti? Ti ho detto di dargli questi frutti». E così Poornima decise di chiederglielo più tardi, dopo avergli consegnato la frutta. La mano di lui si fece più vicina, sempre più vicina, e stavolta Poornima alzò gli occhi. Solo un poco. Rimase senza fiato. La mano destra: era monca. Mancavano due dita. Il medio e buona parte dell'indice. Il moncone dell'indice sembrava carne sminuzzata e rinsecchita ma ancora rosea, e nel punto in cui ci sarebbe dovuto essere il medio la pelle era chiusa verso l'interno, come la bocca sdentata di un vecchio. Poornima si ritrasse.

Dunque è questo, pensò disgustata, è questo che intendevano quando parlavano di peculiarità. Ricordò di aver conosciuto qualcun altro con delle mani simili, delle mani altrettanto grottesche (il padre di qualcuno, ma di chi?). E poi pensò: Ma chi è quest'uomo? E perché devo dargli queste due banane e questa mela? Sono mie. Questi frutti sono miei. Non voglio metterli in quella mano, pensò; non voglio metterli in una mano così.

Non furono i frutti. O forse furono i frutti. In ogni caso, dopo che Kishore le ebbe infilato al collo il mangalsutra ed ebbero percorso insieme i sette passi intorno al fuoco – le cinque dita di lei strette nelle tre (e mezzo) di lui – Poornima capì. E quella finestra? Si rese conto che non c'era. Non c'era mai stata. O se c'era stata, era andata in pezzi, una pietra l'aveva ridotta in frantumi: e lei era là a fissare la pietra, le schegge, l'aria che entrava a raffiche. In quel momento capì di essersi sposata.

3.

La casa del marito, a Namburu, non era affatto una capanna. Era una casa vera, fatta di cemento, a due piani. Aveva quattro stanze al pianterreno e una grande camera al piano di sopra, con il tetto piatto che fungeva da terrazza. Là veniva stesa ad asciugare la biancheria, e nelle calde notti estive ciascun membro della famiglia ci portava la stuoia per dormire sotto le stelle. Ma ora non più. Lì avrebbero abitato Kishore e Poornima, e fu lì che lei venne scortata per la sua prima notte insieme al marito. La accompagnò a Namburu una giovane cugina, per farle da chaperon, e la suocera e le cognate appena acquisite le accolsero sulla porta con una aarthi sfolgorante. Poornima si guardò i piedi.

Fecero un gioco, lei e il novello sposo, mentre tutti i parenti li incoraggiavano. Lo si faceva fin dall'antichità: sempre lo stesso gioco, con le stesse regole. Fu versata dell'acqua in un vaso di ottone dall'imboccatura stretta e all'interno venne lasciato cadere un anello. Pluf. Nell'acqua. I due coniugi dovevano infilare nel vaso la mano destra, solo la destra, e chi fosse riuscito a tirar fuori l'anello avrebbe vinto. Era l'imboccatura stretta la chiave per comprendere il vero scopo della gara: le mani dovevano toccarsi. Le dita si sarebbero intrecciate. I preliminari tra due sconosciuti in preparazione al sesso. Al primo rapporto sessuale. Poornima immerse la mano nell'acqua e provò un immediato disgusto. Invece di cinque dita, ne sentì tre. Pollice e mignolo potevano a malapena essere definiti tali, per cui ne rimaneva uno soltanto. Uno solo a sfregarsi contro le sue, e il moncone dell'altro – l'indice, quello incompleto – simile a un pezzo di carne umido e non abbastanza cotto.

E poi il vuoto. Il medio ridotto a una semplice assenza. Un'omissione. Poornima sorrise timidamente, cercando di nascondere la ripugnanza. Questo è il tuo nuovo sposo, si disse. Questa è la tua nuova vita. E poi sollevò le palpebre. Il marito guardava dritto verso di lei. Verso di lei? Forse il suo sguardo la attraversava senza vederla. Ma c'era una strana espressione nei suoi occhi. Poornima la riconobbe: che espressione era? Passò in rassegna tutti i ricordi della sua giovinezza, della sua infanzia, della sua vita intera, e le parve che quell'espressione non fosse affatto strana né poco familiare. In realtà era la più familiare di tutte. Era l'espressione di un uomo: un uomo che la spogliava, le sfilava i vestiti di dosso, la privava della sua innocenza, strappandogliela con i denti, mordendone il tenero cuore, e poi rideva crudele nell'assaporare il pieno successo del suo assalto, il terrore e il desiderio, mentre lei era là, già mezza svuotata, mezza straziata, mezza nuda.

Mentre lei era là, già mezza ingoiata.

Fu allora che cominciarono a scendere le lacrime, prima che Poornima avesse modo di fermarle, mentre le dita cercavano ancora l'anello, ma non davvero, perché sapeva già che avrebbe vinto lui; o meglio, che lei avrebbe perso. Lacrime senza importanza, dato che non se ne accorse praticamente nessuno, e se qualcuno le notò, le scambiò per lacrime di gioia.

Quella sera, conclusosi il pomeriggio di giochi e dolci canzonature agli sposi, Poornima venne lavata e avvolta in un sari bianco, e le furono intrecciati fiori di gelsomino tra i capelli. Si vide consegnare un bicchiere di latte caldo aromatizzato allo zafferano per il marito, e affrontò i gradini che conducevano alla stanza sul tetto. Adagio. Così adagio che la giovane cugina, al suo fianco per scortarla su per la scala insieme ad alcune parenti di Kishore, la guardò e pensò che potesse mettersi di nuovo a piangere. La ragazzina, che si chiamava Malli, non sapeva nulla di quanto era successo a

Indravalli: sapeva solo che la cerimonia si era svolta in una strana atmosfera ovattata, un'atmosfera, supponeva lei, che aveva qualcosa a che vedere con la donna dall'aria folle raggomitolata nel capanno della tessitura molte settimane prima, rannicchiata tra le braccia di Poornima; lei le aveva dato appena un'occhiatina, ma un cugino che l'aveva guardata meglio le aveva detto che era una rakshasi venuta a divorare i neonati. «Ma perché i neonati?» gli aveva chiesto Malli. «Perché sono i più teneri, stupida». Sembrava sensato. «Perciò noi saremmo troppo duri?» Lui l'aveva fissata sospirando con impazienza. «Io sì. Tu non lo so. Fammi controllare». Le aveva tastato il braccio, per poi concludere: «Probabilmente tu vai ancora bene». Nonostante ciò, Malli era stata felice di accompagnare Poornima nel suo viaggio a Namburu. Era la tradizione – una giovane parente scortava la sposa fino alla sua nuova casa, un sistema per agevolare il trasferimento in un luogo strano e ignoto – e Malli aveva colto al volo quell'opportunità. Ma adesso che era lì e saliva le scale al fianco di Poornima, una cugina che conosceva appena ma che la colpiva per la sofferenza atroce e assillante da cui pareva angustiata, si domandava se non sarebbe stato meglio sfidare la sorte con la rakshasi.

Malli e le altre lasciarono Poornima di fronte alla porta della camera, ridacchiando mentre si affrettavano ad andarsene.

Lei le guardò allontanarsi.

Si girò verso la porta. Una ghirlanda di foglioline di mango verdi ne adornava l'architrave. La porta era stata appena riverniciata dello stesso colore e benedetta con puntolini rossi di polvere di kumkum e di curcuma. Poornima si fermò in ascolto. Non per sentire i rumori del marito che, lo sapeva, la aspettava all'interno, ma per udire qualcos'altro, qualcosa che non era in grado di nominare. Forse una voce che l'avrebbe condotta via di lì, magari fino al bordo del tetto, forse proprio sull'orlo. Invece non sentì niente. Il latte nel bicchiere che stringeva in mano si raffreddò. Poornima abbassò gli occhi e vide la pellicola rappresa in superficie. Era apparsa dal nulla, sottile e grinzosa, a galleggiare sul liquido. Ingegnoso. Come ci riusciva il latte, come sapeva farlo? Era un modo per proteggersi? Come poteva essere così forte?

Posò il bicchiere vicino alla porta e si diresse al centro della terrazza. Il cemento le scottava i piedi nudi, ma lei se ne accorgeva a malapena. Vide brillare qualcosa in mezzo al pavimento, ma quando si avvicinò scoprì che era solo un pezzo dell'involucro di una caramella. Cosa credeva che fosse? Una moneta? Una pietra preziosa? Poornima non ne aveva idea, ma fu così delusa che si sedette accanto all'involucro e restò a fissarlo. «Potevi essere un diamante» gli disse. Poi soggiunse: «Potevi essere qualsiasi cosa». L'involucro sembrò restituirle lo sguardo. Era quasi buio, ormai. Faceva un po' più fresco, eppure i pomeriggi rimanevano torridi, con temperature vicine ai quaranta gradi, e il cemento su cui sedeva tratteneva il calore. Ma non ci fece caso, era troppo presa da un ricordo, uno dei suoi primi ricordi: da piccina, aveva tre o quattro anni, un giorno aveva accompagnato la madre al mercato per comprare la verdura. Lungo la via del ritorno, la madre si era fermata dal droghiere ad acquistare un grammo di chiodi di garofano. Nella bottega, Poornima aveva contemplato tutti i barattoli esposti sul bancone, pieni di cioccolatini, biscotti e caramelle, e aveva chiesto alla madre di comprarle qualcosa. Ma lei non l'aveva neppure guardata. «No» aveva detto. «Non abbiamo soldi».

Poornima era rimasta lì a guardare i barattoli.

Nel negozio era entrata un'altra cliente, una signora grassa con un figlio altrettanto grasso. Il ragazzino appariva viziato persino agli occhi inesperti di Poornima. Era più grande di lei, ma sembrava decisamente meno sveglio, come se per tutta la vita l'avessero rimpinzato solo di burro e di elogi. Non aveva avuto nemmeno bisogno di chiedere un dolce, lui. Si era limitato a indicare la caramella che voleva e a tirare il pallu della grassa madre. Il negoziante l'aveva subito accontentato aprendo il barattolo, dopo di che, con una risata ossequiosa, aveva aggiunto: «Ne prenda pure quante ne vuole, Mr. Ramana-garu». Il ragazzino ne aveva agguantata una manciata e poi si era allontanato. Anche il negoziante, indaffarato a servire la madre, si era spostato. La madre di Poornima era china sui contenitori delle spezie, assorta a esaminare una manciata di chiodi di garofano. Poornima si era girata a guardare il barattolo.

Era ancora aperto.

Non l'aveva mangiata finché non era arrivata a casa. L'aveva tenuta stretta nel minuscolo pugno per tutto il tragitto del ritorno e poi aveva aspettato di essere sola, mentre la madre preparava la cena e i fratelli giocavano, per scartare adagio la caramella, rossa al centro della mano, grande quasi quanto il suo palmo e lucente come una gemma, una gemma liscia e zuccherina. L'aveva leccata una volta, due, fino a quando non era più riuscita a resistere. Allora se l'era infilata in bocca. Aveva già mangiato caramelle prima, ma mai una intera; la madre le spezzettava sempre perché potesse dividerle con i fratelli. La cosa peggiore era vedergliele rompere, pensava Poornima: vederla prendere quelle gemme deliziose e perfettamente rotonde e ridurle in frantumi. Le sembrava un'indecenza. Provava ancora più rancore verso la madre che verso i fratelli. Ma questa, questa era intera. L'aveva succhiata e succhiata finché la sua dolcezza non le aveva inondato la bocca e solleticato la gola. Ne rimaneva ben poco, appena un frammento sottile, quando aveva sentito la madre che la chiamava. Si era affrettata a inghiottire il rimasuglio di caramella, e arrivando sul retro della capanna, dove la madre stava cucinando, aveva cominciato a tossire, irritata dal fumo della legna.

«Quello cos'è?» aveva detto la madre.

Poornima l'aveva guardata.

«Vieni qui» le aveva ordinato la donna.

Poornima aveva mosso un passettino verso di lei.

La madre aveva afferrato le gote della figlia con la mano e stretto le dita. Poornima aveva sporto le labbra come un pesce. «Apri la bocca» le aveva intimato. «Non credere che non ti abbia vista».

Alla fine Poornima si era decisa a schiudere le labbra, e poi, quando la madre aveva stretto con più forza, a spalancare la bocca, rossa, lucida e scivolosa come l'interno di una melagrana.

«L'hai rubata?» le aveva chiesto la madre.

Poornima era rimasta in silenzio, e poi aveva annuito.

La madre aveva sospirato. Le aveva detto: «Rubare è sbagliato. Tu lo sai, Poornima, vero? Non devi farlo mai e poi mai». Poornima aveva guardato la madre e annuito un'altra volta. «Ormai l'hai mangiata, perciò domani dovremo andare dal droghiere a dargli i soldi. Non lo racconterò a tuo padre, ma quella caramella non era tua. Ricordalo, Poornima, non bisogna mai prendere ciò che non ci appartiene. Te lo ricorderai?»

Poornima se ne ricordava, ma non era più d'accordo. Seduta in mezzo alla terrazza, la sera della sua prima notte di nozze, guardò l'involucro della caramella e pensò alla madre. Pensò alla caramella rossa; ne sentiva ancora il sapore sulla lingua, la dolcezza che le scendeva in gola. Però non era d'accordo. «Amma» disse fissando l'involucro, «se solo avessi preso quello che non mi apparteneva. Se solo avessi dedicato un momento a insistere, insistere per incontrare il mio sposo prima del matrimonio, avrei potuto contargli le dita come i suoi famigliari hanno fatto con me. Se solo avessi rifiutato. Rifiutato tutto quanto: di lasciarti morire, di lasciar morire la capra, di lasciare che la sveglia azzurra smettesse di suonare. Se solo avessi detto: Sei tu il canto del flauto». Raccolse la carta della caramella. E continuò: «Non capisci, Amma, se solo avessi preso ciò che non dovevo prendere. Se solo ne avessi avuto il coraggio».

Lasciò andare la carta e la guardò volare via nella brezza.

Camminò verso la porta, dietro la quale la aspettava suo marito, con ogni probabilità già addormentato a quell'ora, e sollevò il bicchiere di latte ormai freddo. Vide galleggiare sulla pellicola raggrinzita pagliuzze di polvere portate dal vento. Le guardò, quelle pagliuzze, e decise di lasciarsi convincere da loro: resisti, le dissero, rimani in superficie, e permetti a queste acque, queste magnifiche acque bianche e cremose, di portarti con loro. Dove l'avrebbero portata? Non ne aveva idea, ma dietro la porta c'era un uomo che non era suo padre. Un uomo al quale adesso apparteneva. Le parve un progresso; bastava questo a rendere quel posto un posto migliore.

Nella stanza c'erano un letto, un armadio di legno con un lungo specchio contornato da un fregio di bacche penzolanti da tralci ricurvi, una scrivania e un televisore. Un televisore! Nessuno ne aveva uno a Indravalli. Kishore vide che fissava l'apparecchio e le disse: «Non ti far prendere dall'entusiasmo. Non funziona». Poornima distolse lo sguardo dal televisore e lo riportò sul bicchiere di latte che reggeva in mano. Lui lo prese e lo appoggiò sul minuscolo tavolino tondo accanto al letto. Il sottile lenzuolo giallo sul materasso era coperto da petali di rosa disposti a forma di cuore, e Poornima si domandò chi l'avesse fatto: chi li avesse preparati in quel modo. Era un gesto così incantevole, così inatteso che provò il desiderio di sedersi sul bordo del letto – con cautela, per non spostare i petali – e di starsene lì a contemplarli. Semplicemente a contemplarli. Ma Kishore non sembrava affatto interessato al cuore, perché senza preavviso la trascinò sul materasso, diede uno strattone alle pieghe del sari e affondò la testa, le labbra umide, nella scollatura del corpetto, toccandole i seni con le dita simili alle estremità di una patata. Nella confusione che seguì, Poornima non capì cosa la trafisse. Si lasciò sfuggire un gemito, troppo spaventata per gridare, ma ormai Kishore stava grugnendo sopra di lei. Guardando la sua faccia, le sue smorfie, i suoi sussulti, non riusciva a decidere cosa le facesse più male: ciò che la penetrava o ciò che usciva dal suo corpo. Poi però tutto finì. Di punto in bianco. Dopo un'ultima spinta, Kishore abbassò gli occhi su di lei e sorrise. Un sorriso autentico. E lei pensò: Sì, in fin dei conti sei tu l'uomo al quale appartengo adesso. Quindi lui rotolò via, e nel buio, proprio mentre Poornima sentiva per la prima volta il tocco vellutato dei petali di rosa contro la schiena, un contatto fresco e indulgente come la pioggia, Kishore le disse con voce assonnata: «Mi piace bere due tazze di caffè. Una appena sveglio, e una con la colazione. Hai capito?»

Lei annuì nell'oscurità. E si sforzò con tutta se stessa di capire.

4.

Alla fine del loro primo mese di matrimonio, una domenica, Kishore portò Poornima e la sorella Aruna, che aveva diciassette anni ed era più giovane di lui di sei anni, a Vijayawada. L'altra sorella, Divya, che Poornima aveva conosciuto il giorno del matrimonio, aveva dieci anni meno del fratello, ed era una ragazzina studiosa. D'indole tranquilla, al contrario di Aruna, non volle partecipare alla gita perché aveva gli esami. E così Poornima, Kishore e Aruna partirono dopo colazione. Poornima si era messa il suo sari più bello, quello arancione con il bordo rosa che aveva ricevuto in dono per le nozze. Mangiarono masala dosa in un ristorante vicino alla stazione degli autobus. Aruna e Kishore non apprezzarono il cibo: secondo Aruna il curry era insipido e il cameriere insolente; Kishore aggiunse che i locali intorno all'azienda dove lavorava, in Annie Besant Road, erano di gran lunga migliori. Poornima invece non poteva fare paragoni; non era mai stata in un ristorante. Più tardi Kishore portò lei e la sorella al cinema.

Anche quella fu una novità assoluta per Poornima.

Le si inumidirono gli occhi di lacrime mentre aspettava insieme ad Aruna che Kishore comprasse i biglietti. Desiderò di essere lì con Savitha, come avevano progettato una volta, ma rimase senza fiato dimenticando completamente l'amica non appena varcò le porte della sala. Non aveva mai visto un ambiente di quelle dimensioni. Fu come entrare in un'enorme caverna, che però era tutta decorata e illuminata sontuosamente. Si fermò sbigottita a guardare i sedili di velluto rosso, alcuni strappati ma pur sempre lussuosi, le goccioline di luce dorata lungo le pareti alle quali erano appese le lampade e la folla di gente che si precipitava a cercare un posto. Kishore e Aruna dovevano essere già stati in quel cinema, perché superarono Poornima per raggiungere una fila di sedili al centro della galleria.

Poi il sipario si aprì, lo schermo si riempì di luce e Poornima rimase di nuovo sbalordita. I personaggi erano colossali! Sembravano incombere su di lei, pronti a balzarle addosso. Sbarrò gli occhi, un po' spaventata, ma quando guardò con ansia Kishore e Aruna, li vide già assorti nel film. Era la triste storia di due innamorati divisi dalla disapprovazione dei genitori, soprattutto quelli della ragazza, perché il giovanotto non aveva un soldo e non lavorava (a quanto era riuscita a capire Poornima), però era straordinariamente bello e possedeva una magnifica motocicletta, sebbene fosse povero. Il padre e la madre della ragazza, nel tentativo di tenerla lontana da lui, erano arrivati al punto di rinchiuderla in una remota dimora tra le montagne. Era triste, eppure c'erano scene di canti e balli degli innamorati nel Kashmir, a Shimla e a Rishikesh, con i due giovani che danzavano e folleggiavano nella neve. L'attrice indossava solo un sari azzurro, impalpabile e trasparente, in mezzo al bianco dei pendii innevati, e Poornima si chinò per domandare a Kishore: «Non ha freddo? La neve non dovrebbe essere fredda?» Lui la ignorò, o forse non sentì.

Alla fine del film il protagonista conquistava i genitori della ragazza salvando l'azienda di famiglia dalle mire di un avido parente che progettava di accaparrarsela e di buttarli fuori dalla loro villa. Se il giovane non l'avesse smascherato e tenuto sotto tiro impugnando una pistola, i famigliari della ragazza avrebbero perduto ogni cosa – denaro, gioielli, automobili – e sarebbero rimasti senza casa. In quel momento, i genitori di lei avevano riconosciuto l'intelligenza e la prontezza del ragazzo, e il film si concludeva con i due che mettevano la mano della figlia in quella del suo innamorato.

Poornima fu così commossa dai volti radiosi dei protagonisti, da tutti gli ostacoli che avevano dovuto superare, che si mise a piangere. Kishore e Aruna la guardarono e risero. «Non era nemmeno un granché» commentò Aruna. Poornima non era d'accordo; e lungo il tragitto di ritorno, sull'autobus che serpeggiava tra le risaie sempre più buie e gli ormai indistinti campi di cotone e di noccioline, guardò i contorni delle montagne lontane che si fondevano con il cielo notturno e capì che non aveva pianto per il film: aveva pianto perché non aveva dimenticato. Neppure per un attimo. In qualche modo Savitha era là, seduta al cinema accanto a lei: una presenza persino più essenziale di quella di Kishore e di Aruna. Riusciva a immaginarselo: Savitha le avrebbe afferrato la mano mentre il protagonista tirava fuori la pistola; le sarebbe piaciuto, quel ragazzo, perché era povero come loro, e perché amava la protagonista così dolcemente, con un desiderio così sincero. Pensa, Poori, le avrebbe detto scuotendo la testa, pensa a quanto doveva avere freddo quella povera ragazza, con quel sari tanto leggero. E tutta quella neve, avrebbe aggiunto, sembrava proprio riso allo yogurt, non credi?

Nei giorni e nelle settimane seguenti, Poornima ripensò molto alla gita al cinema. Non al film. Non esattamente. A farla riflettere erano le facce degli spettatori in sala, soprattutto quelle di Kishore e di Aruna. Non aveva mai visto nulla del genere: luci che lampeggiavano e cambiavano colore, illuminando i volti rapiti delle persone tra il pubblico. Non aveva mai visto neanche le luci baluginanti e guizzanti di un televisore, figuriamoci quelle di uno schermo cinematografico. Col passare dei mesi, le sembrò che la qualità di quella luce, remota e insieme penetrante, minacciosa eppure innocua, somigliasse al modo in cui percepiva gli eventi della propria vita.

Per esempio una sera, mentre preparava la cena per la famiglia, la suocera entrò in cucina (che, con grande meraviglia di Poornima, era una vera e propria stanza separata) e pretese di sapere dove fossero i suoi orecchini di granati, quelli a forma di fiore; voleva metterseli per andare al tempio, disse. Poornima, ignara persino dell'esistenza di quegli orecchini, le rispose che non ne aveva idea, e tornò a occuparsi del curry di patate e melanzane sul fornello. La suocera, scrutandola da vicino mentre lei salava il contenuto della pentola, si lasciò sfuggire un sonoro sospiro e borbottò: «I poveri. Non si può mai sapere con loro». Poornima posò il cucchiaio, guardò la donna che usciva dalla cucina e si domandò: Cosa non si può mai sapere?

Ma poi le luci del cinema si fecero più vicine, divennero più minacciose.

Accadde una domenica pomeriggio, all'ora in cui la famiglia prendeva il tè accompagnato dai pakora. Poornima si era appena seduta a bere il suo tè quando Aruna la fissò intensamente, si girò verso la madre e disse: «Qualcuno ha rovinato il mio shalwar di seta. Amma, sai chi può essere stato?» Prima era di un rosa tenue, ma adesso, a quanto pareva, era chiazzato di blu e viola. Madre e figlia si voltarono entrambe verso Poornima. Il loro sguardo assunse una sfumatura d'odio, fosco e improvviso. «L'hai messo in ammollo con qualcosa di blu, eh? Con quell'asciugamano blu, magari? Scommetto che l'hai lavato insieme a quell'asciugamano. Amma, riesci a crederci? Sei invidiosa, vero? Impossibile avere qualcosa di carino quando c'è certa gente in giro. Lo so che l'hai lavato con quell'asciugamano. Come fai a essere tanto stupida?»

Poornima aprì la bocca per protestare, anche se in tutta sincerità non si ricordava. Faceva il bucato per l'intera famiglia, perciò forse aveva davvero messo lo shalwar in ammollo con l'asciugamano blu. Però non di proposito, e certamente non per invidia. Guardò Kishore, ma lui era assorto a masticare un pakora alla cipolla. Si girò verso il suocero, che parlava di rado in presenza della moglie e aveva l'abitudine di sgattaiolare via ogni volta che una discussione si faceva accalorata o rischiava di coinvolgere anche lui. Quel giorno si limitò a starsene seduto con le mani intrecciate, contemplandole come se fossero un pozzo profondo. L'unica possibile alleata era Divya: una ragazzina seria che Poornima aveva imparato ad apprezzare, ma che non aveva voce in capitolo, essendo la più giovane, e veniva spesso zittita a suon di urla.

Non ebbe nemmeno il tempo di rivolgersi a lei: la suocera le arrivò addosso e le tirò indietro la testa strattonandole la treccia. «Chiedi scusa» ringhiò. «Forza». Poornima era così sbalordita che non riuscì a pronunciare neanche una parola né a gridare. Alla fine la suocera mollò la presa, e Poornima chiese scusa. Ma poi quella notte, mentre si addormentava, pensò: È stato assurdo da parte mia. Un comportamento da vigliacca. Non avrei mai dovuto chiedere scusa quando non ero neppure sicura di avere qualche colpa. Non ricordo di averlo nemmeno mai visto, quello shalwar. Che senso aveva chiedere scusa, si domandò, senza sapere nulla del misfatto né di chi ne era responsabile. Non significava niente, si rese conto. Assolutamente niente. Perciò in quel momento decise – decise, sì, decise, stupefatta di essere capace di decidere qualcosa – che non si sarebbe mai più scusata per colpe non sue, per crimini che non ricordava in alcun modo di aver commesso. E così si addormentò sorridendo e scivolò in un sogno.

Dopo sei mesi di matrimonio, le giornate di Poornima presero una piega ancora più cupa. Suo padre era riuscito a versare le prime cinquemila rupie il giorno delle nozze. Aveva chiesto un prestito alla cooperativa dei tessitori, a un interesse esorbitante, ma in quel modo aveva conservato entrambi i telai e aveva persino assunto un ragazzo – molto giovane, tanto che arrivava a malapena ai pedali – per poter utilizzare anche il secondo. Però non aveva ancora potuto comprare lo scooter a Kishore, e non sapeva come racimolare le cinquemila rupie che mancavano. Poornima non avrebbe potuto sapere nulla di tutto ciò, dato che non aveva quasi più alcun contatto con il padre, se i suoceri non avessero cominciato a parlarne con una certa insistenza. Anche se *parlarne* non era la parola giusta. *Perseguitare* sarebbe stato un verbo più appropriato. Cominciarono a perseguitarla per quella faccenda.

All'inizio Poornima non capì neppure che si trattava delle cinquemila rupie. Erano circospetti, e dicevano frasi allusive, tipo: «Certa gente. Certa gente è troppo pigra per pagare i suoi debiti», oppure: «Non ci si può fidare di nessuno, tanto meno dei poveri, soprattutto se hanno una figlia. Perché mai dovremmo essere noi a perdere dei soldi per colpa della loro sfortuna?» o ancora: «I bugiardi, se c'è una cosa che non sopporto sono i bugiardi». Nel giro di qualche settimana, però, le battute divennero più pungenti. Una sera, mentre Poornima cenava dopo che tutti gli altri avevano finito – andavano serviti per primi Kishore e suo padre, poi la madre, Aruna e Divya – la suocera entrò in cucina, dove Poornima sedeva sul pavimento a consumare il pasto, e le domandò: «Hai abbastanza cibo, mia cara?»

Poornima alzò gli occhi, stupita. Mia cara?

«Meglio così» continuò la donna. «Mangia pure a sazietà. Tu puoi vivere alle nostre spalle. Ma noi, alle spalle di chi vivremo?»

Poornima cercò di parlarne con Kishore. Affrontò l'argomento una notte, dopo che erano saliti nella loro stanza. Faceva più fresco, adesso. Era gennaio, e avevano dovuto sostituire le lenzuola leggere con una coperta di lana. Il cielo era di un blu profondo e remoto; le stelle invernali lo trafiggevano con fredda indifferenza. Poornima si fermò un attimo sulla terrazza a contemplare le altre case di Namburu, in gran parte capanne dal tetto di paglia come quella in cui era cresciuta. La luce dorata delle lanterne si diffondeva all'esterno sui vicoli di terra battuta tra le costruzioni, e si sentiva l'odore del fumo della legna, dei fuochi accesi sui quali bolliva il riso, dei tondi pulka di grano abbrustoliti direttamente sulla fiamma. Poornima guardò in direzione di Indravalli e si rese conto che anche là doveva esserci la stessa aria fresca di quella notte, con ogni probabilità esattamente la stessa aria, eppure lei non sentiva alcun legame con il proprio villaggio. Non provava alcun affetto. Era come se l'inverno avesse mutato persino la stagione del suo cuore, lasciandolo pieno solo di fumo e di stelle gelide e lontane.

Quando entrò in camera, Kishore le chiese di avvicinarsi al letto. Lui era sdraiato sopra le coperte. «Togliti il corpetto» le disse. Poornima ubbidì e si avvolse il pallu intorno alle spalle, per quanto le curve offuscate dei suoi seni e i contorni delle braccia sottili trasparissero ancora attraverso il tessuto del sari. «No» disse lui, «togliti anche quello». Poornima lo fece con riluttanza, intimidita, inconsapevole – persino dopo sei mesi di matrimonio, persino con Kishore sopra di lei di fatto ogni notte – del proprio corpo adolescente e della cruda brutalità che poteva ispirare. «Massaggiami i piedi» disse il marito. Poornima si spostò in fondo al letto. Le sue dita, già ruvide a Indravalli per via del charkha e delle faccende domestiche, erano ormai callose e screpolate dal continuo lavoro: le mani erano l'unica parte di lei che sembrava assorbire i torti quotidiani, le accuse, la cattiveria di ogni giorno. Quando alzò gli occhi, vide che Kishore aveva chiuso i suoi, e sebbene sentisse freddo al petto nudo, non osò coprirselo. Pensò che il marito si fosse addormentato, ma appena rallentò un poco il ritmo del massaggio, Kishore esclamò: «Continua. Chi ti ha detto di fermarti?» Poornima lo udì russare sommessamente, o forse grugnire; poi, dopo un attimo, lo sentì dire: «Vieni qui». La prese prima da supina, quindi la girò a pancia in giù e la prese una seconda volta. Quando infine venne, crollò su di lei e ci rimase così a lungo da darle il tempo di guardare tre diverse zanzare che la punsero e volarono via intontite, gonfie e appesantite dal suo sangue.

Aspettò un momento dopo che lui rotolò via, poi inspirò a fondo. «Non posso farci nulla» cominciò. «Non posso farci nulla se mio padre non ha i soldi».

Silenzio. Poornima scacciò un'altra zanzara: ormai la stanza era piena di quegli insetti, attirati dal calore dei loro corpi.

«Sì che puoi» disse Kishore.

Poornima s'immobilizzò. Fissò il marito nel buio. «E come?»

La voce di Kishore divenne algida. Anche la stanza fu invasa da un freddo improvviso. Tutte le zanzare fuggirono. «Digli che le cose andranno peggio» dichiarò Kishore «se non si decide a pagare».

«Peggio? In che senso?»

Ma Kishore non rispose, e di lì a un attimo iniziò a russare. Profondamente addormentato. Poornima rimase sveglia; il ritorno delle zanzare era una gradita distrazione, la perdita di sangue un'offerta.

Non fu quel dialogo. O forse sì. In ogni caso, poche settimane dopo quella notte, Poornima cominciò a sgattaiolare di sopra tra una faccenda domestica e l'altra, sbrigandosi a finirle, trovando ogni genere di scusa per lasciare la parte principale della casa e salire al secondo piano, per poi chiudere la porta della stanza e sedersi sul bordo del letto. Non si coricava mai; stare coricata le ricordava Kishore, e lei non voleva che niente glielo ricordasse. Non voleva nemmeno ricordare Savitha, perciò non chiudeva gli occhi.

Invece, osservava la camera. Le pareti erano verniciate di verde pallido. C'erano tracce di umidità su due di esse, ma nemmeno un segno sulla terza e la quarta. Le due finestre a entrambi i lati della porta si affacciavano sulla terrazza, ed erano dotate di sbarre e imposte per tener fuori i ladri. C'era molto da rubare, pensava Poornima: l'armadio di legno era bello; nella capanna di Indravalli non esisteva nulla di altrettanto bello. Conteneva per lo più gli abiti da lavoro di Kishore, insieme al sari nuziale di Poornima, ad alcuni documenti, gioielli e contanti conservati dal marito in una cassetta di metallo chiusa a chiave, e a una bambola avvolta in uno sgualcito foglio di plastica, un dono che un parente alla lontana aveva portato dall'America. Nell'armadio c'era anche una statuetta di bronzo, ottenuta da Kishore per essere stato lo studente più bravo della sua università in tutti e quattro gli anni di corso, un ricordo che lui custodiva con particolare cura, in un posto preciso in mezzo a certi indumenti. Infilate ovunque c'erano palline di naftalina. Lungo l'altra parete c'erano il televisore e la scrivania. Il televisore continuava a non funzionare – Poornima si chiedeva se avesse mai funzionato – ma la stanza appariva più ricca grazie alla presenza di quell'apparecchio coperto da un pezzo di mussola perché fosse protetto dalla polvere.

La scrivania si trovava accanto al televisore, e sul ripiano c'erano le carte di Kishore, carte diverse da quelle riposte nell'armadio, le aveva spiegato lui. Sullo scrittoio c'erano solo documenti di lavoro, le aveva detto, mentre l'armadio conteneva certificati governativi e libretti di banca. Un giorno Poornima guardò le carte di lavoro del marito, e vedendole in disordine, si alzò dal letto e si avvicinò alla scrivania per rassettarle. Mentre le sistemava, notò che ciascun foglio era diviso in colonne: sei colonne, sotto le quali si susseguivano molte righe riempite da numeri e scarabocchi che non riusciva a capire, per cui si limitò a rimetterle sul ripiano. Ma qualcosa attirò il suo sguardo: si accorse che la riga iniziale della prima pagina aveva un senso. Riportava semplicemente le somme dei numeri nella seconda, terza, quarta e quinta colonna, somme elencate nella sesta. Nella prima colonna c'erano solo date. Piuttosto facile: Poornima aveva imparato a fare le addizioni molto prima di arrivare in quinta elementare, l'ultima classe che aveva frequentato. Controllò anche le altre righe, che seguivano lo stesso criterio: erano semplici addizioni, niente di più.

Era questo che Kishore faceva tutto il giorno al lavoro? Poornima fu lì lì per scoppiare a ridere. Sempre pronto a pretendere un massaggio ai piedi, a esigere che lei gli stirasse la camicia ogni mattina, a chiedere a gran voce un bicchiere d'acqua appena varcava la porta: come se avesse attraversato un deserto, come se le sue fatiche gli avessero prosciugato la gola, quando in realtà si limitava a sommare dei numeri! Ma poi guardò gli altri fogli e scoprì che non era vero. Lì le colonne non riportavano somme; contenevano qualcosa di diverso.

Poornima sospirò e tornò al piano di sotto. C'erano i piatti del pranzo da lavare e la cena da preparare. La suocera e Aruna amavano bere il tè alle quattro precise, ed erano già le quattro e dieci. Poornima si precipitò in cucina. Ma mentre metteva a bollire il latte e l'acqua, affrettandosi ad aggiungervi il tè in polvere e a tirar fuori l'occorrente per lo zucchero, s'interrogò su quelle altre pagine. Cosa contenevano le loro colonne? Forse Savitha aveva ragione, pensò. Forse, in definitiva, la contabilità non era molto più complicata di quello che faceva lei quando il padre le dava i soldi per andare al mercato, ben pochi, eppure Poornima doveva comunque comprare abbastanza riso e verdure per tutti, e nonostante questo il padre esigeva che gli portasse il resto e gli facesse un resoconto completo di ciò che aveva speso e dove. Se aveva pagato le patate cinque rupie al chilo, lui le diceva: «Io sarei riuscito ad averle per quattro», e se le otteneva a quattro rupie, il padre commentava: «Non c'è da meravigliarsi. Sono piccole. Ammaccate».

Mentre aggiungeva lo zucchero nelle tazze, a un tratto Poornima posò il cucchiaino. Lo mise giù e alzò lo sguardo. Era stupefatta. Aveva appena pensato a Savitha, e ciò nonostante non aveva provato nemmeno l'ombra del solito dolore cupo e violento, né della confusione o della nostalgia che sentiva sempre, e neanche dell'odio intenso e abbagliante verso il padre. Nulla di tutto questo. Aveva semplicemente pensato a Savitha, senza soffrire. Era la prima volta che le succedeva, e fu come vedersi consegnare un aquilone in un giorno di vento. Poornima sorrise. Ma subito dopo il suo sorriso si spense. Perché nell'attimo immediatamente successivo, tornarono le solite sensazioni: l'angoscia disperata, il caos, il mistero della scomparsa di Savitha, che in certe notti la spingevano a rannicchiarsi a piangere in un angolo della terrazza, sotto la luna calante o crescente, vegliata dalle stelle.

Per un istante però era stata libera, e poi quelle colonne non potevano essere così incomprensibili: lo sapeva. Ne era certa.

5.

La prima volta che Poornima rispose per le rime alla suocera fu il giorno in cui doveva venire in visita un potenziale marito per Aruna. La sorella di Kishore aveva sei mesi più di lei, eppure non si era ancora sposata. Secondo la ragazza e la madre, il problema stava negli aspiranti fidanzati. Avevano sempre qualche difetto. Uno aveva un buon impiego a Hyderabad, con un ottimo stipendio, però stava diventando calvo. Un altro, alto e bello, aveva il padre che manteneva un'altra donna sebbene la moglie fosse ancora viva: chi poteva sapere se la bigamia avesse delle componenti genetiche? Un altro ancora era perfetto da ogni punto di vista – professione, capelli, reputazione della famiglia – ma aveva la stessa identica statura di Aruna, che amava mettersi scarpe con un po' di tacco per andare al cinema o al ristorante. «Cosa dovrei fare» aveva detto lei imbronciandosi, «portare i chapal dappertutto? Come una contadina qualunque?»

Il ragazzo che sarebbe venuto quel giorno era di Guntur; lavorava per la Tata Consulting, era già stato in America per un progetto dell'azienda e poteva persino capitargli l'opportunità di tornarci. Figlio unico, avrebbe ereditato l'intero patrimonio famigliare, e per di più sembrava un attore del cinema. O almeno, questo era ciò che aveva detto una delle sue vicine al sensale, quando quest'ultimo era andato a informarsi. «Quale attore?» domandò Poornima. «Quello del film che abbiamo visto noi?» Aruna si accigliò e scosse la testa. «No. Non quello, razza di pakshi. Il protagonista di un film bello».

Non aveva importanza di quale film. La casa di Namburu entrò in subbuglio fin dalle quattro del mattino.

In ogni stanza si lavarono e lustrarono i pavimenti di pietra. Vennero spolverati tutti i mobili, e i cuscini di sedie e poltrone furono messi fuori a prendere aria. Si celebrò una breve puja: appena Aruna si fu lavata e vestita, fece un'offerta a Lakshmi Devi e accese l'incenso. I visitatori sarebbero arrivati alle tre del pomeriggio, ma non avevano specificato se intendevano fermarsi a cena: questo significava che Poornima avrebbe dovuto preparare abbastanza sambar e curry per qualsiasi evenienza, oltre a una dose sufficiente di riso pulao e di bhaji. Stava tagliando le melanzane a fettine, l'olio già sul fornello a scaldare, quando la suocera entrò in cucina a gridarle di sbrigarsi, era arrivato il lattaio, bisognava mettere a bollire il latte e fare lo yogurt. Mentre Poornima abbassava il fuoco sotto la padella e andava a prendere la casseruola, la donna squadrò la nuora da capo a piedi e disse: «Quando arriveranno, non farti vedere. Rimani di sopra. Ci inventeremo qualcosa. Racconteremo che oggi sei dovuta tornare a Indravalli. O troveremo qualche altra scusa. Cerca solo di non fare rumore».

Poornima, in piedi davanti al fornello, si girò: «Perché? Perché devo restare di sopra?»

La suocera sospirò rumorosamente. «Non sei… be', non vogliamo certo far sfigurare Aruna, no? E poi, sono passati sei, sette mesi e ancora non sei incinta. Non voglio che la tua malasorte contagi la mia Aruna. Che comprometta le sue opportunità. Le donne sterili portano disgrazia, perciò non voglio che tu scenda».

Calò il silenzio. Poornima rimase in ascolto. Tese le orecchie, e scoprì che si sentiva solo il lieve crepitio sommesso dell'olio che cominciava a scoppiettare, ma questo non faceva che intensificare l'altro silenzio, quello più profondo. «Come fa a saperlo?» domandò. «Come fa a sapere che non è suo figlio a essere sterile?»

Lo schiaffo che seguì fu così poderoso che Poornima barcollò all'indietro e si schiantò sul fornello. Il latte non era ancora sul fuoco, ma l'olio sì. Schizzò sulla parete, colò giù dal ripiano di granito e atterrò sul pavimento in spesse chiazze roventi. Qualche goccia volò sul braccio di Poornima, e lei ne sentì lo sfrigolio mentre si allargavano come papad, sibilando come serpenti.

La suocera la guardò con autentico odio, poi disse: «Continua a comportarti male. Vai avanti così. Ti succederà di peggio. Tu continua solo a comportarti in questo modo».

Peggio? Le sarebbe accaduto qualcosa di peggio? Kishore aveva usato la stessa parola. Era una coincidenza? Oppure no?

Quel pomeriggio, quando arrivò la famiglia del ragazzo, Poornima fu relegata al piano di sopra e avvertita di non scendere finché non l'avessero chiamata. Non le importava. Si sedette per alcuni minuti al centro della terrazza, lontano dai bordi, perché nessuno la vedesse. Gli ospiti giunsero dopo le quattro, all'ora in cui i fiorai giravano per le vie del villaggio, annunciando a gran voce le loro mercanzie. Poornima udì la cantilena del vecchio che vendeva ghirlande di gelsomini, turgide come guanciali, le corolle sul punto di aprirsi che esalavano un profumo così inebriante da convincerla di poterne sentire l'effluvio persino lì, sulla terrazza, a due o tre strade di distanza.

A volte la suocera ne comprava un lungo filo, dal quale tagliava i pezzi più grandi, della lunghezza del suo avambraccio, per Aruna e Divya (a cui nemmeno piaceva portare i gelsomini tra i capelli, tanto che se li toglieva appena la madre si girava); poi ne prendeva un breve tratto per la sua misera crocchia e lasciava il resto alla nuora. Poornima, il cui padre, dopo la morte della moglie, non le aveva mai dato soldi per comprare fiori, si precipitava a cospargersi d'olio i capelli e a intrecciarseli, si lavava la faccia, si rimetteva il borotalco sul viso e sul collo, si contornava gli occhi con il kajal e si disegnava sulla fronte un nuovo bottu. Solo allora, solo dopo essersi resa degna dei fiori, della loro dolcezza, della loro bellezza, se li metteva sui capelli. In quelle notti, dopo che Kishore l'aveva posseduta senza mai nemmeno un commento sui gelsomini – non li ha nemmeno notati? si chiedeva Poornima – si adagiava sul cuscino. Il profumo dei fiori aleggiava fino a lei come foschia, come una pioggia sottile, come la tristezza intollerabile di quella stanza al piano di sopra, dove il marito le dava le spalle, dove le imposte, sebbene fossero chiuse per i ladri, lasciavano filtrare lo stesso una lieve brezza che faceva frusciare gli orli del lenzuolo. E Poornima se ne stava coricata al buio a occhi aperti, accaldata, inondata dalla fragranza dei gelsomini.

La voce del vecchio venditore di ghirlande si affievolì e Poornima si alzò e attraversò la terrazza. Entrò nella stanza e chiuse la porta. Le carte di Kishore erano ancora sulla scrivania. La stessa pila, nello stesso posto, da due settimane a quella parte, ormai. Mise da parte la prima pagina, quella che conteneva semplici addizioni, e guardò la successiva. C'erano più numeri, ma anche un'intestazione in alto. Era scritta in inglese, per cui Poornima non era in grado di decifrarla, però c'erano anche delle parole in Telugu. Per esempio, la colonna iniziale elencava una serie di macchinari: automobili (6), autocarri (3), trattori (2), mietitrebbia (2), e così via. A lato di ogni voce c'erano delle cifre. A giudicare dalla loro entità, e dal fatto che quelle di ciascun gruppo – del gruppo delle automobili, per citarne uno – fossero all'incirca le stesse, Poornima ipotizzò che indicassero il valore dei macchinari. Accanto a una delle vetture, si vedeva la parola *ammaccata*, e la cifra corrispondente era più bassa delle altre. Gli autocarri, invece, valevano tutti molto più delle auto. Poornima passò al foglio successivo. Li stava esaminando spinta dalla noia, se ne rendeva conto, ma in un certo senso si divertiva anche. Non avrebbe saputo spiegare il perché, se non dicendo che scoprire il significato dei numeri, lo scopo delle colonne, le dava un senso di realizzazione, di successo. Una sensazione di per sé poco familiare, che la indusse a riflettere: perché non l'aveva mai provata lavorando al charkha, o dopo aver preparato un sambar particolarmente gustoso, o quando comprava la mela, le due banane e la manciata di anacardi per la madre? Be', era ovvio: la madre era morta, il sambar finiva mangiato e il charkha, be', il charkha girava e girava e non si fermava mai. Ma questo? Questa pila di carte? La stava portando da qualche parte; lo intuiva. Accantonò la pagina e passò a quella dopo.

I rimproveri e i maltrattamenti che Poornima subiva da parte della suocera e di Kishore s'inasprirono. Le trattative per il matrimonio di Aruna con il ragazzo di Guntur si erano quasi concluse; rimaneva solo da mercanteggiare ancora un po' sulla dote e sulla quantità di gioielli (calcolata in grammi d'oro) che ciascuna famiglia avrebbe dovuto donare alla sposa. I genitori di Aruna disponevano del denaro per la dote, anche se per comprare l'oro avevano dovuto vendere la piccola fattoria che possedevano nei dintorni di Kaza. Ma la vendita non era stata abbastanza redditizia, e così, ogni volta che Poornima entrava in una stanza o ne usciva, la suocera le sbraitava dietro: «Quel buono a nulla di tuo padre aveva detto entro un anno. Cinquemila rupie, non una di meno. Be', l'anno è passato e bello che andato. E noi siamo qui a sfamarti tre volte al giorno, senza neanche un nipote in cambio. I padri buoni a nulla mettono al mondo figlie buone a nulla, ecco cosa penso. E quel poveretto di mio figlio, un vero principe, si ritrova incastrato con te. Non avremmo mai dovuto farti entrare nella nostra famiglia». Poornima una volta lanciò un'occhiata furtiva alle dita deformi di Kishore e si domandò: Chi è incastrato con chi?

Il sistema scelto dal marito per infierire su di lei con maggiore crudeltà fu più sottile, anche se più doloroso: il sesso divenne più rude. Violento. Kishore la afferrava per i capelli, la trascinava intorno al letto, la penetrava con tanta forza da farle sbattere la testa contro la parete alle sue spalle. L'indomani sul suo corpo spuntavano lividi verdi, azzurri, grigi e neri, che crescevano come nidi, come se minuscoli uccellini venissero di notte a costruirli, una piuma, un ramoscello e uno stecco alla volta. Nel giro di due settimane, Poornima non riuscì più a vedere il vero colore della pelle di braccia e gambe, e cominciò a farsi una domanda. Se la faceva mentre ogni sera s'irrigidiva aspettando il ritorno di Kishore dal lavoro, mentre serviva la cena con tutta la cautela e la lentezza che poteva permettersi senza sentirsi esortare a spicciarsi, mentre lavava i piatti ancora più lentamente e poi mentre saliva i gradini uno a uno, sapendo che lui era già di sopra, sapendo cosa le avrebbe riservato la notte. In una o due occasioni se la fece persino mentre chiudeva gli occhi sull'ultimo scalino, pregando, sperando che nel riaprirli là, sulla terrazza, avrebbe trovato Savitha pronta a dirle ridendo: «Andiamo». Incapace di farne a meno, continuava a porsi la stessa domanda, ancora e ancora: Era quello che intendevano con la parola *peggio*?

I documenti di lavoro di Kishore acquistarono una sorta di poesia per Poornima. Avrebbe potuto passare ore, giorni interi a contemplarli, se non fosse stato per le faccende domestiche e per il semplice fatto che non sapeva cosa significassero in realtà. Presi uno alla volta, ne comprendeva il significato individuale, ma non quello d'insieme: la prima pagina conteneva solo l'elenco dei pagamenti corrisposti all'azienda di Kishore negli ultimi tre mesi, e la somma totale delle varie cifre. La seconda – quella con la lista delle automobili e dei camion – indicava il patrimonio della società. La terza, Poornima l'aveva capito senza bisogno di sforzarsi molto – basandosi sulle colonne che elencavano altre aziende con numeri accanto a ciascun nome, numeri che ora aumentavano, ora diminuivano – riportava i debiti dell'impresa. Ma cosa significavano quei dati nel loro complesso? Perché Kishore stava sempre lì a consultarli, digitando cifre su una macchinetta, brontolando su questo o quel pagamento in sospeso? Prestiti. Debiti. Non aveva senso. Sbrigando distrattamente le sue faccende, Poornima ci rifletté per un'intera settimana, finché un pomeriggio, mentre stendeva il bucato, il vento scagliò a terra la camicia di uno degli shalwar di Aruna, e la ragazza le arrivò di corsa alle spalle, la prese per un braccio e la costrinse a girarsi per affrontarla. «Lo sai di chi è questo? Lo sai quanto vale?» Poornima guardò la cognata, e non riuscì a reprimere un sorriso. Era talmente semplice. Ma certo. Doveva essere proprio così. Tutte quelle carte, ammonticchiate sulla scrivania, rappresentavano qualcosa. Rappresentavano il valore dell'azienda.

E così, mentre le pile di fogli continuavano a cambiare – con Kishore che ne riportava alcune in ufficio e ne metteva altre sulla scrivania, completamente ignaro del fatto che la moglie le studiasse e imparasse da ciò che contenevano – Poornima cominciò a vedere il mondo in modo diverso; cominciò a vederlo con una sorta di lucidità: c'erano i debiti, e c'era quello che si poteva vendere per ripagarli, e ciò che restava (se restava qualcosa) era quanto si possedeva realmente, quanto si poteva veramente amare.

6.

A metà del secondo anno di matrimonio, i continui maltrattamenti si trasformarono in un'aperta ostilità. Poornima non riusciva a ricordare un solo giorno senza uno schiaffo o una sonora sgridata, o senza che l'avessero costretta a chiedere scusa (per ogni minimo errore, come quando faceva cadere qualche goccia di tè sul pavimento di pietra). Le cinquemila rupie non erano ancora state versate, e la suocera e Kishore glielo rammentavano ogni volta che s'infilava in bocca un pezzetto di cibo o beveva un bicchiere d'acqua. «Credi che sia gratis?» sibilava la suocera. «Credi che quell'acqua ce la regalino? La pompa che abbiamo fatto installare ci è costata tremila rupie. E tutto perché tu non fossi costretta ad andare al pozzo. E dove pensi che le abbiamo prese quelle tremila rupie? Dove? Non certo da tuo padre, nossignora. Questo è poco, ma è sicuro: quel ladro. Ladri. Siete entrambi ladri». Ma la pompa è stata installata l'anno prima che io venissi a Namburu, avrebbe voluto ribattere Poornima; invece restava in silenzio. Non perché avesse paura; la paura cominciava a perdere significato per lei: la provava da tanto di quel tempo, prima con il padre e poi con la suocera e Aruna e Kishore, che aveva acquisito una monotonia, una ripetitività tale da apparirle noiosa quanto lavare i piatti o stirare il bucato. Perché avrebbe dovuto aver paura? Se n'era andata dalla casa di suo padre e non era cambiato niente. Forse non cambiava mai niente. Adesso capiva che Savitha aveva fatto bene a scappare. Aveva fatto bene ad andarsene. La paura era una brutta cosa, ma lo era altrettanto esserci abituati.

Poi però, di colpo, cambiò tutto. Arrivò semplicemente alla fine.

Niente più urla, niente più pretese, niente più violenza. Poornima sbrigava le sue faccende e loro si limitavano a ignorarla. A volte sorprendeva l'uno o l'altra a guardarla, come se fossero lì ad aspettare qualcosa. Ma cosa? Non ne aveva idea, di un fatto però era sicura: doveva sbrigarsi a rimanere incinta. Aveva sentito parlare di donne sterili rimpiazzate da nuove mogli. L'idea non le dispiaceva – per la verità sarebbe stata contenta di cedere il proprio posto a un'altra – ma temeva che potessero rispedirla a Indravalli dopo le seconde nozze di Kishore. A volte le era capitato di sognare che l'avevano rimandata a casa, e quando entrava nel capanno della tessitura, trovava Savitha seduta al telaio ad aspettarla. Però non era la verità; a Indravalli c'era solo il padre, e lei si rifiutava di rivederlo. Persino nelle giornate di festa, quando ci si aspettava che le figlie rientrassero in famiglia, Poornima non ne voleva sapere. Perché mai avrebbe dovuto fargli visita? «No» diceva in un tono che non ammetteva repliche, «non ci andrò», e la suocera imprecava sottovoce, borbottando: «No. Certo che no. Ci faresti risparmiare i pasti di una settimana, dunque perché dovresti andarci?»

Il matrimonio di Aruna – con il ragazzo di Guntur – venne finalmente fissato per gli ultimi giorni di agosto. La famiglia ne fu felicissima. Era già luglio, e i preparativi cominciarono a pieno ritmo. Bisognava fare acquisti, spedire gli inviti, prenotare la sala per la cerimonia. Aruna era fuori di sé dalla gioia. Afferrava Divya per le braccia e le girava vorticosamente intorno, ridendo: «È così bello, Divi, e così ricco, e andremo a stare in America. Suo padre ha detto a Nanna che dovrà tornare presto laggiù per un altro progetto. Oh, Divi! Te lo immagini? Io, in America. Mi servono dei vestiti. Amma, mi servono dei vestiti. Non questi brutti shalwar, dei vestiti moderni. Amma, mi hai sentita?» Continuava su questo tono a non finire, e Poornima era lieta di sapere che presto sarebbe uscita da quella casa.

A metà luglio i preparativi accelerarono, ma nel tardo pomeriggio di una giornata senza vento, all'ora del tè, si presentò alla porta il sensale, Balaji. Lo invitarono ad accomodarsi con grande aplomb, tuttavia, dopo un'occhiata alla faccia dell'ospite, la suocera di Poornima posò la tazza. «Che succede?» domandò. «Cosa c'è che non va?»

Il sensale guardò le tazze quasi vuote e poi fissò Poornima. «Non startene lì impalata. Il tè. Portaci un po' di tè».

Quando Poornima ricomparve, Aruna era in lacrime.

«Cancellato? Ma perché?» si lamentò la suocera.

Balaji non ne spiegò il motivo. Disse solo che ci avevano ripensato.

«Ripensato? Ma perché? Perché? Abbiamo concesso loro tutto ciò che volevano».

Il sensale sorseggiò il tè e guardò Aruna con tristezza. «È una bella ragazza. Le troveremo un nuovo fidanzato».

«Un nuovo fidanzato? Che sciocchezza. Che ne è stato di questo? Che figura ci faremo? La sposa era praticamente sotto il mandapam, e quelli annullano tutto. Perché?»

La madre di Aruna non riuscì a farsi dire altro tranne che era meglio lasciarsi l'intera storia alle spalle. «Bisogna andare avanti» le disse Balaji. «È l'unica via» soggiunse.

Ma le voci trapelarono.

Si diceva che qualcuno avesse parlato con la famiglia di Guntur insinuando che la mano malformata di Kishore dipendeva da una malattia genetica, e che i figli di Aruna rischiavano di nascere deformi.

«È ridicolo» esclamò Kishore, infuriato. «Sono degli idioti. Dei dongalu».

Poornima gli stava servendo la cena. Gli scodellò un po' di riso sul piatto e poi gli domandò: «È vero?»

«È vero cosa?»

«Che dipende da una malattia genetica?»

Kishore sbiancò; si alzò dal tavolo e uscì senza una parola.

«Fuori!» urlò sua madre alla nuora. «Fuori da questa casa. È colpa tua. È colpa tua se hanno cancellato il matrimonio. Sei una maledizione per la nostra famiglia. È tutta colpa tua».

Io sono una maledizione? si domandò Poornima in modo confuso salendo le scale per andare al piano di sopra. Non entrò in camera da letto, dove sapeva che avrebbe trovato Kishore. Si fermò sulla terrazza e guardò le palme che ondeggiavano in lontananza e le capanne dal tetto di paglia rannicchiate sotto le loro fronde; poi si girò verso ovest e contemplò gli ultimi raggi del sole che lasciavano il cielo come se non se ne facessero più niente, e desiderò seguirli, desiderò seguire il sole e pensò: A quanto ammonta la mia vita? Cosa è stato preso, cosa è rimasto? Quanto vale? Poi sentì un rumore di passi. Credeva fosse Kishore, e si irrigidì in attesa di ciò che la aspettava, ma era solo Divya, con un piatto di riso. «Non hai mangiato» le disse la ragazzina.

Poornima per poco non proruppe in un grido di gratitudine.

Divya si girò e imboccò la scala per scendere.

Poornima rimase sulla terrazza fino a notte inoltrata, dopo di che scivolò senza far rumore nella stanza. Kishore era coricato verso la parete, e lei pensò si fosse assopito: invece no, respirava a un ritmo discontinuo e irregolare. Era sveglio e arrabbiato. Poornima percepiva la sua furia. Si adagiò sul bordo più lontano del letto e aspettò, preparandosi al peggio, ma il marito finì per addormentarsi. O forse fu lei a cedere al sonno.

Anche la mattina dell'indomani fu stranamente tranquilla. Divya andò a scuola; nell'ultimo periodo Aruna usciva di rado dalla stanza che divideva con la sorella. Kishore rimase a casa. Disse di essere indisposto, ma invece di riposare, si chiuse nella camera al piano di sopra con la madre. A metà pomeriggio, la suocera di Poornima scese a pianterreno. Guardò la nuora dolcemente e disse: «Mia cara, che ne pensi di fare un po' di bhaji per il tè, oggi? Ho voglia di mangiarle. Ti spiacerebbe prepararle?»

Poornima la fissò. Non l'aveva mai sentita parlare con quel tono.

Nella dispensa c'erano solo una patata e qualche cipolla, perciò Poornima sbucciò quelle e mise l'olio sul fuoco. La suocera indugiò accanto a lei, e si offrì persino di aiutarla ad affettare le verdure, ma Poornima disse che non ce n'era bisogno, l'avrebbe fatto lei. L'olio cominciò a sfrigolare e poi a fumare leggermente. Poornima immerse nella pastella un pezzo di cipolla. Proprio in quel momento, Kishore entrò in cucina. Poornima ne fu sbigottita: non ci aveva mai messo piede, nemmeno una volta.

Anche lui le sorrise con dolcezza.

No, pensò lei in quell'istante. No.

Nulla di tutto ciò aveva senso, eppure significava una cosa ben precisa.

Poornima lasciò cadere un altro pezzo di cipolla nella pastella e indietreggiò per allontanarsi dalla suocera e dal marito, e soprattutto dalla pentola. In quell'attimo madre e figlio scattarono insieme: uno verso di lei, l'altro verso i fornelli.

Le si annebbiò la vista. Non capì chi dei due la afferrò, ma lo respinse con tanta foga da cadere all'indietro. Adesso lei era a terra, e loro si trovavano entrambi vicino ai fornelli.

Perché se ne stanno lì? Ebbe appena il tempo di chiederselo prima che un braccio buttasse giù qualcosa. Kishore e la madre balzarono via e corsero dalla parte opposta della cucina.

Poornima girò la testa per seguire il loro movimento, e fu per questo che, quando l'olio le piovve addosso, le inondò il lato sinistro della faccia, il collo, il braccio e la spalla. Poornima sentì un fuoco, e poi il fuoco svanì insieme a tutto il resto.

7.

Kishore e la suocera si rifiutarono di pagare il conto dell'ospedale, per cui Poornima fu dimessa nel giro di due giorni. Andarono a prenderla solo il suocero e Divya; quando salì sul risciò a motore, ancora con la faccia, il collo, la spalla e il braccio bendati, si sentì così minuscola, così embrionale, che rabbrividì nonostante la calura di mezzogiorno. Il suocero le disse: «Puoi restare un giorno o due, ma poi devi andartene. Non è bene per te rimanere a Namburu. Non è bene. Stasera stessa vado a comprarti il biglietto per Indravalli».

Poornima annuì impercettibilmente, e quel piccolo movimento mandò una fitta lancinante a saettarle su per il lato sinistro della faccia.

Al suo arrivo a casa, la suocera e Kishore, nel soggiorno, la squadrarono con disprezzo. Divya la accompagnò su per le scale, e una volta che arrivarono sulla terrazza, Poornima mandò avanti la cognata a coprire lo specchio dell'armadio. Solo allora si decise a entrare. Si sdraiò sul letto. Divya uscì, e tornò la sera con un piatto di cibo. Poornima lo guardò e si mise a piangere. Divya uscì di nuovo e ricomparve con un bicchiere di latte, e la costrinse a berlo.

La stessa cosa accadde l'indomani. Fu Divya l'unica ad andare e venire. Ma quel giorno portò con sé i suoi libri, ne aprì uno e cominciò a studiare. Poornima emise un suono, uno squittio. Divya alzò gli occhi dalla pagina. «È il mio libro di lettura in Telugu» spiegò.

Il volume risaliva al tempo degli inglesi, disse Divya a Poornima; la piccola scuola di Namburu non aveva mai avuto i soldi per comprare nuovi libri di testo. Poornima aprì appena le labbra nel tentativo di parlare, ma il dolore la trafisse come una cannonata.

«Vuoi che ti legga qualcosa ad alta voce?» aggiunse la ragazzina.

Poornima batté le palpebre.

La storia scelta da Divya era narrata dal punto di vista di un uomo in viaggio per mare all'inizio del Novecento. Si chiamava Kirby. Divya s'interruppe per dire: «Non c'è scritto se questo fosse il suo cognome o il suo nome di battesimo». Poi riprese la lettura.

Nel racconto, questo Kirby stava navigando tra Pondicherry e l'Africa. Durante la traversata, aveva conosciuto un altro passeggero, un colonnello dell'esercito portoghese. Il colonnello, precisava Kirby, stava raggiungendo la tenuta di famiglia in Mozambico. Nella sua terra cresceva il sisal, gli aveva spiegato dilungandosi a non finire sull'aspetto della pianta (somigliava a un'agave messicana, scriveva Kirby, per quanto né Poornima né Divya, nonostante la spiegazione contenuta in una nota, avessero la minima idea di cosa fosse l'uno o l'altra) e sui metodi per coltivarla e per raccoglierla. Il colonello gli disse che le foglie del sisal potevano provocare tagli più profondi di quelli inferti da una spada. «Ma come si fa a maneggiarle?» gli aveva chiesto allora Kirby.

«Oh, noi non le tocchiamo» neanche gli aveva risposto l'altro. «Sono i negri a occuparsene».

Nella sua ultima notte a bordo, prima di sbarcare l'indomani mattina a Lourenço Marques, il vecchio colonnello aveva raccontato a Kirby la storia che segue:

«Accadde in un inverno in cui ero di stanza a Wellington, vicino a Madras» aveva cominciato il portoghese. «Anni fa. A un tratto, i nostri alloggiamenti furono invasi dai topi. Centinaia e centinaia. Infestavano le scorte di cibo, i letti, l'artiglieria. E non si trattava di topi qualsiasi» aveva specificato, incurvando le mani per indicare che erano grossi come piatti. «Erano enormi. Ebbene, nessuno sapeva come liberarsene. Tentammo col veleno, con le trappole e chiamammo persino lo sciamano di una delle tribù sulle montagne, una specie di esperto di roditori, scorpioni e quant'altro.

Neppure uno di questi rimedi funzionò. I topi continuarono a divorare e a smerdare ogni cosa». (Un'altra nota spiegava che il colonnello intendeva dire *defecare ovunque*.)

«In capo a circa un mese dall'inizio della faccenda» aveva proseguito il colonnello «una delle reclute, dopo aver sputato per terra, notò che un topo si era avvicinato, aveva annusato la sua saliva e poi l'aveva guardato con l'espressione più gentile e preoccupata che il giovane avesse mai visto. Il soldato quella sera a cena riferì l'episodio, in un tono quasi scherzoso, capisce. Ma io mi resi conto che era un po' scosso. Il medico del campo udì la storia, e quella notte stessa diagnosticò al giovane una tubercolosi allo stadio iniziale».

Qui il colonnello, raccontava Kirby, aveva bevuto un sorso del suo champagne (Poornima e Divya si strinsero di nuovo nelle spalle, non sapendo cosa fosse). «I topi, vede» aveva continuato poi il portoghese posando il bicchiere di champagne, «riescono a rilevare la tubercolosi molto prima di quanto riesca a fare la medicina moderna. Quel dannato roditore salvò il campo da un'epidemia per un pelo. Sbalorditivo, no?»

A quanto pare, Kirby aveva chiesto al colonnello: «E i topi? Che ne fu dei topi?»

«È questo il bello. Un giorno se ne andarono in massa. Scomparvero. Come se il loro unico scopo fosse quello di avvertirci. Di salvare coloro che stavano cercando di distruggerli».

A quel punto, Kirby, scrivendo il proprio resoconto, dichiarava di essere scoppiato a ridere: ma il colonnello si era limitato a chiudere gli occhi. Alla fine della storia pubblicata nel libro di letture in Telugu, Kirby riportava che l'indomani mattina presto, quando la nave era approdata a Lourenço Marques, le persone andate a svegliare il colonnello l'avevano trovato morto. Coricato sull'angusta cuccetta della nave, scriveva Kirby, l'uomo era pallido, la pelle semitrasparente, e lui riusciva quasi a vedere il sangue che fluiva via dal suo cuore.

Il racconto si concludeva così, e dopo che Divya smise di leggere, Poornima la guardò. Una ragazza giovane, giovane quanto lei e Savitha quando si erano conosciute. Poi guardò il collo della cognata – bruno come corteccia, con una vena che palpitava e pulsava a un ritmo regolare, un faro sotto la pelle – e pensò al povero colonnello, e ai topi, e al Mozambico, dovunque si trovasse, e non ebbe bisogno di domandarsi che aspetto avesse un cuore da cui il sangue fluisce via.

L'indomani era domenica. Erano tutti a casa. Poornima li sentiva camminare al piano di sotto, parlare, ridere, e udiva gli ambulanti, per lo più verdurai, che si fermavano alle varie porte, annunciando a gran voce le rispettive mercanzie: melanzane e fagioli e peperoni colti quel mattino stesso. Con la rugiada ancora sulla buccia. Il Krishna non scorreva vicino a Namburu, ma a Poornima sembrava di coglierne l'odore portato dal vento, le pareva di vedere le reti lanciate nelle sue acque, volteggianti come langa. Quando chiudeva gli occhi, vedeva i sari stesi ad asciugare sulla riva opposta. Sari di ogni colore, che fluttuavano nella brezza del fiume, campi di fiori selvatici.

Ormai Poornima teneva spesso gli occhi chiusi. Restò nella stanza per l'intera giornata, e scese al piano di sotto solo per andare in bagno. Non si lavava da quando si era ustionata, e il suo odore muschiato e animalesco, mescolato a quello del sudore, delle bende marcescenti, del rame (Le erano venute le mestruazioni? Forse. Non si curò di controllare) e della carne bruciata, soprattutto quello della carne bruciata, le assaliva le narici mentre tentava di dormire. Non voleva dormire. Voleva rimanere sveglia, per tutta la notte, se necessario. Quella sera il suocero salì da lei a darle il biglietto ferroviario per Indravalli. Seconda classe, anziché terza, perché potesse viaggiare relativamente comoda. Non la guardò negli occhi, ma Poornima si accorse che era dispiaciuto. Sapeva pochissimo di lui, eppure capì all'improvviso che viveva una vita di rimpianti. L'uomo si fermò un attimo sulla porta, prima di andarsene, e lei, coricata sul letto, pensò che dovevano sembrare due animali feriti intenti ad aggirarsi in una caverna buia.

Dopo che il suocero tornò di sotto, Poornima rimase a fissare il biglietto e poi lo infilò sotto il cuscino. Era per il treno passeggeri che faceva due corse al giorno, partenza da Namburu alle 14.30 e arrivo a Indravalli alle 14.55. Venticinque minuti. Tutto lì.

Poornima pensava che forse Kishore sarebbe venuto di sopra, se non altro per accertarsi che si stesse preparando, ma vide comparire solo Divya, più tardi, salita a portarle la cena a base di riso e pappu, il riso cotto a lungo perché fosse tenero e facile da inghiottire. Una volta che se ne fu andata anche lei, Poornima richiuse gli occhi. Era buio quando li aprì. C'era una luna gibbosa, perciò, osservando la stanza immersa nell'ombra, riuscì a distinguere la forma dei mobili, il luccichio del pavimento di pietra, il disegno dei fiori sul lenzuolo sotto il quale era coricata. Guardò la scrivania; persino nel chiarore lunare vide la pila di carte, i documenti contabili che aveva decifrato con tanto piacere, con un profondo senso di realizzazione e di successo. Non significavano nulla, capì con il cuore spezzato. Era tutto privo di valore. Niente aveva senso in confronto a cose tanto semplici come l'olio bollente e la malvagità.

Poi si alzò pesantemente nella luce argentea e uscì in terrazza. Ne avrebbe sentito la mancanza; capì che dei due anni a Namburu le sarebbero mancate solo quella terrazza e Divya. Si avvicinò al bordo, contemplò le prime stelle e pensò ai molti anni che le restavano da vivere. O forse non gliene rimaneva nessuno. Impossibile saperlo. Ma se non fosse morta quella notte, se non fosse morta entro l'intervallo di tempo che gli esseri umani possono prevedere con facilità, che possono veramente concepire (un giorno? una settimana?), cosa ne avrebbe fatto, si domandò, di tutti quegli anni? Di quei molti anni? Guardare il futuro, si rese conto, significava anche guardare il passato. E così vide la madre com'era stata: giovane e viva. Seduta al telaio nel chiarore della lanterna, o china su una pentola fumante, oppure impegnata a occuparsi di uno dei fratelli di Poornima o di sua sorella, a pulire loro la faccia, a lavarli o a togliergli i capelli dagli occhi. Non riusciva a ricordare che la madre avesse mai fatto nulla di diverso: sempre qualcosa per qualcun altro. Anche i suoi più teneri ricordi di lei – quello della sua mano che la nutriva durante il viaggio in pullman per andare dai nonni, o che le pettinava i capelli – riguardavano tutti un gesto della madre per la figlia, mai per se stessa. Era così che intendeva trascorrere la vita? È così che bisogna trascorrere la vita?

Adesso Poornima guardò il futuro. Si vide tornare a Indravalli. Alle 14.55 dell'indomani, sarebbe scesa dal treno passeggeri, avrebbe raggiunto la casa di suo padre e sarebbe entrata. Già riusciva a vederlo con chiarezza, seduto in veranda, sul giaciglio di canapa intrecciata, a fumare tabacco e a fissarla. Come lei fissava lui. Forse ci sarebbero stati anche i suoi fratelli, o forse no. Ma ciò che il futuro le mostrava più chiaramente – ancora più chiaramente dell'immagine del padre – era la scena di un campo di battaglia. E nessun campo di battaglia, nell'intera storia dell'uomo, poteva reggere il confronto con quello che Poornima scorse in quel momento: intriso di sangue, e costellato… disseminato di cosa? Poornima si avvicinò, s'inginocchiò per guardare meglio, e sgranò gli occhi: c'era lei laggiù. Il campo era cosparso delle sue membra, dei suoi organi, i piedi, le mani, il cuoio capelluto e persino la pelle, ridotta a brandelli, maciullata come se fosse stata dilaniata dai cani.

Poornima batté le palpebre, ma non per trattenere le lacrime. Cosa allora? Non lo sapeva, ma lo vide: aleggiava nell'aria intorno a lei, soffocante, vorticando come cenere.

Tornò nella stanza, prese il biglietto del treno da sotto il cuscino e lo strappò a metà, poi in quattro e poi in otto, quindi ne lasciò cadere a terra i frammenti a mo' di coriandoli. Li guardò atterrare con una certa soddisfazione, dopo di che si diresse verso l'armadio, lo aprì e tirò fuori la cassetta chiusa a chiave. La chiave non si vedeva da nessuna parte; con ogni probabilità ce l'aveva la suocera, appesa al portachiavi che teneva sempre legato alla vita, infilato sotto il sari. Con un gesto sicuro Poornima afferrò la statuetta – quella vinta da Kishore per essere stato lo studente più bravo della sua università – e la sbatté contro la serratura, che si ruppe. Ma si spezzò anche la statuetta, nel punto in cui la figura dell'uccellino che spiccava il volo da un ramo era saldata alla base con l'iscrizione. Poornima gettò i due pezzi nell'armadio. Non era interessata alle carte contenute nella cassetta, ma legò i gioielli – solo una sottile catenina d'oro e due braccialetti; il resto, Kishore l'aveva depositato in banca – nel lembo del pallu e nascose l'involto sotto il sari, all'altezza della cintola; il denaro (poco più di cinquecento rupie) lo mise nel corpetto, a lato del seno sinistro. Quindi ributtò nell'armadio anche la cassetta, chiuse lo sportello e si fermò in piedi davanti al mobile.

Lo specchio era ancora coperto da un lenzuolo, e Poornima rimase là a scrutarlo, come se custodisse una risposta. Un segno. Ma non custodiva niente: era solo un lenzuolo. Lo strappò via dallo specchio con tanta energia da spostare l'aria nella stanza; i suoi capelli si sollevarono e le svolazzarono intorno al viso come se si fosse affacciata a guardare il mare. Ma Poornima non avvertì nulla di tutto ciò, né il vento, né il mare. Restò perfettamente immobile davanti allo specchio: quella riflessa era l'immagine di sé più completa che avesse mai visto. A Indravalli c'era solo uno specchietto col manico, e nel periodo trascorso a Namburu, sebbene ci avesse vissuto per quasi due anni, non si era mai veramente messa di fronte a quello specchio. Né a nessun altro. Adesso però lo fece. Vide che non era più una ragazzina. E che se era stata graziosa, certamente non lo era più. Si avvicinò di un passo, poi si portò le mani al volto e si tolse le bende, una per una. Il lato sinistro della faccia e il collo erano proprio come li immaginava, se non peggio: di un rosso acceso, coperti di vesciche, grigi e neri lungo i contorni della grossa ustione, la gota sinistra incavata, rosea, umida e venata d'argento, quasi interno ed esterno si fossero scambiati di posto. Il braccio e la spalla, invece, apparivano in condizioni migliori di quanto avesse temuto. Là l'olio bollente le aveva solo schizzato la pelle, anziché inondarla, e le bruciature sembravano già in via di guarigione. Ma viso e collo, lo sapeva, andavano protetti dalle infezioni, e questo significava che le occorrevano bende pulite e tintura di iodio. Senza la fasciatura, Poornima aveva un aspetto ancora più grottesco. Si ricordò di ciò che le aveva detto il medico mentre lei era intontita dalla morfina: «Per tua fortuna non ti sei ustionata al di sotto del collo».

Poornima aveva rivolto il suo sguardo insonnolito verso di lui.

«Tuo marito non ti lascerà. Finché una donna ha il seno intatto, il suo uomo le resta accanto».

Se non fosse stata in preda alla morfina, se non avesse desiderato solo di chiudere gli occhi, avrebbe voluto rispondergli: «Allora vorrei essermi bruciata anche il seno».

Poornima tornò a coricarsi sul letto e aspettò. Aspettò le ore più buie della notte. Poi si mise un sari pulito, bevve il bicchiere d'acqua che le aveva lasciato Divya e sgattaiolò al piano di sotto, fuori dalla casa e fuori da Namburu. Agì con una circospezione, un'attenzione e un sangue freddo sconvolgenti, perché ovviamente sapeva benissimo cosa avrebbe fatto, a prescindere da quanto ci avrebbe impiegato e da quanto sarebbe stato difficile il viaggio. Sapeva benissimo dove tutto ciò l'aveva sempre condotta, sempre.

Sarebbe andata a cercare Savitha.

8.

Poornima fece un calcolo approssimativo e stabilì che Savitha doveva essersene andata intorno alle quattro del mattino. Arrivò a questa ipotesi perché, a quanto ricordava, quell'ultima notte si era addormentata abbracciandola, e quando aveva riaperto gli occhi con il sole, Savitha non c'era più. Quando sorgeva il sole? Forse alle sei e mezza o alle sette? In tal caso Savitha doveva essersi allontanata molto prima, per evitare di essere scoperta, perciò con ogni probabilità era fuggita verso le quattro o le cinque. Forse più probabilmente intorno alle quattro, immaginò Poornima. Ma perché non prima? Tipo alle due o alle tre? Era possibile, pensò, ma per andare dove? A quell'ora non giravano né treni, né autobus, e chiedere un passaggio a un camionista sulla strada principale sarebbe stato troppo rischioso. E poi, se fosse salita su un autocarro qualsiasi lungo la Tenali Road, poteva essere arrivata da qualunque parte, ormai. Poteva essere in Assam, in Kerala, in Rajasthan, in Kashmir. Oppure in qualunque luogo intermedio. Dappertutto. E questa era un'idea che Poornima si rifiutava di prendere in considerazione.

Si rifiutava di considerare anche i quasi due anni trascorsi dalla scomparsa di Savitha, e il fatto che quell'intervallo di tempo avrebbe potuto condurla ovunque. Ma Poornima aveva deciso di ignorare questo dettaglio. In definitiva, si diceva, il tempo era semplice. Non aveva misteri. Era nudo e imperturbabile; era come il bufalo che arava i campi. Non faceva altro che avanzare a fatica, senza mai un'esitazione né un pensiero. Il tempo era fatto di tutti i giorni che lei aveva trascorso a Namburu e di tutti quelli venuti prima. Ma la geografia! La geografia sì che le sembrava misteriosa.

Montagne, fiumi, pianure vaste e sconfinate, mari che non aveva mai visto. La geografia era l'ignoto.

Perciò Poornima arrivò a questa conclusione: se Savitha se n'era andata alle quattro o giù di lì, aveva potuto prendere solo due autobus. Gli unici che passavano a quell'ora del mattino. Uno si dirigeva a sud, a Tirupati, e l'altro a nord, a Vijayawada. E quello era un altro mistero geografico: quale dei due aveva scelto?

Poornima ci rifletté su, e poi qualcosa le fluttuò nella memoria. Qualcosa di così impalpabile, di così lieve da poterlo a malapena considerare un pensiero, o persino il frammento di un pensiero, eppure c'era, ne aveva la certezza, e cercò di sfiorarlo come se fosse una ragnatela rimasta impigliata nei meandri più reconditi della sua mente. Ormai era arrivata alla periferia di Namburu. Stava andando alla stazione degli autobus nei pressi della strada principale invece di dirigersi a quella nel centro del villaggio, perché nessuno potesse vederla. Lungo il tragitto, notò un cartellone pubblicitario dell'olio di amla. Il manifesto raffigurava il frutto verde da cui l'olio, illuminato dal sole, colava direttamente in una boccetta verde pallido. Accanto alla boccetta, l'immagine mostrava una donna dalla chioma folta e lucida, fotografata mentre girava la testa di scatto e mandava i capelli ad allargarsi a ventaglio verso l'osservatore. C'era da presumere che il merito di quei capelli così fluenti e luminosi fosse dell'olio di amla. Poornima fissò il cartellone – studiò il frutto perfetto, le gocce d'olio, la donna – e poi tornò a osservare l'amla. Il frutto perfetto. Spazzò via la ragnatela impalpabile e capì. Capì dov'era andata Savitha: a Majuli. Doveva essere quella la sua meta.

Poornima sorrise: il dolore le divampò in tutta la faccia, ma sorrise lo stesso. Dov'era Majuli? Savitha aveva parlato del Brahmaputra, si ricordò, e lei sapeva almeno questo in fatto di geografia: sapeva che il Brahmaputra si trova a nord. E così, venti minuti dopo, fermò l'autobus diretto a Vijayawada, diretto a nord, e non si accorse nemmeno delle espressioni strane e disgustate del conducente, del bigliettaio e dell'anziana donna seduta accanto a lei mentre le guardavano la faccia e le ustioni, non più coperte, ma scorticate e rosee come l'aurora.

Una volta arrivata a Vijayawada, per prima cosa cercò una farmacia e comprò bende e tintura di iodio. Imparò il modo giusto di fasciare le ustioni e medicarle con il disinfettante dall'uomo che lavorava lì: un vecchio con gli occhiali, che non le fece nessuna domanda sull'origine delle scottature, come se vedesse donne ridotte in quelle condizioni tutti i giorni, il che, immaginò Poornima, probabilmente era vero. Il suo unico dubbio, suppose lei, riguardava il mezzo impiegato per ridurla così, olio o acido. Eppure non le chiese nulla nemmeno su questo, anche se lei pensò che forse era in grado di capirlo dall'aspetto delle ferite. In ogni caso quell'uomo le piacque: le piacque la gentilezza con la quale le mostrò come avvolgere le bende intorno al collo e sulla gota, per poi legarle saldamente, ma senza stringere troppo. «Hanno bisogno d'aria» le disse alludendo alle bruciature, e poi soggiunse: «Le occorre altro?»

Poornima rispose che aveva bisogno di indicazioni per la stazione ferroviaria, e lui annuì. A quanto pareva si aspettava anche questo.

A piedi, le spiegò, la strada era lunga, perciò sarebbe stato meglio prendere l'autobus. Poornima preferì camminare comunque, e lungo il tragitto comprò un pacchetto di idli, l'unico cibo che fosse in grado di masticare. Poi bevve una tazza di tè fermandosi in piedi davanti al chiosco, con gli uomini riuniti lì intorno che la fissavano apertamente o furtivamente, ma tutti con disgusto – sapendo cosa nascondevano le bende – e forse qualcuno, un paio, con vergogna.

Quando Poornima arrivò alla stazione, dopo un'ora di cammino, cominciava appena ad albeggiare. Il pavimento di marmo bianco, coperto di corpi addormentati, brillava anche in mezzo all'intrico di braccia e gambe appoggiate sui più vecchi e sui più giovani. Poornima oltrepassò con cautela i dormienti, entrò nell'atrio e studiò l'elenco delle partenze. Ovviamente Majuli non faceva parte della lista delle destinazioni, essendo un'isola, così Poornima cercò tutti i treni diretti a nord. Non ce n'erano. O per lo meno non ce n'era nessuno che partisse da Vijayawada.

Fissò l'elenco a lungo, credendo di essersi sbagliata, ma nessun treno andava oltre Eluru. Si girò per avvicinarsi allo sportello riservato alle donne. Non era ancora aperto e sarebbe rimasto chiuso per altre due ore. A quel punto, Poornima considerò l'idea di aspettare nell'atrio; poi pensò che forse sarebbe riuscita a sapere qualcosa di più nella zona dei binari.

Pagò cinque rupie per il biglietto d'ingresso e, superato il cancello, scoprì che la prima banchina era tutta in subbuglio. Era appena arrivato un treno notturno da Chennai. I chioschi di tè e di caffè fumigavano; il puri-wallah gridava attraverso i finestrini per annunciare le sue mercanzie, correndo su e giù di vagone in vagone; le montagne di pacchetti di idli e di vada arrivavano fin quasi alle travi della pensilina, e persino le botteghe che vendevano riviste, sigarette e biscotti erano aperte, oltre a quella dirimpetto, già affollata di avventori, che offriva canna da zucchero. Davanti alle fontanelle dell'acqua si assiepavano decine di persone, e tutte spingevano.

Poornima non aveva mai visto tanta gente. Si fermò per un attimo, disorientata, e poi si ricordò che doveva cercare qualcuno a cui chiedere informazioni sui treni diretti a nord. C'erano centinaia di facchini, sparsi ovunque, a quanto pareva, con le loro camicie color mattone, ma nessuno le dava retta, un paio di loro addirittura la spintonarono per farsi strada. Poornima si spostò adagio verso la parete, lontano dai vagoni, e aspettò. Alla fine, di lì a venti minuti, il treno ripartì, e il caos cessò di colpo. I facchini, quelli rimasti senza clienti, ciondolavano oziosi, bevendo una tazza di tè o di caffè, in attesa del treno successivo. Poornima si coprì la testa con il pallu e si avvicinò a un terzetto in piedi accanto a uno dei grossi pilastri di sostegno. I tre non si parlavano, ma erano chiaramente insieme.

«Sapete qualcosa dei treni diretti a nord?» chiese loro Poornima.

Il più mingherlino, poco più che un adolescente, la squadrò da capo a piedi evitando di guardarla in faccia. «Ti sembro l'ufficio informazioni?» disse.

«È chiuso».

«Allora aspetta» intervenne un altro.

«Ma non c'è nemmeno un treno diretto a nord. Nessuno va al di là di Eluru. Voi ne sapete qualcosa?» insisté lei, girandosi verso il terzo uomo, il più anziano, con i baffi ingrigiti e una folta zazzera di capelli sale e pepe.

Anche lui guardò Poornima, soprattutto il volto bendato, che lei cercava invano di nascondere, e rispose: «I naxaliti. Hanno fatto saltare i binari dopo Eluru».

«Perciò non c'è neanche un treno?»

«Non mi hai sentito?»

«Ma nessun treno? Neanche uno? Com'è possibile?»

Il giovane rise. «Rivolgiti alle ferrovie indiane. Sono certo che saranno felici di darti spiegazioni».

Poornima si allontanò dai facchini e tornò vicino alla parete. Si lasciò scivolare a terra.

Quanto le sarebbero durate cinquecento rupie? Non molto. Ed era troppo presto per vendere i gioielli. Decise di rimanere alla stazione, di dormire nell'atrio, con gli altri viaggiatori, o su una delle banchine, magari il più lontano possibile dalla cabina di segnalazione, finché non avessero riparato la linea o finché non la buttavano fuori. Poteva lavarsi alla fontanella pubblica, comprarsi da mangiare dagli ambulanti, e per andare al gabinetto, be', c'erano i binari. Perché non mi sono portata una coperta? pensò, arrabbiata con se stessa.

Decisa ormai a restare, per prima cosa comprò una piccola brocca per lavarsi, poi si sedette vicino al chiosco di libri Higginbotham's e cercò di assumere un'aria disinvolta, l'aria di chi aspetta l'arrivo di un treno o di una persona, una persona cara a bordo di un treno. Il chiosco aveva una nicchia, dietro un espositore di riviste e di fumetti, e Poornima scoprì che ci entrava perfettamente, purché tenesse le ginocchia strette al petto in modo da nasconderle agli sguardi altrui. Da quella posizione privilegiata, alzando gli occhi, rimase stupefatta nel notare come fossero poche le persone che guardavano in basso. Nessuna, a quanto poté osservare nelle prime ore trascorse nella nicchia.

Dopo un po', si alzò per sgranchirsi le gambe, e camminò avanti e indietro lungo il sovrappasso collegato a ciascuna banchina da una scala. Da lassù riusciva a scorgere i lunghi segmenti dei treni che andavano e venivano, simili a tendini, le pensiline dei binari e i binari stessi, estesi in ogni direzione come le linee sul palmo di una mano: quanti ce n'erano? Venti, forse, o forse di più; Poornima non aveva mai visto nulla di simile, non aveva mai neppure immaginato che al mondo potessero esistere tanti commerci, tanta gente, tanti viaggi.

Le sue giornate seguivano sempre la stessa routine: dormiva su una delle banchine o nell'atrio; ogni mattina, per prima cosa, controllava i treni in partenza per verificare se qualcuno arrivava oltre Eluru, e se non ce n'erano, si comprava un pacchetto di idli e una tazza di caffè o di tè, a seconda dell'umore, dopo di che passeggiava o si rintanava nella nicchia dietro il chiosco dei libri.

Conobbe Rishi solo all'inizio della seconda settimana. Era un ragazzo magro, all'incirca della sua età, forse un po' più giovane. Lo aveva già notato, appostato sulla banchina, proprio sul bordo, intento a osservare tutti quelli che gli passavano vicino. Li studiava con un'attenzione tale che Poornima si domandò se intendesse disegnarli o derubarli. Ma non faceva né l'una né l'altra cosa, almeno a quanto poté vedere lei. Era lì ogni giorno, esattamente come Poornima. Aveva osservato anche lei, un paio di volte, sebbene Poornima l'avesse ignorato continuando a camminare. Eppure doveva sapere che se ne stava quasi sempre dietro il chiosco di libri, perché un pomeriggio si avvicinò e si mise a esaminare l'espositore delle riviste e dei fumetti. Afferrò un *Panchatantra* e cominciò a sfogliarne le pagine. Poi prese una rivista di cinema sulla cui copertina c'era una donna in abito rosso. Quando la rimise a posto sull'espositore, un tizio che Poornima non riusciva a scorgere strillò: «Ehi! Ehi! Dico a te. Puoi comprarla o non comprarla. Però evita di impiastricciarla tutta con l'unto dei capelli di tua madre». Il ragazzo si allontanò dall'espositore – Poornima vide i piedi infilati nei sandali che facevano un passo indietro – ma poi girò la testa di colpo e guardò dritto verso di lei.

Poornima sobbalzò. Le si fermò il cuore. Che fosse un poliziotto?

«Cosa ti è successo alla faccia?» le domandò lui.

Poornima si abbassò il pallu sulla fronte, quasi sugli occhi, e non rispose.

«Sei sorda?»

Poornima si strinse nelle spalle.

«Fammi vedere». Le si avvicinò; lei si addossò ancor più al muro. Il ragazzo piegò un poco le ginocchia, ma con delicatezza, con una sorta di grazia. Non era un poliziotto, almeno questo Poornima lo capì, benché continuasse a tenere la testa bassa e a sollevare solo lo sguardo. Lui la fissò negli occhi, poi le chiese: «Anche il collo? Tuo padre o tuo marito?»

Poornima restò in silenzio per un momento, come se si stesse sforzando di decidere, quindi disse: «Nessuno dei due. È stato un incidente».

Il ragazzo annuì e commentò: «È sempre così. Mi chiamo Rishi. E tu?»

Perché quel tipo le stava parlando? Cosa voleva? Era evidente che lei non aveva soldi, ma comunque non sembrava pericoloso. Le ricordava piuttosto un fratello. Nonostante ciò non gli rispose, e lui, dopo aver indugiato per qualche istante, si strinse nelle spalle e si allontanò. Poornima rimase a guardarlo: Rishi avanzò, sempre mantenendosi dove lei poteva vederlo, dopo di che andò a chiacchierare con un uomo che stava scaricando sacchi di iuta da un treno merci e poi si comprò una tazza di tè. Lanciò qualche occhiata in direzione di Poornima, quasi per accertarsi che fosse ancora là, e infine, terminato di bere il tè, la salutò con la mano, come se la conoscesse da tutta la vita, come se fosse una vecchia amica da cui si stava congedando alla stazione, quindi la oltrepassò, attraversò l'atrio e uscì nel mondo.

Ma tornò il giorno seguente. E quello successivo. E quello dopo ancora. E ogni volta salutava Poornima quando arrivava al mattino e la salutava di nuovo prima di andarsene alla sera. Sorpresa di se stessa, Poornima cominciò ad aspettarlo con ansia. Se capitava che s'incrociassero durante la giornata, come succedeva spesso dato che frequentavano entrambi le dieci banchine della stazione, Rishi non la salutava; nemmeno la guardava. Per poco non si scontrarono, una volta, sul sovrappasso pedonale, e lui non mostrò neppure di averla riconosciuta. Che strano, pensò lei. Quella sera – dopo l'incontro sul sovrappasso – Poornima balzò in piedi quando vide Rishi avvicinarsi all'uscita, diretto dovunque andasse ogni sera, e disse: «Poornima».

Rishi la guardò con un sorriso, e lei provò uno slancio di sollievo e di calore.

Da allora camminarono insieme e chiacchierarono quasi tutti i giorni. Lei gli raccontò di Kishore e della suocera, e persino di Indravalli, e gli parlò un poco anche del padre. Poi gli domandò: «Dove vai ogni sera?»

Lui raddrizzò la schiena e assunse un tono serio. «Ho un lavoro molto importante».

«Oh! Ma passi tutto il giorno qui. Lavori di notte?»

Rishi parve riflettere un attimo sulla risposta, e alla fine disse: «Lavoro qui. Sto lavorando anche adesso. Ogni sera rientro a fare rapporto al mio capo».

«Stai lavorando? Ma se non fai altro che gironzolare».

«È quello che sembra. Che ne vuoi sapere tu?»

Magari lei non sapeva tante cose, pensò Poornima; però capiva quando qualcuno stava lavorando, e non era certamente il caso di Rishi. «Qual è il tuo compito?»

«Trovo persone».

«Che genere di persone? Persone smarrite?»

Rishi si strinse nelle spalle. «Per quanto tempo hai intenzione di fermarti qui? Dietro il chiosco dei libri?»

«Finché non ripartono i treni diretti a nord».

«I naxaliti hanno fatto saltare i binari».

«Tu perché credi che sia ancora qui?»

«Hai qualcuno su al nord? Qualcuno che ti aspetta?» le domandò lui, con una strana curiosità nella voce.

«Sì. In un certo senso».

«Per le riparazioni potrebbero volerci settimane, mesi. Perché non passi da un'altra parte?»

Poornima non ci aveva mai pensato. Per quale motivo non le era venuto in mente? Era una soluzione così semplice.

«Stai mentendo» aggiunse Rishi.

«Non sto mentendo. E su cosa, poi?» ribatté lei.

«Non c'è nessuno che ti aspetta. L'ho capito. Ho capito che sei sola».

Poornima si grattò la fasciatura. Le ferite iniziavano a pruderle, e lei non riusciva quasi a dormire, a mangiare né a fare qualsiasi altra cosa tanto era esasperante il fatto di non potersi grattare. «Come fai a dirlo?»

«Aiuto le ragazze come te» spiegò Rishi. «Le ragazze sole. Le aiuto a trovare un rifugio sicuro e a guadagnare dei soldi. Finché non sono pronte ad andarsene. Tipo quando avranno riparato i binari, per esempio. Ma la maggior parte non se ne va più, sono talmente soddisfatte». Chiese a Poornima se voleva una tazza di tè, e lei rispose di sì.

«Cosa fanno?»

«Lavorano in un ufficio. Come segretarie. Oppure in un negozio di lusso. O a volte in una rivendita di sari. Roba del genere. Compiti semplici».

«E tu ne hai aiutate molte?»

Rishi annuì. «Oh, sì. Centinaia. Probabilmente anche di più. Conosco tutte le ragazze che sono passate da questa stazione. Ho un'ottima memoria, sai. Me le ricordo tutte quante. E so a quali può far comodo un impiego del genere».

Poornima rimase in silenzio, poi gli domandò: «Tutte quante?»

«Non ne scende una in questa stazione, da qualsiasi treno, senza che io lo sappia. E mi ricordo che faccia hanno. Non ne dimentico una. A volte parlo con loro, come sto parlando con te, e le aiuto a ottenere il lavoro, e loro vengono sempre a cercarmi per ringraziarmi».

«Non ho mai visto neanche una ragazza venire a ringraziarti».

Rishi sospirò sonoramente, quindi soggiunse: «Come potevi vederle? Te ne stai sempre rintanata come una talpa dietro il chiosco dei libri. In ogni caso, ho del lavoro da sbrigare. Non posso rimanere qui a chiacchierare con te per tutto il giorno. Riporta indietro il bicchiere quando hai finito» disse poi alludendo alla tazza del tè. Si girò, ma senza molta convinzione. Cominciò a camminare lungo la banchina.

«Aspetta» gli gridò dietro Poornima. Rishi si fermò a un metro o due da lei, e Poornima pensò che stesse sorridendo, anche se non poteva esserne sicura. La sua era solo una sensazione. Del resto, per quale motivo avrebbe dovuto sorridere?

Quando si girò a guardarla, aveva un'espressione seria. «Che c'è?» le chiese. «Ho da fare».

«Tutte le ragazze?»
«Sì. Te l'ho già detto».
«Da quanto tempo sei qui? Alla stazione?»
«Perché?»
«Semplice curiosità».
Rishi rifletté un momento. «Tre anni. Forse quattro».
Poornima si sentì percorrere da un brivido e pensò: E se l'avesse vista? Se l'avesse veramente vista? «Ti è capitato di incontrare una ragazza, meno di due anni fa? Un po' più alta di me. Indossava un sari blu, con un motivo di pappagalli. Una ragazza dal bellissimo sorriso. Di Indravalli».
Rishi meditò per un lungo istante. I suoi occhi iniziarono a brillare. «Che altro?»
«Era magra, però non quanto me. Capelli lisci, ma con dei ricciolini sulla fronte. Con ogni probabilità era diretta a nord pure lei».
«Aveva delle belle labbra? E un sari blu, hai detto?»
S'illuminarono anche gli occhi di Poornima. «Sì! E si chiamava Savitha. L'hai vista?»
«Savitha? Hai detto Savitha?» Rishi sorrise: un largo sorriso che gli rimpolpò la faccia scarna, come se le gote fossero spuntate proprio da quel sorriso. «Perché non me l'hai detto prima? Certo che conosco Savitha».
«Sul serio?»
«Sì, dev'essere stato un paio d'anni fa. Adesso ricordo. E veniva da Indravalli. Non sei di quelle parti anche tu?»
«Cosa ti ha raccontato? Dov'è andata?»
«Non a nord. Perché ti sei messa in testa che fosse diretta a nord? È qui. A Vijayawada. Le ho trovato un lavoro».
«Qui? A Vijayawada?»
«Sì. Proprio qui. Vieni, ti porto da lei». Sorrise di nuovo, e stavolta Poornima notò che aveva un dente macchiato; un dente davanti, di quelli di sotto. Guardò la macchia e si domandò se Rishi stesse mentendo.

9.

Si allontanarono dalla stazione lungo la stessa strada che Poornima aveva percorso per arrivarci circa due settimane prima. Camminarono per quelle che parvero ore, attraversando Green Park Colony e Chittinagar, finché non arrivarono in un quartiere di case fatiscenti e baracche. I chioschi del tè sembravano più sporchi, e gli uomini seguivano i due nuovi arrivati con gli occhi cerchiati di rosso. Nel vedere le bende di Poornima, si affrettavano a distogliere lo sguardo.

«Devi proprio tenerle?» disse Rishi.

«Cosa?»

«Quelle bende».

Poornima provò di nuovo il bisogno di grattarsi appena pensò alla fasciatura. «Be', certo che devo tenerle».

«Forse a Savitha non piaceranno».

«Perché dovrebbero darle fastidio?»

Continuarono a camminare. Ormai non c'erano più case fatiscenti, ma solo lotti di terreno deserti. Poornima capì che si stavano allontanando dal Krishna. I vasti spazi aperti ospitavano unicamente maiali, cani randagi e mucchi di spazzatura. Ai margini di uno di quei campi disseminati di rifiuti sorgeva una costruzione massiccia, più grande di qualsiasi altra nei dintorni, e tenuta decisamente meglio di tutto il resto. Imboccarono il viale d'accesso. «Savitha è qui? Lavora qui?»

«Più o meno» rispose enigmaticamente Rishi.

Non suonò il campanello; entrarono senza annunciarsi. Appena varcata la soglia, Poornima udì un calpestio al piano di sopra. Alzò gli occhi verso la balconata aperta e vide cinque o sei ragazze, della sua età e anche più giovani, che si affacciarono per un momento prima di girarsi e allontanarsi. Ma Savitha non c'era. «Andiamo» disse Rishi, e la guidò più avanti nell'atrio del pianterreno. In fondo c'era una porta, e quando la superarono – dopo aver bussato, stavolta – all'interno trovarono un uomo esile dai grossi occhiali, seduto dietro una scrivania. La sua pelle aveva la stessa trama della buccia di un jackfruit, forse conseguenza di qualche malattia infantile, pensò Poornima. L'uomo alzò gli occhi e la squadrò, e la noia nella sua espressione si tramutò in disgusto. Ma al di là di quell'occhiata affiorò qualcosa di più della ripugnanza, e Poornima fu sul punto di indietreggiare e fuggire di fronte a una tale crudeltà.

«E questa chi è?» domandò l'uomo con gli occhiali, senza guardare Rishi, ma rivolgendosi chiaramente a lui.

«Era alla stazione, Guru».

«Sei stupido?»

«Avevi detto che eravamo a corto, Guru. Così ho pensato che forse...»

«Ah, davvero? È questo che hai pensato?»

Rishi abbassò la testa e annuì.

«Be', riportala indietro» ringhiò l'uomo. «È brutta. E quelle bende. Chi pagherebbe per una cosa simile? Non hai neanche un briciolo di buonsenso? Nessuno ragiona. Ecco il vero problema. E indovina un po' cos'ha combinato Samuel? Se l'è filata senza una parola. Portando con sé una delle ragazze. Adesso cosa faccio? Neanche un cane a tenere i registri e una ragazza in meno. E tu che ti presenti qui con questa. Sbarazzatene».

Poornima spostava lo sguardo da Rishi all'uomo dietro la scrivania. Pensava ai propri soldi e ai gioielli, e temeva che non le sarebbe più capitata un'altra occasione. «Conosce la mia amica? Viene dal mio stesso villaggio. Rishi mi ha detto...» cominciò.

L'uomo scarabocchiava qualcosa su un quaderno, un registro di qualche genere, e quando Poornima parlò, alzò gli occhi su di lei come se fosse stupito, sconcertato dal fatto che avesse una voce. Strinse lentamente il pugno. «Ti ho chiesto di portarla fuori di qui».

«Rishi mi ha detto che lei la conosce».

L'uomo posò la penna, e Poornima avvertì la collera che montava in lui. Che gli rimpiccioliva la bocca, il naso e infine gli occhi, ridotti a due puntolini di rabbia concentrata. «Lo sai, ho visto scimmie più attraenti di te».

Rishi la prese per un braccio, come per trascinarla fuori dalla stanza. Poornima si divincolò per liberarsi della sua stretta. Pensò al capanno della tessitura, la mattina dopo la scomparsa di Savitha, e pensò a come Savitha fosse uscita tutta sola nella notte. Si domandò se si fosse girata un'ultima volta prima di andarsene, fermandosi sulla soglia in cerca di un motivo per restare che non aveva trovato. Niente, mai, avrebbe dato a Poornima un senso di desolazione più profondo di quel pensiero. «So tenere i registri» dichiarò.

L'uomo la guardò.

«So tenere i registri. La contabilità. Ho imparato a farlo».

L'altro rise. «E da quando in qua le ragazze dei villaggi imparano a tenere la contabilità? Da dove hai detto che vieni?»

«Lo so fare. Glielo dimostrerò».

L'uomo guardò Rishi, che gli restituì lo sguardo. Poi entrambi si voltarono in direzione di Poornima. Quindi l'uomo dietro la scrivania girò il registro per piazzarglielo davanti e disse «Accomodati pure».

Poornima studiò la pagina. All'inizio non vide altro che un caos di numeri, con alcune lettere scritte nell'intestazione di buona parte delle colonne, e quelle che dovevano essere date nella prima colonna a sinistra. Ma più osservava le annotazioni, più si rendeva conto che c'era uno schema: le cifre sotto alcune delle lettere erano invariabilmente più grandi. E le date, notò, si riferivano al mese precedente. Poi capì il significato delle lettere: erano iniziali. C'erano tre *S*, seguite da numeri. Un brivido freddo le serpeggiò lungo la schiena. «Non sarebbe meglio se ci fossero più informazioni? Tipo se era sempre lo stesso uomo, ancora e ancora? E in quali giorni è venuto e se ha chiesto la stessa ragazza. Registrando questi dettagli, si potrebbe chiedere di più».

Silenzio. Un cane abbaiò. «Allora è vero» disse l'uomo. La guardò come se la vedesse per la prima volta. «Che altro sai fare?»

«So cucinare, fare le pulizie e usare il charkha».

Con un cenno della mano, Guru ordinò a Rishi di uscire dalla stanza. Una volta che il ragazzo se ne fu andato, fissò Poornima con un improvviso interesse, un interesse tramato di crudeltà e di calcolo.

«Guru» disse. «Mi chiamo così. Ne abbiamo altri di questi. Altri sei per la precisione. Dovrai tenerli tutti. Dove alloggi?»

«Alla stazione ferroviaria».

«C'è una stanza sul retro. Puoi sistemarti lì. Niente di quello che c'è dentro sarà tuo, ma possiamo provarci per qualche giorno. Sei disposta a provarci per qualche giorno?» Il suo tono divenne tagliente, le parole puntate contro di lei come pugnali, e Poornima capì che Guru non alludeva più ai registri o alla contabilità. Annuì.

Poi l'uomo le domandò: «Che ti è successo alla faccia?»

«Nulla» rispose Poornima. «Ho avuto un incidente».

Guru sorrise in modo orribile. Poi si appoggiò allo schienale della sedia e disse: «Olio? O acido?»

Le fu assegnata una stanzetta cieca sul retro, al pianterreno. C'erano una branda, un'immagine incorniciata di Ganesha sopra la porta e un piccolo frigorifero in un angolo. La stanza comunicava con un bagno attrezzato di latrina, lavabo con acqua corrente e un'alta fila di finestre alle quali Poornima non arrivava. Rimase là in piedi a fissare l'irraggiungibile rettangolo di luce. Poi esaminò il bagno; non era mai stata in una camera con gabinetto annesso e acqua corrente. Nascose soldi e gioielli sotto la branda e andò a farsi una doccia usando il secchio.

Quando uscì e cercò di aprire la porta che conduceva fuori, scoprì che era chiusa a chiave. La spinse, la prese a pugni e urlò, ma dalla parte opposta non si sentì nemmeno un rumore. Poornima indietreggiò di un passo e fissò la porta. Che fosse stata sprangata per sbaglio? Ma non era possibile; aveva visto lei stessa il chiavistello, che andava infilato negli appositi anelli. Cosa significava? La stavano tenendo prigioniera? Era così? L'idea le strappò dalla gola un grido così poderoso che il quadro di Ganesha si staccò dalla parete. Poornima si scagliò contro la porta. Urlò e pianse fino a diventare rauca; le facevano male le mani a forza di colpire il legno. Niente. Neppure un suono da fuori. Si accasciò a terra appoggiandosi al battente e chiuse gli occhi. Nel riaprirli, vide il frigorifero sul lato opposto della stanza. Si alzò vacillando e vi guardò dentro. C'erano due bottiglie d'acqua e una ciotola di frutta dalla buccia lucida: guava, mele, sapota, uva. Richiuse il frigo e tornò a tempestare di pugni la porta. Ancora niente. Esausta, andò a coricarsi sulla branda e si costrinse a dormire.

Quando si svegliò, non aveva idea di quanto tempo fosse passato. Per un attimo ebbe paura. Paura di cosa? si domandò. Di essere rinchiusa in una stanza? Che la porta non si riaprisse più? Che si aprisse? Di colpo, la sua situazione non le sembrò molto diversa dagli anni trascorsi a Namburu, e così tornò al frigorifero e bevve un sorso esitante da una delle bottiglie d'acqua. Poi ne bevve un secondo, più generoso. Aveva fame, perciò allungò un braccio verso la frutta, ma la mano si fermò di propria iniziativa. Si bloccò. Proprio mentre stava per afferrare una mela. Poornima la tenne a mezz'aria, immobile, chiedendosi perché, e fu allora che le tornarono in mente le parole di Guru: «Niente di quello che c'è dentro sarà tuo». Per quale motivo aveva detto quella frase? Una strana affermazione, rifletté, sempre tenendo la mano sospesa sulla frutta. Era davvero strana? Forse questa è una prova, pensò con un'improvvisa lucidità. Forse Guru vuole vedere se prenderò uno di questi frutti. Sembrava una prova perfettamente logica a cui sottoporre un contabile, per verificare se avrebbe derubato il suo datore di lavoro. Se si sarebbe impadronito di quello che, come gli era stato detto chiaramente, non gli apparteneva. Poornima però aveva fame, e per un attimo fu tentata di prendere lo stesso la frutta, ma poi si disse: Se Savitha è davvero qui, mangiare una mela – una mela! – potrebbe privarmi della mia unica opportunità di trovarla.

Richiuse lo sportello del frigorifero.

Rimase per tre giorni in quella stanza senza toccare cibo. All'inizio la fame crebbe lentamente, e ben presto le attanagliò lo stomaco. La costrinse a piegarsi in due dal dolore. Poi arrivò la debolezza. La fame era una bestia feroce, e Poornima la teneva a bada con la forza di volontà, confinandosi sulla branda come se vi fosse stata incatenata e bevendo lunghe sorsate d'acqua. Dormiva di un sonno irregolare, ma rimaneva coricata fino al mattino inoltrato. A metà del secondo giorno aveva la pelle calda e febbricitante. L'acqua non le dava alcun sollievo. Si chiese se si fosse ammalata. Prese in seria considerazione l'idea di mangiare la frutta: e se nessuno avesse più riaperto la porta? Poi però le tornò in mente Savitha. Savitha era lì. Lei doveva solo superare quella prova; Savitha era lì. Si sdraiò nuovamente sulla branda e pensò al cibo. Non funzionò. Allora pensò alla fame. A Indravalli le capitava spesso di non saziarsi, perché cedeva la sua parte ai fratelli e alla sorella, eppure rimaneva sempre qualcosa per lei, non fosse altro che una manciata di riso e sottaceti. Ma quella: quella fame era una terra devastata.

La debolezza si accentuò. Poornima si stancava per lo sforzo di andare in bagno, per la fatica di sollevare la bottiglia dell'acqua. Il terzo giorno la sua pelle smise di funzionare. Le cadde una goccia d'acqua sul braccio, e tutto il suo corpo si contorse per l'impatto. Era come se non avesse più la pelle, e la goccia avesse colpito un tessuto scoperto e scorticato. Il terzo giorno non si lavò col secchio. Si reggeva a malapena in piedi. Cominciò a emanare un cattivo odore. Pensò che si fossero infettate le ferite, o che le bende stessero marcendo, ma non era così: l'odore veniva dai pori. Non era l'odore della sua traspirazione normale: quello lo conosceva. Questo era più acre, più intenso e più amaro. Aveva intriso il lenzuolo sulla branda, eppure quello strano sentore esalato dal suo corpo famelico, da ciascuna delle sue parti infiammate, le dava l'impressione che la fame fosse lo stato più naturale, il più autentico. Aveva addirittura smesso di desiderare il cibo, che si era trasformato in un concetto astratto, al cui ricordo Poornima provava soprattutto un senso di apatia, e a volte di avversione.

Il mattino del quarto giorno, la porta si aprì.

Ancora sulla branda, Poornima sollevò le palpebre senza fare lo sforzo di alzarsi. Era Guru. L'uomo la guardò, visibilmente disgustato, e domandò: «Cos'è questa puzza?»

Lei continuò a fissarlo, poi riabbassò le palpebre. «Non l'ho mangiata» dichiarò.

Guru si avvicinò al frigorifero, controllò all'interno e disse: «È vero», poi si girò verso di lei. «Non me ne sarebbe importato se l'avessi fatto».

Poornima riaprì gli occhi.

«Credevi che fosse questo il mio scopo? Vedere se avresti mangiato la frutta?» Scoppiò a ridere. «Voi ragazze dei villaggi siete così spassosamente stupide. Quella frutta si sarebbe guastata comunque dopo il primo giorno. No» continuò. «No, quello che volevo mostrarti, quello che volevo che tu capissi, è ciò che possiedo». Poornima fece per mettersi a sedere, confusa, ma lui la fermò: «No, no, non sederti per me. Rimani sdraiata, e girati dall'altra parte». Poornima tornò a coricarsi, ma restò supina e continuò a guardarlo. «Se devi lavorare per me, ho bisogno che tu comprenda bene quello che è mio. Tu sei mia» riprese lui. «Il cibo che mangi è mio. Sono miei il tuo sudore e il tuo puzzo. È mia la tua debolezza. Ma soprattutto è mia la tua fame». Guru era in piedi accanto a lei, e la guardava dall'alto. «Hai capito? La tua fame è mia. E adesso» concluse, slacciandosi la cintura «girati. Non mi piacciono le facce. Tanto meno la tua».

Poornima cominciò a lavorare per lui il giorno successivo. Aveva una scrivania accanto alla sua, ma più piccola, in modo che Guru potesse tenerla d'occhio. Lui però sedeva di rado nell'ufficio. Di solito Poornima era sola, e lasciava la porta aperta, per osservare le ragazze che ci passavano davanti.

Nessuna di loro era Savitha. Almeno nessuna di quelle che stavano in quella casa. Poornima non poteva parlare con loro – Guru la sorvegliava con attenzione quando c'era, e in sua assenza ci pensava Raju, il cuoco – ma ogni volta che una delle ragazze scendeva al piano di sotto, Poornima le rivolgeva un cenno di saluto o le sorrideva. Per lo più loro la ignoravano. Qualcuna delle più giovani, oppure delle nuove arrivate, la guardava con tristezza, o con coraggio, e poi tornava di sopra. Erano tredici. Ma erano davvero delle ragazze? si domandava Poornima. Certamente sì. Con ogni probabilità nessuna aveva più di sedici anni. Eppure c'era qualcosa che mancava in loro, qualche aspetto essenziale della giovinezza le aveva abbandonate. Cos'era? Poornima ci rifletté ogni giorno nelle sue prime settimane al bordello. L'innocenza, di sicuro. Questo era ovvio. Ed erano corrotte. Anche questo era ovvio. Ma c'era qualcos'altro. Qualcosa di più sottile.

E poi Poornima capì. Se ne rese conto osservando una delle ragazze che arrancava per casa a metà pomeriggio, appena sveglia, per andare in bagno. Si strofinava gli occhi, la faccia gonfia di sonno, o forse di stanchezza. Aveva un'espressione apatica e indifferente mentre se ne stava in piedi sulla porta posteriore a guardare fuori. Vedendo quello sguardo, quell'indifferenza, Poornima comprese: la ragazza aveva perduto il senso della luce. Per lei era tutto uguale, e lo stesso valeva per ciascuna delle sue compagne: luce e buio, giorno e notte. Ma non avevano perduto soltanto la consapevolezza della luce esterna. Non sapevano più cos'era la luce interiore. Era quello l'aspetto della giovinezza di cui erano state private: il senso della propria luce.

Poornima pensò alla luce, e poi pensò a Savitha. Aveva sei registri da compilare, da far quadrare e da confrontare con gli incassi. Le avevano dato persino una piccola calcolatrice come quella che usava Kishore. La macchinetta rendeva tutte le operazioni molto, molto più veloci. In ogni caso, Poornima lavorava con diligenza, cercando sempre di escogitare un modo per andare negli altri bordelli a vedere le altre ragazze. Ormai sapeva che Rishi le aveva mentito, alla stazione, quando le aveva detto di conoscere Savitha, ma Guru gestiva quasi tutti i bordelli di Vijayawada, e Poornima aveva deciso che non poteva dirigersi a nord, senza essere sicura. E così rimaneva in quella casa e aspettava.

Dopo nove mesi, era riuscita a visitare solo due delle altre case, chiedendo di accompagnare Guru nei suoi giri di raccolta degli incassi. «Non sono una delle ragazze» gli diceva. «Voglio uscire un po'». Lui la accontentava con riluttanza, anche se Poornima intuiva che era arrivato a fidarsi di lei. Non gli aveva mai rubato nulla, né pretendeva denaro, e non commetteva mai nemmeno un errore nei libri contabili. Guru finì per aprirsi con lei, qualche volta, e cominciò addirittura a darle un piccolo stipendio. Poornima capì che era la sua cicatrice a indurlo a quelle minime manifestazioni di fiducia. Un fatto strano, ma vero. Poornima non portava più la fasciatura, però le ustioni, guarendo, le avevano lasciato una grossa cicatrice, lustra e coperta di vesciche rosate. La faceva apparire deturpata, inoffensiva e, cosa più importante, patetica.

Un giorno Guru arrivò in ufficio lamentandosi di quanto gli toccava sborsare per comprare cibo, abiti e tutto il necessario alle quasi cento donne e ragazze che lavoravano nei suoi bordelli. «Spendo migliaia di rupie al mese. Migliaia. Non fanno che mangiare».

Poornima restò in silenzio. Sapeva per certo che Guru ricavava più di centomila rupie al mese da quelle ragazze. In certi mesi gli introiti ammontavano a due lakh, il doppio di quella cifra.

«Per esempio, solo l'altro giorno, una di loro mi ha detto che era il suo compleanno e mi ha chiesto se potevo comprarle un dolce. "Il tuo compleanno!" ho ribattuto io. "Avrai un dolce quando ti farai dieci clienti a notte. Solo allora avrai il tuo dolce"».

Poornima annuì.

«Ogni giorno. Ogni giorno non fanno che mangiare e mangiare».

Poornima tornò al lavoro; per Guru era normale lamentarsi, e lei c'era abituata.

«E che sfrontatezza. Una volta, questa ragazza mi fa: "Voglio una banana". "Ti compro già il riso" rispondo io. "Mangia quello". E lo sai cosa mi dice lei?»

«No. Cosa?» Poornima alzò a malapena gli occhi.

«Mi dice: "Ma a me piace mangiare le banane col riso. Col riso allo yogurt". Riesci a crederci? Una banana! Che sfrontatezza».

Poornima sollevò la testa di scatto. Calmò i propri pensieri, appiattì il tono della voce. «Ah» disse. Poi chiese: «Cos'è successo a quella ragazza? Quella che voleva la banana?»

Guru si strinse nelle spalle. «L'abbiamo venduta».

«Venduta? E a chi?»

Guru alzò lo sguardo. Ridusse gli occhi a due fessure. «Credi che ci occupiamo solo di questi merdosi bordelli? Credi di tenere tutta la contabilità? I maggiori guadagni provengono dalla vendita delle ragazze. Le vendiamo a uomini pieni di soldi. In Arabia Saudita. A Dubai».

Poornima inspirò. Raccomandò a se stessa: Non farti scoprire. Altrimenti non ti dirà nulla. «Ma quella ragazza» disse in tono leggero, «quella che voleva la banana, dov'è finita?»

«Penso facesse parte di quella grossa spedizione. È stato un anno fa? Era destinata a un riccone americano. Pensa: voleva delle ragazze per fare le pulizie negli appartamenti. A quanto pare assumere qualcuno per fare le pulizie costa un mare di quattrini da quelle parti. Per fare le pulizie. Dei Dalit qualsiasi. Spendeva meno a comprarseli. Ne possedeva a centinaia. Di appartamenti, intendo. In un posto che si chiama Seetle, Sattle. Non lo so. Pagava bene, in ogni caso».

Poornima sentì l'aria intorno a sé diventare più fresca. Sentì una grande porta di legno che si apriva con un cigolio. «E come si fa ad arrivare laggiù?»

Guru scoppiò a ridere. Si sbellicò dalle risate. «È lontano. Lontanissimo. Tu non ci arriverai mai».

Poornima rise insieme a lui, ma sapeva che ci sarebbe arrivata.

Savitha

1.

Savitha sapeva che non avrebbe ottenuto la banana, non subito almeno. Ma come avrebbe fatto a conquistarsi una cosa semplice e insignificante come una banana?

L'avrebbe scoperto.

Sapeva anche di dover affrontare il capo della banda, un certo Guru. Nessun altro. Guru passava ogni tanto a controllare le sue mercanzie, era così che chiamava le ragazze. La sua prima visita avvenne poche settimane dopo l'arrivo di Savitha. Savitha aveva lasciato Indravalli nelle ore che precedono l'alba, lo stesso giorno in cui avrebbe dovuto sposare il padre di Poornima. Le faceva male tutto il corpo. Era rimasta rannicchiata in un angolo del capanno della tessitura per tre giorni. Non aveva battuto le palpebre (non consapevolmente), non aveva sperato né pregato né sentito dolore, e non aveva pensato a niente. Non un solo pensiero. Be', uno forse sì. Il suo unico pensiero era stato: Cosa è meglio? Questo? O essere morta? Oppure non c'è nessuna differenza? Prima di lasciare il capanno della tessitura e Poornima immersa nel sonno, aveva slegato i minuscoli nodi del sari che stava tessendo per lei, e che ancora non aveva completato neppure per metà, l'aveva allargato sul telaio come un sudario e l'aveva piegato più volte, per poi infilarselo sotto il corpetto, contro il seno piatto.

Dopo di che aveva lasciato Indravalli, sapendo che se ne andava per sempre.

Alla fermata dell'autobus – quella lungo la strada principale, non quella in paese – il primo pullman che passò andava a Vijayawada. Era vuoto, a parte il bigliettaio. Non c'erano neanche i contadini diretti al mercato. Savitha non aveva soldi, neppure un paisa, perciò, quando la porta si aprì, guardò il conducente, ma non con aria supplichevole, niente affatto, piuttosto con un'espressione dura e determinata, e disse: «Se mi dai un passaggio nessuno lo scoprirà mai».

L'autista la squadrò da capo a piedi, quindi scoppiò a ridere, chiuse la porta e ripartì. L'unica alternativa era fermare un camion. Savitha aspettò qualche minuto che ne comparisse uno. L'automezzo proseguì senza nemmeno rallentare, e i quattro successivi fecero lo stesso, ignorandola completamente, finché non arrivò il sesto. Era ricoperto di elaborati dipinti: un'immagine di Ganesha sopra il parabrezza, al centro, un paesaggio con un lago tranquillo, una capanna e alcune vacche da una parte e un mazzo di rose dall'altra. Due lime freschi penzolavano dal paraurti anteriore per tenere lontana la cattiva sorte. All'interno, stelle filanti rosse che luccicavano persino in assenza del sole adornavano la sommità del vetro. Savitha fece un cenno all'autista, spostandosi sul bordo della strada, e quando l'uomo decelerò, si accorse che era giovane, poco più grande di lei. Da vicino, una volta salita nella cabina, notò che aveva i denti più bianchi e brillanti che avesse mai visto, ancora più candidi del tempio sull'Indravalli Konda, anche se gli occhi erano stanchi, arrossati, forse per la mancanza di sonno, la polvere o l'alcol.

«Dove sei diretta?»

«Dipende» rispose lei. «Tu dove vai?»

«A Pune».

«Allora è là che sono diretta».

Il camionista sorrise, e stavolta Savitha non fu più tanto sicura della lucentezza dei suoi denti. Del candore sì, ma non della lucentezza.

Ci vollero meno di dieci minuti, passati a sobbalzare sulla Trunk Road, superando chioschi di tè sprangati ai margini della carrozzabile, capanne buie, risaie bagnate di rugiada, cani addormentati, perché la mano dell'autista lasciasse il volante. Non si avvicinò strisciando sul sedile, come Savitha si sarebbe potuta aspettare, ma spiccò semplicemente il volo per atterrarle sulla coscia. «Io non ho fretta» le disse il giovane. «E tu?»

Savitha inspirò.

Capì, in quell'istante, che era stata aperta una porta. Non in quel momento, ma tre giorni prima. Cos'era quella porta? si domandò. Perché non aveva mai nemmeno saputo della sua esistenza? Non trovò una risposta. O forse non volle trovarla. In ogni caso, ormai la porta era aperta, e lei l'aveva oltrepassata. Era stato il padre di Poornima ad aprirla, naturalmente, a spingerla al di là di quella soglia, e Savitha fu invasa dalla rabbia, una rabbia intensa e spaventosa nei suoi confronti: per il solo motivo che non le aveva chiesto cosa voleva lei. Non le aveva detto: C'è una porta. La vedi? Vuoi che la apra? Vuoi vedere cosa c'è dall'altra parte? Ma ormai era fatta. E ormai, si rese conto, non sarebbe stata niente altro agli occhi degli uomini: una cosa da penetrare, da abitare per un po', e poi da abbandonare.

Il camion continuò la sua corsa. La mano del giovane avanzò lungo la coscia di Savitha. Superarono il Krishna e svoltarono sulla nazionale.

Be', se tutto questo era vero, doveva essere vero anche qualcos'altro. Savitha non ebbe bisogno di riflettere a lungo per capire cosa fosse: era come se quell'idea si trovasse lì, in attesa sul bordo della strada da sempre. E l'idea era questa: esisteva un'altra porta. Più piccola, più impervia. Una porta nascosta. Ma era al di là di quella porta, lo sapeva, che si trovavano i veri tesori: il suo affetto per Poornima, il suo amore per i genitori e le sorelle. Quei tesori brillavano: la sensazione del contatto con il tessuto, quello contro il suo petto, ma in realtà qualsiasi tessuto. Il modo in cui si posava sulla pelle come una mano (non come la mano del camionista: una mano delicata, che non chiede niente), proteggendo, ammorbidendosi con il tempo. Risplendevano nella notte, quei tesori: il ricordo (già un ricordo) delle mani di suo padre, protese con tanto timore e tanto desiderio, il gusto del riso allo yogurt con le banane, dolce e cremoso insieme, la pienezza del suo cuore, che si gonfiava senza mai spezzarsi.

«Fermati qui» disse.

La mano del camionista si arrestò, arrivata quasi all'inguine.

«Qui?»

«Proprio qui».

«Ma abbiamo appena superato Vijayawada. Hai detto che andavi a Pune».

Savitha lo guardò, gli guardò la bocca scura, il labbro superiore pressoché interamente coperto dai baffi. Poi il giovane sorrise, come aspettandosi che anche lei gli sorridesse. Savitha invece si limitò a fissarlo ancora per un poco, il rosso degli occhi e il bianco dei denti. Lui rallentò, ma non si fermò. Savitha guardò fuori dal finestrino. Un cane rognoso giaceva accanto a un mucchio di spazzatura; un po' più avanti, un pollo raspava la terra. Sterzerà per evitarli, pensò lei. Chiunque lo farebbe. E poi pensò: Sono io ad avere la chiave.

Si tolse di dosso la mano del camionista e gliela storse, con forza, all'altezza del polso. Lui restò senza fiato, saltò sul freno. Il camion s'inclinò e si fermò stridendo.

«Puttana. Pakshi. Fuori di qua».

Quando scese, l'autocarro partì con una sonora sgommata, in una nuvola di polvere. Savitha si fermò in mezzo alla nazionale e si girò da un lato e dall'altro. A est c'era la periferia di Vijayawada. Avevano girato intorno alla città, ma sarebbe stato facile tornare indietro. Indietro. Non sembrava una scelta molto furba. A ovest c'erano Hyderabad e poi il Karnataka, il Maharashtra e infine il mar Arabico. Non che Savitha sapesse nulla di tutto ciò; sapeva solo che Pune era a occidente, e che più in là cominciava un mare. Si sedette per terra, sul margine della strada, e si domandò cosa fare. Passarono altri automezzi, per lo più camion. Avrebbe potuto fermarne uno, sperare in un uomo migliore. La maggior parte l'avrebbe condotta a Pune, se era là che voleva andare. Che lingua parlavano da quelle parti? Il marathi, naturalmente. Che lei, com'era ovvio, non sapeva parlare. E se avesse chiesto di essere portata a Bangalore? Lì parlavano il kannada. Simile al Telugu, anche se non proprio uguale. Si voltò di nuovo nella direzione di Vijayawada. Decise che era più saggio tornare indietro. Meglio guadagnare un po' di soldi, tanto per cominciare, e per questo la soluzione ottimale era rimanere in una zona di cui conosceva la lingua. E poi, se qualcuno fosse partito da Indravalli per cercarla, cosa della quale dubitava, Vijayawada sarebbe stata l'ultima città dove avrebbe controllato: era una scelta troppo scontata. O così immaginava. Ma almeno una cosa la sapeva: meglio essere saggi che furbi.

Tutti lo chiamavano Boss, o Guru, anche se probabilmente il suo vero nome era un altro. Esile, con occhiali enormi, segaligno, dava un'impressione di debolezza, ma il suo aspetto fisico era una falsa pista. Savitha gliel'aveva letto con chiarezza negli occhi. Occhi che la trapassavano come sonde penetrate nella roccia, in una montagna, nell'Himalaya, non in cerca di metalli, minerali o gemme, ma di ragazze, di belle ragazze povere, il che, lo aveva capito, era solo un altro modo per dire profitto.

La prima volta che era venuto, Savitha si trovava ancora sotto l'effetto della droga. Aveva reso la vita così facile a quella gente; c'era quasi da ridere a ripensarci. Era tornata a Vijayawada a piedi. Per tre settimane aveva girato da un sarto all'altro, cercando lavoro; dormiva nei pressi di un canale di scolo nel quartiere degli orefici, dove di giorno si respirava l'odore dei bracieri di carbone usati per filigranare il metallo prezioso e di notte scorrazzavano topi e maiali. Un ratto una voltà cercò di rosicchiarle l'orecchio mentre era immersa nel sonno. Mangiava qualsiasi cosa riuscisse a trovare: l'interno delle bucce di banana gettate via, un pezzo di roti sbocconcellato, una fetta di cocco recuperata al tempio di Kanaka Durga. Verso la fine del primo mese, si avvicinò a un chiosco di tè in uno stretto vicolo che partiva da Annie Besant Road. Si fermò ai margini del gruppo di avventori a contemplare i muri sporchi di fuliggine degli edifici vicini, la stretta striscia di cielo accesa dall'aurora e i fili per il bucato che s'incrociavano tra le case, tagliando la luce del mattino. Si chiese cosa fare. Un uomo le si avvicinò da dietro, un tizio che lei non aveva nemmeno notato nel gruppo, e le offrì una tazza di tè. Savitha alzò gli occhi dalla tazza fumante piena di infuso zuccherato e guardò in faccia lo sconosciuto. Era un uomo di mezza età, ben vestito, con un paio di pantaloni puliti e una camicia; aveva i capelli cosparsi d'olio e pettinati con cura.

«Avanti. Prendilo».

Savitha esitò.

«Aspetti qualcuno?»

«Sì. Mio marito».

«E dov'è il tuo mangalsutra?»

Savitha si strinse nelle spalle e lui rise. E fu allora che si rese conto dell'errore commesso: avrebbe dovuto portarsi istintivamente la mano al collo. Ma l'uomo si limitò a ridere ancora un po' in tono bonario e insisté: «Avanti. Questo chiosco vende il tè migliore dell'intera città».

Savitha ne bevve un sorso, poi un altro e un altro ancora. Quindi vuotò il bicchiere. All'inizio si sentì stordita, e attribuì la cosa allo stomaco vuoto, ma quando riaprì gli occhi, si ritrovò su una branda di canapa intrecciata, in una stanza di cemento senza finestre che puzzava di umidità. Aveva polsi e caviglie legati. E per quanto lei gridasse e si divincolasse, non venne nessuno, e i nodi non si allentarono. Dopo quelli che le parvero giorni, entrò qualcuno, un ragazzo, pensò lei, anche se non ne aveva la certezza, perché era buio sia nella stanza sia fuori. Il ragazzo passò la mano sulla branda, poi sulla faccia di Savitha. Appena trovò il naso, glielo strinse tra le dita finché lei non aprì le labbra, e poi le versò in bocca del liquido amaro, stavolta senza nemmeno il beneficio del tè.

Savitha ripiombò in un sonno profondo.

Tre o quattro giorni dopo, o forse un mese dopo, la porta si aprì di nuovo. Quella volta dall'esterno filtrò una tenue luce gialla, e Savitha vide che era entrata una bambina. Reggeva un secchio di gran lunga troppo pesante per lei, da cui l'acqua traboccava sul pavimento e sul davanti del vestito lacero che la piccola indossava. Savitha aveva ancora la mente confusa, il corpo privo di forze, ma si esortò: Parlale. Parla con questa bambina. Dille che farai di tutto, qualsiasi cosa. Aprì la bocca, o così credette, eppure non ne uscì alcun suono. Si sforzò con più determinazione, si concentrò sulla nebbia, la pesantezza, si ripeté: Parla. «Slegami» riuscì infine a sussurrare. «Ti prego».

La bambina sembrò non averla sentita. Le passò una salvietta bagnata sulle gambe, sull'inguine, sulle ascelle, sul petto. Il mio petto, pensò Savitha. Il sari incompleto per Poornima era ancora lì? C'era? «La stoffa» gracidò. «C'è?» A quel punto la bambina l'aveva trovata. Se la portò al viso, parve annusarla una volta, poi la gettò in un angolo. Savitha si lasciò sfuggire un lungo lamento. Il verso di un animale. Di una bestia ferita. La bambina continuò a non prestarle la minima attenzione. Proseguì con il proprio lavoro, pulendole il collo e le braccia con la salvietta. Quando arrivò alle mani, Savitha le afferrò il braccio. La avvicinò a sé con uno strattone, in modo da poterla vedere in faccia nella fioca luce che arrivava dalla porta semiaperta. La guardò negli occhi; la piccola le restituì lo sguardo, ma i suoi occhi rimasero imperturbati, vuoti, grigi, come se il cemento della stanza fosse esploso in una pioggia di sedimenti per depositarvisi dentro. L'ansia di Savitha si aprì una strada tra gli strati di confusione, rabbia, incoerenza e fuoco, e riuscì a dire: «Mi hai sentita?»

La bambina proruppe in un lamento, ancora più animalesco, ancora più sofferto di quello di Savitha. E fu allora, nell'udire quel suono, che Savitha cominciò a comprendere appieno la condizione di schiavitù in cui si trovava, la propria prigionia, la sua totalità, l'inflessibilità del proprio destino. E capì di non essere stata né saggia né furba: la bambina era sordomuta, e il ragazzo cieco.

Si dibatté. Tirò energicamente con i polsi e le caviglie, ottenendo l'unico risultato di stringere di più i nodi delle funi. Batté la testa contro la branda, urlò, pianse. Aggredì la corda con i denti, tentò di morderla. Era troppo lontana perché potesse mozzarla, ma riuscì ad afferrarne le estremità e le masticò finché non le sanguinarono le gengive. Sentì un sapore di rame e pensò: Bene. E poi: Quanto tempo ci vuole per morire dissanguati? Perdendo sangue dalle gengive? Sputava la droga, provocandosi dei conati di vomito ogni volta che il ragazzo gliela versava in bocca. E allora lui cominciò a iniettargliela: per lo più le affondava l'ago nel ventre, oppure, se si agitava troppo, glielo piantava direttamente nel lato del gluteo. Ma anche in preda allo stordimento e alla confusione, Savitha distingueva con chiarezza i contorni del letto, gli angoli bui della stanza, e nella fredda umidità delle pareti senza finestre vedeva la bellezza che aveva perduto: la luce del sole, il vento, l'acqua.

Tra una fase e l'altra di sonno, sudore, veglia e vomito vennero altri ricordi, che fluttuavano dentro e fuori, sopra e al di là, come il respiro. Lo scintillio del tempio sull'Indravalli Konda, il profumo del riso appena cotto, le grida dei fiorai che lasciavano una scia di petali lungo le strade, le parole di un gufo, la sensazione del telaio, del filo, del filo che prende forma, che acquista dimensioni, che diventa qualcos'altro. Savitha sarebbe riuscita a tessere un fiume, un mare. Perché giaceva lì? Perché?

La porta si aprì, subito dopo che la bambina era tornata a pulirla. Questa volta entrò un uomo che Savitha non aveva mai visto prima. Anche se in realtà, fragile, fradicia e fatta com'era, con gli occhi stanchi e le membra intorpidite ormai da un pezzo, poteva benissimo essere suo padre.

Ma non era suo padre.

L'uomo – che successivamente avrebbe capito essere quello che chiamavano Guru – lasciò che la luce inondasse la stanza. Savitha socchiuse gli occhi. Lui si avvicinò con un sorrisetto. Poi posò un coltello sul bordo della branda, appena al di là della sua portata. Nonostante la debolezza, un frammento d'istinto ferino, una scheggia di lucidità le penetrò nella coscienza. Savitha si protese con uno scatto per afferrare il coltello, e per poco non ribaltò la branda. Si dondolò con violenza da una parte all'altra, ancora e ancora, finché il coltello non cadde a terra con un clangore metallico. Guru la ignorò. Si diresse verso l'angolo della stanza dov'era rimasto il sari di Poornima completato a metà, e lo scostò con la punta della scarpa. Si chinò leggermente per guardarlo meglio. Allontanò la faccia dal tessuto come se fosse un pezzo di carne in putrefazione, quindi sorrise e disse: «Lo conosco questo tipo di tessitura. È così caratteristico. Sei di Indravalli, non è vero?» Savitha restò in silenzio. Guru tornò accanto al letto. Il suo sorriso si allargò. Lei lo guardò, lo insultò, lo implorò; intuiva ciò che la aspettava. «Puzzi» osservò Guru in tono placido. Poi continuò: «Non c'è niente di peggio di una donna che puzza». Prese il coltello. Ne studiò la lama con attenzione. Dopo un lungo momento soggiunse: «Forse c'è una cosa peggiore. Una sola. Ed è una donna che non ascolta». Abbassò la lama e ne fece scorrere la punta lungo la guancia e il collo di Savitha. Aprì con uno strattone le pieghe del sari; il corpetto cadde a brandelli. Seguì il contorno dei seni con il coltello, sotto le mammelle, tra l'una e l'altra. «Non c'è granché, qui, eh?» commentò, guardando in basso, e poi: «Tu ascolterai, non è vero? Non è vero, mia cara?» La fissò negli occhi, quasi con gentilezza, quindi le sputò in faccia. Lo sputo la colse proprio mentre lei, frastornata e impaurita, girava la testa per evitarlo, e le si spiaccicò sulla guancia, all'angolo della bocca. Guru glielo spalmò meglio sul viso. «Guarda, sei sporca» disse in tono leggero, dopo di che si alzò e se ne andò.

Il denso grumo di saliva si asciugò e s'increspò sulla pelle di Savitha. Guru stava masticando betel; lei ne sentì l'aroma per ore.

La slegarono, ma la tennero chiusa nella stanza. Si accertarono di averla assuefatta alla droga – se il ragazzo armato di siringa arrivava anche solo con qualche minuto di ritardo, Savitha tempestava di pugni la porta, tremando e supplicando in preda alla frenesia, con la pelle rovente, in fiamme – e poi, una volta che non ne poté più fare a meno, la costrinsero all'astinenza. Quando infine la lasciarono uscire (dopo un mese, due?), Savitha aveva perso quasi dieci chili e aveva il viso scavato e grigiastro. Le erano cadute folte ciocche di capelli. La pelle era coperta di lividi; caviglie e polsi, non ancora guariti, apparivano rossi e irritati. La tenutaria del bordello le lanciò un'occhiata e schioccò la lingua in tono di biasimo, come se Savitha fosse una bambina cattiva, indisciplinata, arrivata tardi per cena.

Savitha chinò il capo, convinta di essere quella bambina.

Il suo primo cliente fu un uomo di mezza età, sui quaranta o quarantacinque anni. Lavorava in qualche ufficio; a Savitha bastò guardarlo per rendersene conto: pantaloni, camicia elegante, orologio d'oro, dita dei piedi pulite. Una sbiadita striscia di cenere gli attraversava la fronte: aveva guidato lui la puja di quel mattino o era stata sua moglie?

All'inizio l'uomo era impacciato, ma poi si sedette accanto a lei sul bordo del letto e le domandò: «Mi dai un bacio?»

Savitha alzò gli occhi su di lui. «Non so come si fa» rispose. Una dichiarazione così ingenua che l'uomo parve quasi afflosciarsi nel sentirla. «Vieni» le disse infine, «ti faccio vedere io».

Dopo quella volta, i meccanismi della quotidianità divennero una routine: i cinque o sei clienti al giorno, i continui brontolii e rimproveri della tenutaria, le chiacchiere, le risate, le canzonature e i silenzi delle altre ragazze, di cui Savitha si sforzava di ricordare i nomi senza riuscirci, come se la sua mente si fosse ridotta in gelatina, si fosse arresa, avesse ceduto. Come se avesse abdicato a un fattore essenziale – il regno, i sudditi, il trono – mentre persino il sangue nelle vene collassava, non più disposto a veicolare l'enormità della memoria, la sofferenza di nomi nuovi.

Ma qualcosa rimase, una costante, una fonte di conforto, ed era questo: la stoffa sulla quale giaceva. Mentre gli uomini si spingevano dentro di lei, le schiacciavano la faccia contro il lenzuolo – un lenzuolo ruvido, da quattro soldi, comprato a una delle dozzinali bancarelle di Governorpet – Savitha chiudeva gli occhi e vi premeva a fondo, sempre più a fondo, il viso, la schiena, le ginocchia, i palmi delle mani. L'odore del tessuto, logorato dall'uso e dallo sperma, le colmava le narici. Lei reprimeva le lacrime. Reprimeva il pensiero di Poornima. Reprimeva la sua infanzia, sprecata sui mucchi di spazzatura. Reprimeva il padre, la madre, le sorelle, i fratelli perduti. Reprimeva il profumo argilloso del Krishna, le risa delle lavandaie, il baluginare del deepa al tempio, le tenebre del capanno della tessitura, rimpiangendo ogni cosa. Ma ciò che lasciava libero, mandandolo a librarsi in alto come un uccello uscito dalla gabbia, era il volo delle sue mani mentre tesseva.

Era questa l'unica cosa che si consentiva di ricordare.

Una volta, da bambina, era andata nei campi di cotone intorno a Indravalli, sulla strada per Guntur. Per un'estate la madre aveva lavorato in quei campi, e Savitha le trotterellava dietro, saltando per prendere le capsule, desiderosa di aiutarla. Era di gran lunga troppo piccola per arrivarci, ma una delle capsule fluttuò giù dalle mani della madre e lei l'afferrò strillando di gioia, quasi avesse conquistato il brandello di una nuvola frantumata. Quando tirò il pallu della madre per offrirgliela come un trofeo, la donna guardò appena la figlioletta; invece, le disse: «Tienila. È da lì che viene il tuo vestito». A quelle parole Savitha si fermò immobile in mezzo al campo di cotone, caldo sotto il sole estivo, e abbassò gli occhi sulla capsula che stringeva in mano, soffice, piena di semi, e poi alzò lo sguardo per contemplare le numerose file di piante, con le loro tonde lune bianche sollevate verso il cielo, così meravigliose, così fuori portata. Poi si guardò il vestito, di un rosa stinto, con l'orlo sfilacciato, ma pur sempre un vestito. Com'era possibile? si domandò. Come avevano fatto quei pezzetti di lanugine dai minuscoli semi bruni a trasformarsi nel suo abito? Pensò che fosse un segreto, un segreto custodito dagli adulti. O più probabilmente una magia. In ogni caso un mistero. E restò un mistero anche quando crebbe e cominciò a sedersi al charkha e poi al telaio e poi accanto a Poornima, a consumare con lei la cena, una cena che almeno in parte era stata resa possibile dal suo lavoro di tessitura grazie all'acquisto del cibo: del *cibo*. Ed ecco un mistero ancora più profondo: da capsula a stoffa a cibo ad amicizia.

Questo mistero era rimasto dentro di lei. Per tutti quegli anni. Da allora fino adesso. Al bordello se lo teneva vicino, nascosto nel guanciale. Insieme al sari di Poornima completato solo a metà (l'aveva reclamato urlando durante una delle crisi di rabbia innescate dalla droga, e qualcuno – non per gentilezza, ma per farla tacere – l'aveva trovato in un angolo della stanzetta di cemento e gliel'aveva gettato in faccia).

Dunque eccoli lì: il mistero del tessuto e il tessuto stesso. E lei li sentiva bruciare entrambi – come fanno i misteri – dentro il suo cuscino.

2.

La seconda volta che Savitha vide Guru fu qualche mese più tardi. Una delle ragazze si era presa un'infezione. L'aveva contagiata un cliente, ed era costretta a letto, rovente di febbre, con un enorme sfogo di vesciche sulle cosce e sull'inguine, incapace di inghiottire anche un solo sorso di latticello. Le sue compagne le si assiepavano intorno. «Ci vuole un medico» gridò una di loro. Ci fu un trepestio. La tenutaria si aprì un varco fino alla malata. «È domenica» disse senza troppo rammarico. «Ci sarà un sovrapprezzo».

Domenica.

Esistono ancora i giorni della settimana, comprese a un tratto Savitha. Esiste ancora il tempo.

Sentì un formicolio al cervello. Qualcosa di minuscolo s'irrigidì dietro i suoi occhi.

Guru arrivò più tardi nel pomeriggio. Gli aveva telefonato la tenutaria, chiedendogli di venire. Le ragazze tornarono a raggrupparsi. Stavolta Savitha notò che le scarpe di Guru avevano un po' di tacco, e che il betel gli aveva colorato i denti di arancione. «E tu mi chiami per questo» disse l'uomo.

La tenutaria si torse le mani. «Non avevo mai visto niente di così grave».

Guru osservò il viso esangue della malata, le labbra spaccate e sanguinanti per la febbre. «Era una delle più richieste?»

«Sì» rispose la tenutaria.

Poi Guru la osservò ancora un poco, girò sui tacchi rialzati, raggiunse la porta e disse: «Lasciala morire».

Savitha lo guardò uscire. La ragazza febbricitante si lamentò nel sonno, come se avesse udito le sue parole. Anche se non era possibile. Non attraverso tutti quegli strati di calore, sfinimento e rovina. «Lasciala morire». Le parole aleggiarono nell'aria per un attimo e poi iniziarono un altro viaggio, serpeggiando tra gli strati di calore, sfinimento e rovina di Savitha. Savitha spalancò gli occhi, doloranti per la nuova luce. C'era una porta, ricordò, una porta nascosta. Dietro la quale si trovavano tutti i suoi tesori. Ed era rimasta chiusa, al chiosco del tè, e poi nella stanza di cemento e sotto gli effetti della droga e durante l'infinita sequela di uomini, uomini, uomini. E fu attraverso quella porta che le parole trovarono la loro strada.

Savitha si guardò intorno.

Mentre guardava, le sembrò che lei e le sue compagne fossero soltanto bambine in attesa di morire. Nell'attimo successivo pensò: No. No, siamo tutte vecchie. Donne vecchissime, devastate dal tempo, e in attesa di morire.

E fu quel pensiero a innescare gli altri. Una valanga di altri: non per il loro numero, ma per la loro precisione.

Il primo fu questo: non poteva restare lì. Non era così scontato, non per lei. Dal giorno in cui il padre di Poornima l'aveva stuprata, aveva annaspato in qualcosa che somigliava alla vita senza esserlo veramente. Era calato un velo quando il padre di Poornima le aveva piazzato una mano sulla bocca. Ed era calata una specie di foschia quando l'aveva costretta ad allargare le gambe. Si era spezzato un ramo – un ramo dal quale spuntavano tutte le cose, da cui germogliava ogni banana, ogni speranza, ogni risata – quando lei l'aveva guardato in faccia e aveva visto una parvenza del volto dell'amica. Dopo quella notte, cosa importava dove viveva, dove mangiava, o dove respirava i suoi respiri insignificanti? Che differenza avrebbe mai fatto? Perciò adesso, mentre la colpiva l'idea che aveva bisogno di andarsene, che doveva andarsene, capì con sua sorpresa che stava ricominciando a vivere. Che le cose importavano. Che quella era tornata a essere vita.

Il suo secondo pensiero fu: per potersene andare, doveva affrontare Guru. Si ricordò che qualche mese prima uno dei clienti aveva preteso di usare un pestello di legno, e quando Savitha era corsa fuori in preda all'orrore, la tenutaria l'aveva trascinata di nuovo dentro con uno strattone, dicendo: «Sarebbe un peccato se qualcuno spezzasse le dita a tuo padre, no? O se le tue sorelle finissero qui con te». Quella donna non aveva ottenuto certe informazioni di sua iniziativa. Era stato Guru a procurargliele. Questo Savitha lo sapeva. E per quanto negli ultimi mesi fosse a malapena cosciente, era rimasta abbastanza lucida per capire che né la casa, né la sua tenutaria, né l'intera impresa erano isolate e autonome. Niente affatto. Avevano un capo, Guru, con i suoi luogotenenti, come la tenutaria, e i suoi soldati semplici, come l'uomo che le aveva offerto il tè, il ragazzo che le iniettava la droga, la bambina che la puliva e il tizio mandato a Indravalli a chiedere in giro per accertarsi che non sarebbe venuto nessuno a cercarla, o quanto meno che nessuno avesse il denaro, il potere o l'energia (tre condizioni che alla fin fine erano la stessa cosa) per venirla a cercare.

Il terzo e ultimo pensiero di Savitha fu questo: le occorreva un vantaggio. Erano pochi i vantaggi effettivi di cui si poteva godere al mondo. Ed era evidente che Savitha non aveva soldi, sapeva soltanto tessere e riusciva a stento a leggere e scrivere. Questo le lasciava un'unica risorsa: il suo corpo. Il mio corpo, il mio corpo, pensò, guardando il logoro guscio della ragazza che era stata un tempo, il petto ancora piatto, le mani ancora grandi, la pelle ancora scura. Poi si diresse verso lo specchio: un piccolo specchio rotondo, con una cornice di plastica verde, appeso a un chiodo sulla parete di fronte al letto. Non ci si era mai guardata, nemmeno una volta, ma adesso lo staccò dal muro e si studiò la faccia. Gli occhi, le labbra, il naso. La curva delle guance, il movimento delle ciglia. Avvicinò lo specchio, poi lo allontanò. Lo inclinò; lo raddrizzò. Guardò meglio. Ed ecco, là. Cos'era, quella? «Fermati» disse ad alta voce nel vuoto della stanza. «Fermo così». E lo tenne fermo. Fu allora che la vide. Era sempre stata lì? La luce che splendeva da dentro. Com'era riuscita a resistere in tutti quei mesi? A rimanere accesa? Non aveva importanza: era più grande del suo corpo, più grande di tutto il resto. Forse per la prima volta dall'ultima notte nel capanno della tessitura, Savitha rise nel vedere quella luce. Nel rendersi conto che le apparteneva.

Nei giorni successivi osservò le altre ragazze del bordello; le scrutò in faccia, negli occhi: le cinque che erano già lì prima di lei, quella arrivata solo il mese precedente. E non ce l'aveva nessuna. Non una. Le loro si erano spente. Ma la sua, la sua no.

Perciò adesso Savitha aveva due vantaggi: il suo corpo e la sua luce.

Attese il momento giusto. A ogni plenilunio, alzava gli occhi per guardare il cielo.

Ci volle quasi un anno, ma una sera d'inverno Guru venne a controllare i registri della contabilità e Savitha lo aspettò fuori dalla porta della tenutaria. L'uomo stava dicendo qualcosa sull'assunzione di un nuovo contabile, una persona che considerava fidata, dopo di che rise, e poi il resto del dialogo si fece indistinto. Quando uscì dalla stanza, Savitha gli si piazzò davanti. Guru fu colto alla sprovvista, o così le parve nel vedere il lieve fremito che gli fece tremare gli angoli della bocca, anche se non ci fu nessun altro segno di sorpresa.

«Ci conosciamo?»

Ecco quante ragazze aveva: più di quelle che riuscisse a ricordare.

«Sono Savitha».

«Savitha?»

«Quella a cui hai sputato in faccia».

Guru sembrò soppesare la frase, le parole e il fatto che fossero state dette. A lui.

«Vorrei una banana» continuò Savitha.

A quel punto la tenutaria si era affacciata alla porta. Le balenavano gli occhi. Rise nervosamente. «Che spiritosa. Non è male che una delle ragazze abbia dello spirito».

Savitha piantò i piedi per terra con più forza. Si impose di tendere i muscoli. Anche i suoi occhi mandarono lampi. Guru parve divertito. Si dondolò sulle scarpe con i tacchi, fissando Savitha, e disse: «Ti viene dato riso a sufficienza».

«È vero. Ma mi piace mangiare una banana con il riso. Con il riso allo yogurt».

Guru rise forte e a lungo. E quando smise, la sua voce calò di tono; sprofondò come una pietra. «Vieni con me» disse. «Lascia che ti mostri il modo per ottenere la tua banana».

Lei lo seguì all'interno. Guru spedì la tenutaria nel corridoio e chiuse la porta alle sue spalle. Poi si avvicinò alla scrivania al centro della stanza e aprì uno dei grossi registri accatastati in un angolo. Savitha non aveva mai visto un libro di quelle dimensioni, con le pagine piene di righe, colonne, numeri e scarabocchi di ogni sorta. «La vedi questa?» le chiese lui indicando una linea a metà del foglio. Savitha si chinò senza capire. Le sembravano cifre a caso. «Riporta quanto mi fai incassare in un mese. E questi? Questi numeri qui indicano quanto mi costi. La differenza è il mio guadagno. Hai capito?»

Savitha annuì.

«Molto bene. Allora devi capire anche questo: per ogni banana che vuoi, ti basterà ricevere un cliente in più. Una banana, un cliente. È chiaro?» La guardò.

Savitha gli restituì lo sguardo. «È chiaro. Ma vorrei anche conoscere il modo per andarmene da qui» disse.

Guru si sedette sulla seggiola dietro la scrivania. Intrecciò le mani. Aveva un'aria dispiaciuta, o forse amabile. «Dimentica quello che ti ho detto a proposito delle donne che non ascoltano. Non c'è niente di peggio di una donna che sa quello che vuole». Si alzò lentamente e girò intorno al tavolo. I tacchi ticchettarono sulle pietre del pavimento. «Iniziamo da questo» cominciò, e la portò alla branda nell'angolo della stanza. Savitha si coricò di schiena, ma lui la girò a pancia in giù e la prese in quella posizione. «Non mi piacciono le facce» disse.

Nei mesi successivi, Guru la cercò tutte le volte che venne al bordello. Non succedeva molto spesso; di solito si faceva portare i registri alla sede centrale, dove si tenevano i conti. Da qualche parte fuori città, avevano detto a Savitha.

Guru chiedeva di lei chiamandola per nome.

Ogni volta voleva sapere quante banane avesse guadagnato quel mese. Sei, rispondeva Savitha, o cinque. Ti piacciono così tanto? le domandava Guru. Mi impediscono di dimenticare, rispondeva lei. Dimenticare cosa? Savitha si limitava a sorridere e a risplendere più vividamente.

Guru la convocò nel suo ufficio nella primavera di quell'anno. Ne erano passati quasi due da quando Savitha aveva lasciato Indravalli. Quella volta, guardandosi intorno nella stanza, vide che i registri erano spariti: c'era solo lui, dietro la scrivania, in attesa. «Siediti» la invitò. E dopo che si fu seduta, le disse: «C'è un principe saudita».

«Saudita?»

«L'Arabia Saudita è un paese».

«Sarebbe una storia, questa?»

«Una specie. Sì, sì, è una storia. Il principe vuole comprare una ragazza. Giovane, ma non troppo. Tu saresti proprio dell'età giusta».

Savitha ascoltava.

«Un lakh. Ce lo spartiremo a metà. Uno o due anni laggiù e sarai libera».

Savitha sgranò gli occhi. Cinquantamila rupie! Poteva far sposare tutte le sue sorelle; poteva comprare una casa ai suoi genitori, un castello! Un momento, però. Perché Guru era disposto a dividere i soldi con lei? A cederle anche un solo paisa?

3.

La chiamavano anestesia totale, ma a Savitha sembrò che si fosse spenta una luce, che la notte le si fosse schiantata addosso come un'incudine. Quando si svegliò, aveva il moncherino del braccio sinistro fasciato. Il medico, raggiante d'orgoglio, disse: «Un intervento pulito come non mai. Il risultato è quasi grazioso». Una volta tolte le bende, Savitha rimase seduta nella sua stanza a fissare il moncherino. Cosa ne hanno fatto della mia mano? si domandò. Dove l'hanno portata? Se qualcuno era pronto a pagare per un arto mutilato, poteva esserci qualcun altro disposto a sborsare soldi per una mano?

A prescindere da ogni altra considerazione, alla fine la posta in gioco era stata davvero il suo corpo.

Savitha trattenne le lacrime. Non si sarebbe più potuta sedere al telaio o al charkha, ma perché mai ne avrebbe avuto bisogno? Con cinquantamila rupie poteva comprarsi tutta la stoffa del mondo. Sete e chiffon e pottu sari dal bordo d'oro. Sari che in passato non avrebbe potuto nemmeno immaginare, ma che adesso sarebbe stata in grado di comprare per regalarli alle sorelle nel giorno delle loro nozze. E a questo pensiero, frugò nel guanciale e tirò fuori quello non finito per Poornima. Se lo strinse al petto; affondò il viso nelle sue pieghe. Che motivo c'era di essere tristi? Era solo una mano. Immagina lo stupore di Nanna, pensò. Immagina la sua felicità. Tutti quei soldi. Eppure lo sapeva, l'offerta più reale era il pezzo di sari che abbracciava in quel momento: la consapevolezza annidata in una grotta del suo cuore, nascosta in un anfratto, raggiunta solo dalle acque più scure e silenziose. Che importanza avevano i sari del futuro? Cosa importavano per lei? A contare era il fatto che una volta, molto tempo prima, un filo indaco si fosse unito a un filo rosso, e ne fosse scaturito un oggetto pieno di bellezza. Un oggetto nato dal coraggio.

Savitha alzò la testa e notò una traccia di umidità. Stava piangendo. E il cotone, com'è nella sua natura, aveva assorbito le lacrime.

Savitha aspettò l'arrivo del biglietto per l'Arabia Saudita. Cercò di procurarsi una carta geografica, ma non ci riuscì. Quando domandò alla tenutaria dove si trovasse quel paese, si sentì rispondere: «Nel deserto». Perciò era vicino al Rajasthan. Non era poi così distante. Anche se la colpì l'idea che un luogo lontano fosse il miglior posto in cui stare. Aveva fatto male a tornare indietro, a venire a Vijayawada, dove se soffiava un certo vento sentiva ancora l'odore delle acque del Krishna. E quell'odore la sprofondava nella consapevolezza, cavernosa e agghiacciante, di quanto poco avesse ottenuto, di quanto fosse compromesso il suo destino: era arrivata ad appena venti chilometri da Indravalli. Cosa sarebbe successo se fossi andata a Pune? si chiedeva. Guardava lo spazio vuoto all'estremità del braccio sinistro e pensava: Ti avrei ancora? Ma adesso si sarebbe spinta ancora più lontano, e allontanarsi per poi tornare con i soldi, si disse, era proprio la raccomandazione del corvo in quella favola di tanto tempo prima: Lascia che ti divorino, lascia pure che ti mangino, ma fai in modo di mangiarli a tua volta.

I soldi. Sono i soldi che ti permettono di mangiarli a tua volta.

Savitha non era più considerata una prostituta qualsiasi, ma una di quelle speciali. Cosa significava? Non ne era ben sicura. Ma tanto per cominciare non doveva più ricevere molti clienti perché il gusto per le mutilazioni, scoprì, non era poi così comune; la maggior parte degli uomini preferiva una ragazza con entrambe le mani. Ma i clienti che la sceglievano pagavano di più ed erano più loquaci di quelli precedenti, come se la mancanza di una mano fosse un costoso argomento di conversazione, come se il fatto di averla persa le avesse dato la capacità nuova di comprendere il lato più profondo della loro personalità, i loro più oscuri timori. Savitha era lieta di ascoltare. Divenne un'ascoltatrice così brava da arrivare a intuire la natura della sofferenza di un cliente – la sua fonte – nell'attimo in cui l'uomo varcava la soglia. Era facile. Chi aveva una moglie bisbetica teneva la testa innaturalmente alta mentre entrava. Chi non era stato amato nell'infanzia aspettava che fosse lei a parlare per prima. I poveri – quelli che magari stavano spendendo i loro ultimi soldi per averla – restavano aggrappati alla maniglia più a lungo del dovuto.

Una volta un cliente le confessò di essere stato in carcere. «Per aver ucciso mio fratello» disse, anche se non aggiunse altri particolari. Ma le raccontò di essere fuggito dopo il terzo anno di prigione e di aver vissuto in fuga per oltre vent'anni. In Meghalaya, precisò, nelle foreste di quello stato. Prima del delitto era il vezzeggiato primogenito di una famiglia ricca. Commercianti di grano. «Non sapevo nemmeno come cuocere il riso» disse, «figuriamoci sopravvivere da solo nella natura selvaggia». Eppure aveva imparato a cavarsela nella foresta, ed era arrivato a capire certe cose.

«Quali cose?» gli domandò Savitha.

Ma a quel punto lui tacque. Savitha attese. Lo guardò. Non sembrava un fuggitivo, anche se lei non aveva idea di quale fosse l'aspetto di una persona in fuga. Supponeva però che dovesse avere un'aria inselvatichita, in qualche modo tormentata, mentre quell'uomo pareva sereno, addirittura appagato, come se avesse appena fatto un bagno rinfrescante e una buona colazione.

Infine, dopo essere rimasto seduto in silenzio per quasi dieci minuti, l'uomo, con i capelli ingrigiti e gli occhi scuri, due tunnel che a tratti si trasformavano nelle lisce pareti di un dirupo, disse: «Al quinto anno trascorso nella foresta, capii che avevo smesso di sentire. Non solo perché non provavo dolore né desiderio e neppure soffrivo la solitudine. Non soltanto per questo: non riuscivo più a sentire nemmeno il mio cuore. Capisci? Batteva, ma poteva anche essere una pietra che picchiava contro un'altra».

Dopo undici, dodici anni, continuò, non era più un essere umano. «Catturavo un animale» raccontò «con una trappola o scoccando una freccia da un rozzo arco, e lo uccidevo senza darmene pensiero. Lo strangolavo, gli spezzavo il collo fissandolo negli occhi, e non provavo nulla. Nemmeno una sensazione di trionfo. Gli fracassavo la testa a mani nude, e per me era la stessa cosa che spaccare una noce». Dopo vent'anni, disse, non rammentava nessun'altra vita a parte quella del fuggitivo. Conservava qualche ricordo del periodo precedente: vaghe immagini della prigione, barlumi ancora più vaghi del suo passato di figlio, di fratello. «Come se» osservò «fosse quello lo scopo per cui ero nato: la fuga. Non solo. Come se fossi nato fuggitivo. Capisci?»

Questa volta Savitha capì, almeno un poco.

«Ogni tanto incontravo altri fuggiaschi. A volte appartenevano a delle tribù. Ma in genere mi lasciavano in pace. Non mi facevano domande. Le domande sono per i vivi, e loro vedevano chiaramente che io ero morto. All'inizio del ventiquattresimo anno» continuò l'uomo «cominciai a parlare con l'universo. Non mi limitavo a parlargli: gli davo ordini. Riuscivo a far dividere le nuvole. A indurre i pesci a nuotare verso di me, a guizzarmi tra le mani senza usare altro che la volontà. Riuscivo a fermare il vento. Ricordo una notte, nel cuore della foresta: non potevo avvicinarmi nemmeno a un centro della Guardia forestale, né a un villaggio, per quanto piccolo. Dormivo, e mi svegliò uno strano fruscio. Quando mi sedetti per guardarmi intorno, vidi un cobra che mi fissava. Mi ero fabbricato una specie di ascia e allungai il braccio per afferrarla. Ma il cobra fu più veloce. Raggiunse la mia mano mentre toccavo l'arma, e disse: "Non puoi uccidermi due volte"; in quel momento capii che era mio fratello. Poi il serpente soggiunse: "Scopri una cosa per me". Aspettai. Credevo mi avrebbe chiesto di scoprire se i nostri genitori stavano bene, o se il destino e la fortuna erano in contrasto o in armonia, o se il nostro ciclo di sofferenza sarebbe mai giunto a una vera conclusione; invece il rettile disse: "Scopri per me la profondità del suolo della foresta".

"La profondità?" ripetei.

"Sì. Io ho provato a misurarla, devi sapere. Ho cercato di strisciare fino al punto più basso; dopo tutto, strisciare è la specialità di noi serpenti. Ma a quanto sembra non riesco a toccare il fondo. È come se si potesse continuare a scendere, scendere e scendere. Come se fosse senza fine. Ma deve pur finire in qualche modo. Forse arriva al centro della terra, o magari in un luogo ancora più buio. O più caldo. Non credi?"

«No, non credo» replicai io.

«Non lo credo neanch'io» concluse il cobra, e guizzò via nella foresta.

Quindi l'uomo – ovviamente non più in fuga, mentre sedeva nella stanza di Savitha – la guardò probabilmente per la prima volta e disse: «Fu allora che uscii dalla foresta. L'indomani stesso. Perché, vedi, il cobra non voleva una risposta; non voleva nulla, e certamente non gli interessava scoprire la profondità del suolo della foresta. Quello che voleva era rivelarmi come il senso di colpa non abbia fine, come non abbia fine il prezzo che dobbiamo pagare: la foresta siamo noi, e il suolo della foresta è la nostra coscienza, il nostro inferno».

L'uomo continuò a guardarla. Forse aspettava che lei gli dicesse qualcosa, pensò Savitha; invece no, si limitava a guardarla.

«Andai al centro della guardia forestale più vicino. Ci andai quella mattina. Entrai dalla porta con decisione e dissi loro chi ero e cos'avevo fatto. Sulle prime non mi credettero. Un tizio che sosteneva di aver vissuto per venticinque anni nella foresta: perché avrebbero dovuto credermi? Non lo ritenevano neppure possibile. Tuttavia, dopo aver discusso tra loro, mi portarono alla stazione di polizia di Shillong. E là gli agenti furono costretti a controllare. Telefonarono al posto di polizia di Guntur, ma scoprirono che molto tempo prima, anni prima, un incendio aveva distrutto il vecchio tribunale dove venivano conservati tutti i fascicoli dei casi criminali, mentre gli schedari della polizia risalenti a quell'epoca, archiviati in scatole impilate in un'umida stanza sul retro, erano stati divorati dai topi: perciò in realtà non esisteva più nulla di scritto a mio carico. Da nessuna parte. L'agente riagganciò, mi guardò e mi riferì in tono quasi contrito ciò che aveva saputo dai colleghi di Guntur. E poi mi disse che ero libero di andarmene».

«E tu cos'hai fatto?» gli domandò Savitha.

«Sono tornato a casa» rispose l'uomo. «A quel punto entrambi i miei genitori erano morti. Di crepacuore, sosteneva qualcuno. Questo però è ciò che vuol credere la gente. È più romantico, così. Se dovessi dare una mia spiegazione, direi che mio padre è morto di rabbia e mia madre di noia. Si sono ritrovati senza figli alla fine della vita, è vero, sebbene ne avessero messi al mondo due. Vorrei avere avuto modo di scusarmi con loro. Vorrei molte cose. Ma anche loro devono aver cercato il fondo del suolo della foresta».

E con questo l'ex fuggitivo, divenuto ormai un cliente del bordello, sebbene non avesse ancora toccato Savitha, le domandò, con un'espressione placida quanto un lago tranquillo: «E tu, come hai perso la mano?»

4.

Il biglietto per l'Arabia Saudita non arrivò mai. Tre mesi dopo l'intervento, Guru convocò Savitha in ufficio e le comunicò che il principe aveva trovato una persona più adatta. Più adatta? ripeté lei. E cosa c'è di più adatto?

«A quanto pare, una gamba di meno».

«È stato lui a dirtelo?»

«Lui non mi ha detto niente. Sono stati i suoi tirapiedi a farmelo sapere».

La mano sinistra di Savitha – l'arto fantasma che aveva cominciato a percepire nelle ultime settimane – si chiuse a pugno. Si gonfiò di sangue fantasma. «E i soldi?»

«Dimentica quel misero lakh. Ho un patto migliore da proporti».

Savitha, pur essendo già seduta davanti alla scrivania, si accasciò sulla seggiola. Era stanca. Stanca di patti. Per tutta la vita, una donna non fa che scendere a patti con il proprio corpo: prima quando fiorisce e poi quando appassisce; prima per il sangue mestruale, e poi per la verginità, per le gravidanze (di cui solo quelle dei figli maschi contano) e infine per la vedovanza.

«Però dovrai andare più lontano» continuò Guru, facendo girare una penna tra le dita.

Lei aspettò che l'avvilimento e la disperazione passassero. Poi disse: «Più lontano è, meglio è».

«All'inizio avrai un visto temporaneo. Poi troveranno un sistema per farti rimanere. Oppure potrai tornare, se preferisci».

«Cosa dovrei fare laggiù?» domandò Savitha, timorosa di sentire la risposta.

«Le pulizie nelle case. Negli appartamenti. A quanto

pare, da quelle parti gli stipendi delle domestiche sono così alti che costa meno comprarle qui».

«Ma come farò...» cominciò Savitha. Guru la interruppe senza darle il tempo di concludere la frase. «Ho detto loro che lavorerai due volte più in fretta».

«Dove?»

«In America. In un posto chiamato Sattle. E c'è anche da guadagnare una bella sommetta».

Al contrario dell'Arabia Saudita, l'America la conosceva. Chiunque conosce l'America. E poi era molto lontana. Dall'altra parte del mondo, aveva sentito dire una volta.

«Quanto?» volle sapere lei.

«Ventimila. Dieci per te, dieci per me».

«Non è niente! L'hai detto tu stesso che valgo più di quella cifra».

Guru posò la penna. Si appoggiò all'indietro sulla sedia e sorrise. «Dollari, mia cara. Dollari».

Ma perché Guru è disposto a dividere i soldi con me? Perché mai dovrebbe farlo? Fu questo il primo pensiero che passò per la testa di Savitha, seduta di fronte a Guru, mentre gli guardava gli occhi accesi dall'avidità. Il secondo fu: Non lo farà, ovviamente. Eppure a turbarla non erano le sue menzogne, in realtà senza importanza, né la propria lentezza a capire che le stava mentendo, ma il fatto che lei, lei, avesse pronunciato la parola *valere*.

Fu un Telugu a comprarla, scoprì poi Savitha. In quella città americana, le venne spiegato, l'uomo era proprietario di centinaia di appartamenti, di alcuni ristoranti e persino di un cinema. Forse finalmente ne vedrò uno, pensò lei, non con euforia o amarezza, ma con un senso di vergogna. Realizzò che avrebbe dovuto sedersi sempre a sinistra di Poornima, per poterle stringere la mano durante le scene paurose. L'uomo emigrato in America aveva due figli e una figlia. La figlia era sposata con un medico, un medico famoso, di quelli che ingrandiscono i seni e rimpiccioliscono i nasi. Savitha non ne aveva mai sentito parlare, non aveva mai saputo che esistessero dottori specializzati in quel tipo di interventi, ma si domandò se i pezzi di naso finissero nello stesso posto dov'era finita la sua mano, e se le parti da aggiungere ai seni provenissero da lì. I due figli maschi aiutavano il padre a gestire le sue molte imprese, e Savitha ignorava se fossero sposati o meno. L'uomo d'America aveva una moglie originaria di Vijayawada (per questo erano venuti a sapere di Guru), una donna estremamente devota. Si dedicava a opere buone in tutta la città: elargiva denaro ai poveri e agli ammalati, e ogni anno donava dieci lakh di rupie al tempio di Kanaka Durga, insieme a nuovi ornamenti d'oro per la dea.

Poi Savitha scoprì una cosa chiamata tasso di cambio.

Dalla conclusione dell'accordo, Guru avrebbe ricavato più di tredici lakh di rupie. Una somma che Savitha non riusciva neanche a immaginare, e sorrise con lui quando le disse: «Potremmo comprarci l'intera Indravalli, tu e io». Dopo un attimo, gli domandò perché aveva scelto lei, perché l'aveva chiesto a una persona con una mano sola e non a una delle altre ragazze, una di quelle con entrambe le mani; avrebbero sicuramente accettato di andare in America, ed era chiaro che sarebbero state domestiche migliori. A Guru brillarono gli occhi. «È questo il bello» disse. «Puoi andarci solo tu». A quanto pareva, il problema riguardava un documento già menzionato da Guru, il visto. Esistevano visti per fare cose diverse, uno per visitare un certo posto, per esempio, un altro per lavorarci, un altro ancora per studiare. E poi ce n'era uno per avere delle cure mediche.

«Che genere di cure mediche?» domandò Savitha.

«Quelle che servono a te» rispose Guru. «Per lo meno è questo che verrà dichiarato al funzionario, chiunque sia». Poi con un cenno indicò il moncherino che Savitha teneva appoggiato in grembo. «Gli diranno che hai bisogno di andare in America per un'operazione speciale, un'operazione che solo gli americani possono eseguire. Un medico di qui e un medico di là – il genero del nostro uomo, magari – attesteranno che devi farti curare in America. E una volta entrata nel paese, be', il resto è facile».

«Ma mi opereranno davvero? Avrò una mano nuova?»

Lui la guardò incredulo, forse persino con lieve disprezzo. «Certo che no, stupida. Non ci sarà nessuna operazione. Andrai laggiù a pulire le case».

Perciò avrebbe fatto le pulizie. Bene. Meglio che andare a letto con gli uomini. Ma una delle cose che aveva detto Guru continuò a echeggiarle in testa. No, il verbo echeggiare lasciava supporre che sentisse la voce di Guru. Non era così. Sentiva la propria, che le ripeteva a non finire: Ci puoi andare solo tu.

Ci puoi andare solo tu. Cosa significavano quelle parole? Che tra tutte le ragazze di tutti i bordelli di Guru era lei l'unica in grado di partire. E perché? Perché era l'unica a cui mancava una mano: le altre potevano essere più graziose, più robuste o più amabili; potevano avere la pelle più chiara, i seni più grossi, i capelli più lunghi e folti o i fianchi più prosperosi e rotondi; però solo lei poteva andare in America.

Ma cosa significava tutto ciò?

Savitha sorrise.

Significava che era in grado di negoziare. Che aveva un potere.

«Non ci vado» disse a Guru una settimana dopo.

Guru sgranò gli occhi, allarmato. Rise nervosamente. «Come non ci vai? Pensa ai soldi».

«Ci sto pensando».

Guru le sembrò un animale immerso nelle tenebre. Concentrato a scrutare la foresta notturna per captare un rumore, un movimento. «Hai paura che non te li dia? Ti pare possibile? È solo che non li incasserò finché tu rimani qui. È come con la merce, capisci».

Non è come con la merce, pensò Savitha.
«Ci vado a una condizione» disse poi.
L'uomo si rilassò sulla sedia. Alzò un braccio in un gesto che comunicava generosità.
«Le mie sorelle più piccole. Voglio che tu dia ai miei genitori abbastanza denaro per le loro doti. Abbastanza denaro per una casa nuova. Abbastanza denaro per vivere fino alla fine dei loro giorni».
Guru si sbellicò dalle risate. Savitha restò seduta, perfettamente immobile. Lui la guardò in faccia, poi guardò la forza dell'unica mano che lei si teneva appoggiata in grembo e smise di ridere. «D'accordo».
«Voglio che tu lo faccia prima della mia partenza. E non devono sapere che c'entro io».
Guru annuì.
«Un'altra cosa» aggiunse. «Voglio che tu mi presti una macchina».
«Perché?»
«Perché quando mi dirai di averlo fatto, voglio assicurarmi che sia la verità».

Ci andò nel cuore della notte. Chiese all'autista di imboccare Old Tenali Road e a poche centinaia di metri dalla capanna dei suoi genitori gli ordinò di fermarsi. Come lo capirò? si chiese. Come capirò se Guru ha dato loro i soldi? Mi basterà guardare il cesto della verdura appeso alla parete, pensò. Salì a piedi sulla collina maleodorante, tenendosi lontana dal sentiero per non farsi vedere, e passò sul retro delle capanne.
L'Indravalli Konda incombeva in lontananza. Il tempio galleggiava al centro, un cuore solitario e pulsante. I colori dell'edificio cambiavano nella luce della luna a seconda degli scorci che lei riusciva a coglierne: latticello e pomice, poi madreperla, poi schiuma di mare. Il deepa non era acceso, perciò il resto dell'altura e i suoi contorni si perdevano nel cielo. Mentre Savitha superava una delle capanne,

un cane addormentato si svegliò al rumore dei passi e abbaiò nella notte. Una capra deperita, legata a un albero deperito, s'irrigidì di paura.

La luna era alta, e quando infine Savitha raggiunse la capanna dei suoi genitori – quella dov'era nata, e dov'erano nati tutti i suoi fratelli e le sue sorelle – strisciò lungo il muro posteriore in silenzio, decisa a dare solo un'occhiata all'interno; ma non c'era bisogno di tanta cautela: la capanna era vuota. Rimanevano solo una zucca rinsecchita e una coperta rosicchiata dai topi in un angolo.

Anche lei s'irrigidì e corse via. Corse giù per la collina, il respiro trasformato in un pugno che le trapassava il corpo. Ipotesi di ogni genere le turbinavano in testa mentre correva, e tutte culminavano in un unico pensiero: sono morti, li ha uccisi lui per non dover sborsare i soldi.

Si avventò contro la fiancata dell'automobile. L'autista si svegliò di soprassalto. «Chiedi. Vai a chiedere» sibilò lei. «Chiedi cos'è successo».

L'uomo imprecò contro la sfortuna di essere stato di turno quella notte, e poi guidò fino alla strada principale. Là c'era un chiosco del tè ancora aperto. All'interno, dietro una finta porta, erano in vendita whisky e liquori di contrabbando. «Stronza fuori di cervello» borbottò l'uomo tra sé, poi entrò a farsi un goccetto, fece qualche domanda e tornò fuori.

Savitha stava coricata sul sedile perché nessuno la vedesse, ma scattò su come una molla. «Cosa ti hanno detto? Cosa?»

«I tuoi hanno traslocato» rispose lui, e l'odore del whisky riempì la parte anteriore dell'abitacolo e poi quella posteriore. L'autista riaccese il motore. La macchina si rimise in marcia, stavolta allontanandosi da Old Tenali Road in direzione dell'estremità opposta del villaggio. Ad appena cinque minuti di tragitto, ma là le case erano più lussuose, più grandi, di cemento invece che col tetto di paglia. L'uomo fermò l'auto alla fine di una strada lungo la quale Savitha aveva solo camminato, perché non conosceva nessuno che fosse abbastanza ricco da vivere in uno di quegli edifici con tanto di dhaba. «È quella» disse l'autista, indicando la terza casa a sinistra, dipinta di rosa, verde e giallo, con una ghirlanda di foglie di mango ancora fresche appesa alla porta d'ingresso. C'era un cancello chiuso a chiave, e Savitha si fermò là davanti e vide una figura assopita sulla veranda, su una branda di canapa intrecciata, sotto una coperta sottile. Al di là di una porta aperta, altre tre figure dormivano su dei letti. Dei letti!

Tornata alla macchina, Savitha disse: «Non sono loro. In quella casa ci sono solo quattro persone».

«Una delle tue sorelle si è sposata. La settimana scorsa».

«Davvero?»

Chiese all'autista di aspettare ancora un minuto e tornò al cancello. Osservò l'interno buio della veranda, il sontuoso pavimento di marmo illuminato dalla luna, i corpi addormentati, ancora scettica. Un soffio di brezza la investì e arrivò fino all'edificio: la figura sulla veranda scostò il lenzuolo con un fruscio. E fu in quel momento che lei vide le dita, contorte e nobili e amabili, belle più che deformi. E allora capì.

L'autista svoltò in direzione di Vijayawada, ma Savitha lo fermò: c'era ancora un posto dove doveva andare. L'uomo si lasciò sfuggire un sonoro sospiro e girò la macchina un'altra volta.

Poornima ormai era sposata, Savitha ne aveva la certezza. Le venne la vaga idea di chiedere all'autista di portarla a Namburu, ma dove esattamente? E poi, era stato proprio il ragazzo di Namburu a diventare suo marito?

Quella capanna era rimasta la stessa. Lo stesso tetto di paglia, lo stesso pavimento di terra battuta, gli stessi alberi stentati e polverosi. Quattro figurette minuscole dormivano per terra, sulle stesse stuoie, sotto gli stessi logori lenzuoli, da cui spuntavano facce desolate, dall'aria sofferente persino nella luce della luna. Un'altra figura più massiccia era immersa nel sonno sulla branda di canapa intrecciata, e da questa Savitha distolse lo sguardo, lasciandolo indugiare solo per un attimo sull'edificio più vicino, il capanno della tessitura. Lo contemplò in preda a un'improvvisa emozione, forse persino con desiderio, per ciò che aveva lasciato là dentro, per quello che era stata, e poi si rivolse all'autista e disse: «Andiamo».

5.

Partì per l'America due mesi dopo. Tutti i documenti necessari erano stati sottoscritti, legalizzati, corredati di impronte digitali e definiti con ogni genere di altri termini che Savitha non aveva mai sentito pronunciare prima. Guru la portò a Chennai in treno: da lì in avanti l'avrebbe accompagnata una donna anziana che doveva fingersi sua madre. E in effetti la donna aveva più o meno la stessa età della madre di Savitha, forse qualche anno in più. Lei non riuscì mai a capire bene chi fosse, quali rapporti avesse con gli acquirenti in America né perché avesse accettato di accompagnarla laggiù, eppure a suo modo costituiva una scelta perfetta: era riservata, indossava un sari semplice ma così ben tessuto da risultare di grande effetto, aveva un aspetto umile, e portava occhiali tondi che le davano un'aria seria e soprattutto preoccupata, il che era esattamente lo stato d'animo giusto per una madre la cui amata figlia stava per andare dall'altra parte del mondo per sottoporsi a un'operazione alla mano.

A Chennai il braccio di Savitha venne chiuso in un'ingessatura, perché non si vedesse che il moncherino era completamente guarito, e poi lei e la sua accompagnatrice presero l'aereo. Guru gliel'aveva spiegato: avrebbe raggiunto l'America a bordo di un grande autobus che poteva volare nel cielo. Savitha era rimasta allibita e lo era ancora, anche mentre l'aereo rullava sulla pista. Poi l'apparecchio si sollevò in aria. La donna che la scortava – quella che doveva passare per sua madre – sedeva accanto a lei. Non le aveva quasi rivolto la parola, limitandosi a un cenno del capo quando si erano incontrate, e adesso, una volta salita a bordo, si era infilata nelle orecchie quelli che sembravano minuscoli batuffoli di cotone con dei cavi attaccati, e pareva del tutto assorta nei suoi pensieri, o assopita, o forse indisposta; aveva chiuso gli occhi nell'attimo in cui si era seduta. Savitha pensò avesse un'infezione alle orecchie. Una delle sue sorelline, soggetta a quel tipo di disturbi nella primissima infanzia, doveva sempre tenere nelle orecchie batuffoli di cotone imbevuti d'olio di cocco, che servivano a lenire il dolore e a placare il suo pianto. Ma nel momento in cui l'apparecchio si staccò da terra, Savitha afferrò la mano della donna e lanciò occhiate frenetiche da lei al finestrino e viceversa. L'aereo salì sempre più in alto; Savitha deglutì per calmare il ritmo impazzito del cuore che le batteva in gola. La donna aprì gli occhi, si guardò la mano, usò quella libera per sfilarsi dall'orecchio uno dei batuffoli di cotone e si scrollò di dosso le dita di Savitha come avrebbe fatto con una mosca. Poi, parlando Telugu con un accento tamil, le disse senza nemmeno l'ombra di un sorriso: «Questa è la parte migliore. Goditela».

Cosa intendeva con quella frase? Che quella era la parte migliore del viaggio in aereo, o la parte migliore del futuro che la aspettava? Forse intendeva la parte migliore in assoluto: del viaggio, del futuro e del passato.

Nonostante tutto, dopo circa un'ora, dopo aver scrutato senza batter ciglio ogni nuvola che passava davanti all'ovale del finestrino, Savitha si appoggiò allo schienale del sedile e piombò in un sonno profondo.

Quando atterrarono a Heathrow, la prima cosa che notò fu l'assenza di qualsiasi odore – l'aria non sapeva assolutamente di nulla, come se in quel posto non fosse mai passato nemmeno un animale, non fosse mai sbocciato neanche un fiore – e poi notò che faceva freddo. Al punto che il gelo sembrava trasudare dalle pareti, salire dal pavimento. Domandò alla donna se fossero arrivate in America. «No» rispose lei, «siamo in Inghilterra». «Perché ci siamo fermate qui?» volle sapere Savitha. «Perché è a metà strada fra l'India e l'America» le spiegò la donna. Si sedettero nella sala transiti, che a Savitha parve soltanto una lunga stanza affollata dove si susseguivano file e file di seggiole arancioni. Inoltre c'erano dei negozi, così vividamente illuminati da spaventarla e tenerla lontana. Rimase seduta su una delle seggiole arancioni a guardare gli altri viaggiatori. Anche loro le facevano paura. Individuò qualche indiano, ma per lo più le persone intorno a lei – che dormivano, mangiavano, leggevano o chiacchieravano – le sembrarono giganti. Alti, goffi e untuosi. Alcuni erano pallidi, alcuni bruciati e carbonizzati, ma tutti torreggiavano su di lei, e persino sulla donna che si faceva passare per sua madre. Da dove venivano? Dove andavano? All'improvviso Savitha ebbe la sensazione che la terra fosse piena di quei giganti, e che lei, la sua anziana accompagnatrice, Indravalli e Vijayawada fossero solo i loro giocattoli, tenuti chiusi dentro una scatola in una zona più calda del globo.

Dopo l'attesa nella sala transiti e dopo essere salite su un secondo aereo, trascorsero a bordo altre ore e ore. Ogni volta che Savitha si svegliava e sbirciava nel buio dell'apparecchio e del mondo esterno, pensava che forse era già morta e quello era l'aldilà: tutti quanti a bordo di quel lungo autobus viaggiavano verso la tappa successiva, qualsiasi fosse, circondati unicamente dal silenzio e dalle stelle, sospesi su una gigantesca massa in movimento lontanissima sotto di loro, ora bianca, ora grigia e ora soltanto nera, che rifletteva le stelle, ma era più cupa e rabbiosa di qualunque cielo notturno. E quando Savitha la indicò alla sua accompagnatrice e le chiese spaventata: «Cos'è quella?», la donna guardò a malapena in basso, senza neppure sfilarsi i batuffoli di cotone dalle orecchie. Richiudendo gli occhi, rispose: «Acqua».

L'indomani mattina – o per lo meno Savitha immaginò che fosse mattina, perché la donna le disse: «Vai a lavarti i denti» – atterrarono di nuovo. Questa volta, quando

Savitha domandò: «Siamo in America?», la sua compagna di viaggio le rispose di sì.

Erano al JFK.

Aspettarono facendo una lunga coda e poi un'altra. Quindi presero posto in una seconda sala transiti. In questa le seggiole erano blu. Per il resto non c'era nessuna differenza: la stessa mancanza di odori, lo stesso freddo, gli stessi giganti. «In che città siamo?» chiese Savitha. «A Sattle?» «No» disse la donna, «a New York». E poi le disse di rimanere lì seduta, di non muoversi, e andò a fare una telefonata. Savitha la vedeva da lontano, in piedi accanto a un palo a cui era fissato l'apparecchio. La donna vi infilò dentro qualcosa, schiacciò alcuni tasti e cominciò a parlare.

Savitha aveva la nausea, o forse si sentiva semplicemente sola, perciò chiuse gli occhi e cercò di pensare a Poornima, alle sorelle, al padre, a qualsiasi cosa avesse un profumo da poter inalare. I suoi pensieri turbinavano, ma era così stanca, con la memoria così vuota, che non le venne in mente nulla. Assolutamente nulla. Perciò si chinò, aprì la valigia che le aveva dato Guru per metterci le sue poche cose, tirò fuori il sari non finito destinato a Poornima e se lo avvicinò al naso. Inspirò. E là, persino dopo tutta quella strada, dopo essere arrivata dall'altra parte del mondo, sentì l'odore del telaio. L'odore del tacchetto. L'odore dell'amido di riso usato per inumidire il filo e l'odore del charkha e quello delle dita che avevano avvolto il filo intorno al charkha, dita profumate di curcuma, sale e semi di senape. E là, nel tessuto, sentì anche l'odore dell'Indravalli Konda, e del deepa, dell'olio che bruciava adagio, imbevendo lo stoppino di cotone come pioggia, come un tifone; Savitha vi seppellì la faccia più a fondo, ed ecco l'odore del Krishna, serpeggiante tra montagne e vallate prima di gettarsi in mare.

Quando alzò la testa, vide che la donna seduta di fronte la stava osservando.

Distolse lo sguardo, ma la sconosciuta continuò a scrutarla.

La donna che si faceva passare per sua madre sembrava sul punto di congedarsi dal proprio interlocutore. Savitha desiderò che si sbrigasse a tornare da lei, ma poi il colloquio parve imboccare una nuova direzione e riprese in tono animato. Savitha diede una rapida occhiata di fronte a sé e in quel momento la strana donna davanti a lei, una delle gigantesse, con i capelli color jalebi e la faccia costellata di piccole chiazze rotonde come una banana matura, si curvò dalla sua parte, guardò il braccio ingessato e poi la fissò negli occhi e le domandò: «Sta bene? Ha bisogno d'aiuto?» Savitha non aveva idea di cosa le avesse detto, perciò si limitò a scuotere la testa e ad annuire, e poi aspettò, sperando che la donna dai capelli color jalebi fosse soddisfatta e la lasciasse in pace. Considerò l'idea di alzarsi per raggiungere la sua finta madre; quest'ultima però le aveva espressamente raccomandato di non muoversi e di tenere d'occhio i loro bagagli.

«Capisce l'inglese?»

Savitha sorrise e annuì per la seconda volta.

La donna le restituì il sorriso. E fu allora – quando schiuse le labbra, quando le rivelò i denti minuscoli, per nulla giganteschi, ma abbaglianti come perle, perle luminosissime, quasi le ostriche che le avevano prodotte fossero innamorate mentre le creavano – fu allora che Savitha capì quanto fosse benevola quella signora dai capelli color jalebi, benevola e piena di sollecitudine. Più gentile e sollecita di chiunque avesse incontrato da molto, molto tempo a quella parte. Forse da sempre. E Savitha pensò: Forse mi sono allontanata a sufficienza. Forse sono arrivata in un paese buono. Un paese gentile. Proprio in quel momento dagli altoparlanti risuonò un annuncio e Savitha sobbalzò, ma la donna parve imperturbata; infilò la mano nella borsa, tirò fuori un rettangolino di carta bianca e glielo porse. Savitha lo prese, non sapendo che altro fare, e poi la donna sollevò la borsa e la valigia e si unì alle persone che si erano raggruppate nel sentire l'annuncio. Savitha la guardò, inesplicabilmente triste nel vederla andarsene, e poi osservò il cartoncino. C'erano delle lettere, forse il suo nome, e ancora altre lettere. Lo fissò a lungo, e quando alzò gli occhi, vide avvicinarsi la donna che si faceva passare per sua madre. Non aveva idea di cosa significassero le scritte sul cartoncino, ma ebbe il buonsenso di infilarselo sotto il gesso.

6.

Quando arrivarono a Seattle, venne a prenderle un uomo. Sull'aereo partito da New York, Savitha aveva guardato fuori dal finestrino: il cielo davanti a lei era solcato da vivide pennellate arancioni, rosa e color ruggine, ma nel girarsi aveva visto che gli stessi colori lo accendevano anche dalla parte opposta. Di fronte a lei però le tinte erano più luminose, i rossi brillavano più intensi. Ovest. Stavano andando a ovest.

Savitha superò le porte scorrevoli per uscire all'aria aperta (dopo quella che le era sembrata una vita intera) e scoprì che era mezzogiorno. Il sole splendeva alto e caldo. File di automobili lucide e silenziose le scivolavano accanto; alcune erano ferme, con due o tre persone intorno a scaricare bagagli, ad abbracciarsi a vicenda o a starsene in piedi con aria di attesa. Una coppia arrivò persino a baciarsi, e Savitha distolse lo sguardo, imbarazzata. Un gruppetto fumava in un angolo lontano. Per il resto la scena era vuota. Niente rumori, né grida, né facchini, né clacson. Non un poliziotto che soffiasse nel fischietto o urlasse alla gente di muoversi, non un viaggiatore impegnato a contrattare con un tassista o a ridere o a mangiare noccioline da un cono di carta gettando i gusci per terra. Niente uccelli intenti a becchettare in cerca di cibo né cani assorti a fiutare le cartacce sollevate dal vento o le bucce di un'arancia o di un mango, e neppure capannelli di giovanotti oziosi intenti a occhieggiare le donne, fumare beedie e sputare succo di betel, aspettando che cominciasse la vita. Non c'era niente, lì, a parte un'ordinata e silenziosa lucentezza.

Savitha alzò gli occhi per guardare di nuovo il sole.

Anche quello era pacato. Non fiammeggiante, sfrontato, rabbioso e turbolento come a Indravalli, ma temperato e svigorito. Savitha non sapeva se questo sole le piacesse o meno. Dubitava addirittura che fosse lo stesso.

Fu allora che un'automobile nera con i finestrini così immacolati da splendere come specchi si fermò accanto a lei e alla donna che si faceva passare per sua madre. Ne scese l'uomo venuto a prenderle, un certo Mohan. Sembrava più vecchio di lei, forse sulla trentina, sebbene Savitha non ne fosse sicura perché era un gigante anche lui. Il primo gigante indiano che avesse mai incontrato. Non che fosse grasso o paffuto, per quanto la sua faccia avesse un che di angelico. Anzi era muscoloso, come i protagonisti dei film raffigurati sulle locandine che le era capitato di vedere qualche volta passando davanti al cinema Apsara o all'Alankar. E adesso li rivide, quei muscoli da eroe, turgidi, sodi, che si gonfiavano sulle braccia di Mohan, sul suo petto, mentre il collo e le mani, tesi dalla loro forza, dalla loro magnificenza, apparivano quasi turbati dal loro salire e scendere. Savitha rimase sconcertata da quella salute, da quell'aspetto eccessivamente ben nutrito e ben curato.

Nonostante ciò, a colpirla più di tutto in Mohan fu la malinconia. Gli occhi e le labbra piegati all'ingiù da qualche sofferenza, da qualche grave errore, la tristezza del portamento quando girò intorno alla macchina e prese i loro pochi bagagli. Il suo sguardo si soffermò sull'ingessatura di Savitha e poi salì al ventre, ai seni, al volto.

«Tutto qui?» domandò Mohan in Telugu. L'anziana donna annuì, e i tre montarono a bordo.

L'interno dell'auto sapeva di limone.

E sotto il profumo di limone si sentiva l'odore del caffè. Entrambi intensi e amari, pensò Savitha, e poi scrutò l'abitacolo e vide un bicchiere bianco con un coperchio dello stesso colore. Mohan teneva la mano sospesa sopra quel bicchiere persino mentre guidava: prima lungo la curva della strada che conduceva fuori dall'aeroporto e poi su un'ampia carreggiata, la più nera e trafficata che Savitha avesse mai visto. Viaggiarono in silenzio: l'anziana donna seduta al fianco di Mohan e Savitha dietro di lei. Dopo pochi minuti l'uomo accese la radio. La musica era diversa da qualsiasi altra Savitha avesse udito prima; non aveva parole. A tratti s'innalzava fino a un picco maestoso, e ti dava l'impressione di essere in cima all'Indravalli Konda, mentre in altri momenti era dolce e insieme controllata, come lo sciabordio dell'acqua. Savitha avrebbe voluto chiedere cosa fosse, ma anche il silenzio nella macchina sembrava controllato e inderogabile.

Di lì a una ventina di minuti, Mohan lasciò la strada a più corsie per imboccarne una più stretta. Ai lati, Savitha notò edifici bassi e piatti; c'erano automobili parcheggiate lungo i marciapiedi, e le facciate dei negozi (o per lo meno di quelli che lei prese per negozi, a giudicare dai raffinati articoli esposti dietro i vetri) non somigliavano affatto a quelle dell'India. In India i negozi erano soffocati da stelle filanti di ogni colore, con le vetrine stipate di mercanzie accatastate in alti mucchi e una folla di acquirenti che strillavano, si spingevano e sgomitavano. Lì, invece, sembravano semivuoti. Solo gli interni illuminati rivelavano la presenza di alcuni clienti e mostravano qualche segno di vita. A metà della strada, Mohan fermò la macchina di fronte a una lunga costruzione con una serie di porte: lui e l'anziana donna scesero. La donna si affacciò all'interno dell'automobile – mentre Mohan prendeva le sue borse – e disse a Savitha: «Resta qui» e poi parve esitare, o tentennare in preda a un qualche disagio o senso di colpa, e aggiunse: «Fai attenzione».

Attenzione a cosa? si domandò lei.

Li guardò. Cos'è questo posto, si chiese, con tutte queste porte? Ma l'anziana donna e Mohan le ignorarono ed entrarono passando dall'unica con i battenti di vetro, più appariscente delle altre. Restarono dentro una decina di minuti, dopo di che Mohan accompagnò la donna a una delle porte normali e la salutò: «Ci vediamo domani». Quando tornò alla macchina, guardò timidamente Savitha e le disse: «Vieni davanti, se ti va». Lei salì al posto del passeggero, e allora, solo allora registrò la vera immensità di quel nuovo paese. La si poteva percepire soltanto dal sedile anteriore, capì, soltanto attraverso l'ampio parabrezza che lasciava entrare la luce senza ostacoli.

La musica ricominciò.

Passarono su un ponte, anche se, dal suo posto, a Savitha sembrò più simile a un rotolo di seta disteso su uno strato di foschia. Sopra di lei, appeso allo specchietto in cui prima Mohan guardava per sbirciarla di sfuggita, penzolava una sottile decorazione gialla a forma di albero. Limone! Ecco da dove veniva il profumo. La strada s'incurvò e di colpo apparvero davanti a Savitha gli edifici più alti e scintillanti che avesse mai visto, la distesa d'acqua più azzurra e le montagne più verdi. «Quella è Sattle?» domandò.

«See-attle» la corresse Mohan.

Si avvicinarono agli edifici, che s'innalzavano da terra come rettangoli sfolgoranti in cui si rifletteva il sole, poi li costeggiarono sul lato destro e imboccarono un'altra strada nera a molte corsie, un chilometro silenzioso dopo l'altro, finché Mohan disse: «Hai fame? Possiamo fermarci».

«Sì».

«Non ci vorrà molto. Poco più avanti ci sono un McDonald's e un Taco Bell».

Savitha guardò nel punto che lui le aveva indicato. Mohan vide la sua espressione e aggiunse: «No, non c'è cibo indiano, ma non si mangia male».

Lei si girò dalla sua parte e gli chiese: «Qui ci sono le banane?»

Savitha ebbe l'impressione di averlo stupito con quella domanda, perché rallentò e poi incrociò il suo sguardo. Non era abituato a guardare una donna. Forse non valeva per tutte, pensò lei dopo un momento, ma solo per le donne dotate di una certa franchezza, di una sorta di curiosità, o magari di quello splendore che lei aveva visto tanto tempo prima tenacemente vivo dietro i propri occhi come una fortezza sgretolata, un esercito assediato. L'automobile si fermò davanti a un massiccio edificio attorniato da molte macchine parcheggiate; Mohan entrò, e quando uscì le consegnò un sacchetto.

Nel sacchetto c'erano delle banane.

Ce n'erano sei. Le più grosse che Savitha avesse mai visto, degne di giganti. Ne prese una e cercò di restituirgli le altre cinque. «Sono per te» le disse Mohan.

Mai, in tutta la sua vita, aveva posseduto tante banane in una volta.

Mangiò la prima in macchina. Rimasta con una mano sola, aveva imparato a usare i denti per aprire la buccia e, mentre ne mordeva l'estremità, sentì su di sé lo sguardo di Mohan. Gliene offrì una, ma lui rifiutò. Savitha stava per mangiarne un'altra, con una vaga sensazione d'imbarazzo, soggezione e sazietà al solo pensiero di poterlo fare, quando Mohan fermò l'automobile. Parcheggiò davanti a una costruzione di quattro piani color crema, con davanzali marroni scheggiati e il tetto della stessa tinta. Molte delle finestre erano aperte, e ne fluttuavano fuori tende variopinte. Alcune sembravano lenzuoli, strappati qua e là, con i tipici motivi della tintura tie and dye; altre erano bandiere; certe finestre avevano le imposte rotte. Una piccola pensilina di tessuto logoro sopra una porta pencolante al centro della facciata indicava l'ingresso. Accanto alla porta si vedevano tre file di scomparti, alcuni dei quali avevano un'aletta metallica ammaccata o arrugginita. «Cosa sono quelli?» domandò Savitha.

Mohan la guardò incuriosito. «Cassette della posta» rispose in inglese.

«A cosa servono?»

«Per le lettere».

Savitha le osservò: molte traboccavano di buste annerite, che sembravano rimaste sotto il sole e la pioggia per settimane, se non per mesi. «Ma perché nessuno le prende? Non vogliono leggere le loro lettere?»

«No. Non quel genere di lettere».

E che lettere erano? si domandò Savitha. Lei non ne aveva mai ricevuta nemmeno una: chi avrebbe dovuto scriverle, e per quale motivo? Sapeva leggere a malapena. Tuttavia, nel caso gliene fossero arrivate, era convinta che non le avrebbe lasciate esposte al sole e alla pioggia: le avrebbe aperte e studiate, godendosi l'inclinazione dei caratteri e il modo in cui era stato tracciato il suo nome (quello sapeva leggerlo e scriverlo fin da quando aveva tre anni), godendosi la sensazione della carta sulle dita, una carta sicuramente molto diversa da quella dei ritagli stracciati che raccoglieva tra i mucchi d'immondizia, e il colore e la bellezza dell'inchiostro. Ma le sue fantasticherie cessarono non appena entrò nell'edificio insieme a Mohan. Salirono una scala ammuffita e poi percorsero un corridoio altrettanto ammuffito. L'uomo reggeva la sua valigia quasi vuota (del resto, cosa avrebbe potuto metterci?) e lei teneva il sacchetto delle banane. In fondo al corridoio, Mohan aprì una porta, con la sicurezza di chi sa di trovarla aperta, come se abitasse lì: all'interno della piccola stanza c'era un altro uomo, anche lui indiano, ma più vecchio. Stava guardando un programma alla televisione, con un bicchiere in mano. La seggiola sulla quale sedeva, il bicchiere, il tavolino dove appoggiarlo e il televisore erano gli unici quattro oggetti presenti là dentro. L'uomo alzò gli occhi all'arrivo di Savitha, la fissò con malcelato disprezzo e poi disse in Telugu (erano tutti Telugu in quel paese?): «Una monca per fare le pulizie. Immagino che la prossima volta comprerà un uomo con una gamba sola per mandarlo in giro in bicicletta».

Mohan farfugliò qualcosa in preda all'imbarazzo guardandola, e in quel momento a lei sembrò un uomo in guerra, o un reduce; dopo di che se ne andò. Savitha non lo rivide per tre mesi.

7.

L'uomo seduto nella stanza la accompagnò su per un'altra rampa di scale. Diede un'occhiata alla valigia e al sacchetto di banane, poi distolse lo sguardo senza dire una parola. Savitha prese la valigia con la mano destra e resse il sacchetto di banane con il braccio sinistro piegato. In cima alle scale, l'uomo aprì una porta che conduceva a una cameretta più piccola della sua. Sistemate sulla moquette beige ammuffita che sapeva di stantio c'erano tre brande. L'uomo indicò a Savitha la più lontana, quella dalla parte opposta rispetto alla porta, e disse: «Quella è la tua», aggiungendo: «L'unica cosa tua», e si chiuse la porta alle spalle.

Savitha fece due passi verso il centro della stanza – sempre reggendo la valigia e il sacchetto con le cinque banane (oltre alla buccia di quella che aveva mangiato) – e vide che in un angolo c'era un cucinotto e in un altro la porta del bagno. Guardò le brande. Erano disposte a U: una nel mezzo, sotto l'unica finestra, una dietro di lei, contro la parete dell'ingresso, e la sua, accanto alla porta del bagno. La branda accostata alla parete dell'ingresso era rifatta con cura, il cuscino sprimacciato e sistemato al centro e una minuscola valigia da pochi soldi simile a quella di Savitha posata ai piedi del letto. Le lenzuola della branda centrale erano nel caos più totale e il cuscino pencolava giù dal materasso; nessuna traccia di valigie, ma solo abiti, oggetti da toeletta e accessori per i capelli sparsi in tutte le direzioni come i relitti di un naufragio a galla sul mare beige della moquette.

Per prima cosa Savitha tirò fuori il sari non finito per Poornima e lo guardò. Da capsula a filo a telaio a questo pezzo di stoffa, pensò. E poi: Ti ho fatto io. Infilò il tessuto nella federa del cuscino. Quindi si tolse l'ingessatura, vi nascose il cartoncino rettangolare bianco e li piazzò contro la parete. Più tardi, dopo aver cercato invano di lavarsi, dato che non c'erano secchi in vista ma solo una lunga buca rettangolare bianca (era tutto bianco e rettangolare in quel paese?), Savitha si sciacquò la faccia, bevve un bicchier d'acqua e mangiò un'altra banana. Si era appena sdraiata sulla branda quando sentì un rumore alla porta. Una ragazza entrò e disse: «Tu chi sei?»

Si chiamava Geeta, abbreviazione di Geetanjali, ed era molto loquace.

«Mi chiamo come la protagonista del film» cominciò in Telugu. «L'hai visto?»

Savitha scosse la testa.

«La mia Amma l'aveva visto pochi mesi prima che nascessi. Era il primo film che vedeva. Mi ha raccontato che non era riuscita a seguire bene la storia – aveva solo tredici o quattordici anni – ma quando era uscita dal cinema per tornare nel mondo reale, il mondo le era sembrato nuovo. Appena lucidato. Come se fosse un mondo diverso, in cui poteva accadere di tutto. Mi ha detto di essere tornata a casa praticamente saltellando. Nella piccola capanna dove viveva insieme al mio Nanna, ai margini di un campo di iuta che non apparteneva a nessuno dei due. E diceva di aver provato le stesse sensazioni quando sono nata io: in qualche modo ha avuto l'impressione che il mondo fosse nuovo. Ed ero stata io a rinnovarlo. Perciò mi ha chiamata Geetanjali. Non è carino?»

Savitha dovette concordare.

Poi Geeta rise. Una risata squillante che penetrò nella stanchezza di Savitha, nella nebbia del lungo tragitto aereo. «Però è buffo, no? Il mondo è sempre il solito vecchio mondo. Loro continuano a vivere nella stessa capanna, prendendo in affitto la stessa fattoria. E io sono qui, a fare la domestica e la puttana».

Savitha batté le palpebre. Si alzò dalla branda, le gambe malferme.

La puttana?

«Non te l'hanno spiegato? Forse no. Ad ogni modo, piove un sacco, qui. Quello della pioggia è l'unico rumore di questo paese. Se tu fai qualsiasi altro rumore, se parli con qualcuno, se solo apri bocca per parlare, vengono a prendersela con te».

«Chi dovrebbe prendersela con me?»

«Chi ti ha portato qui?»

«Mohan».

«Non c'è da stupirsi, allora» disse Geeta con aria saputa, scoppiando di nuovo a ridere. «Sei fortunata. Lui è quello gentile».

Geeta le riferì che Mohan era il più giovane dei due fratelli. Il maggiore si chiamava Suresh e somigliava di più al padre, un tipo crudele e sempre pronto a riempirle di schiaffi perché capissero bene chi era il capo, come se non lo sapessero già. Le costringeva a lavorare per ore e ore, a volte tutta la notte, se bisognava pulire un condominio o un ufficio entro l'indomani mattina, per non perdere nemmeno un giorno d'affitto. Come se non avessero già decine di migliaia, se non lakh, di dollari in banca, disse Geeta. Suresh si presentava quando gli pareva, e aveva le sue preferite, ovviamente. «Ma verrà almeno una volta a cercare anche te» continuò «per metterti alla prova». Diede un'occhiata al moncherino e poi all'ingessatura e disse: «Be', forse da te no».

Dopo di che le raccontò una storia. La storia di Mohan e Padma.

«Chi è Padma?» domandò Savitha.

Geeta le indicò con un cenno la terza branda, quella disfatta. «Lei dice che la costringono a pulire i gabinetti degli altri, ma non possono obbligarla a pulire il suo. È la più carina, però. Poteva diventare una star del cinema». Questa Padma, venne fuori, era innamorata di Mohan. «Una cosa stupida. Da idioti. Che possibilità ha con lui? Con il figlio dell'uomo che ci ha comprate?»

«Come si chiama?»
«Chi?»
«Il padre».
«Gopalraju. Mi lasci finire?»

Era successo sei mesi prima. Geeta era appena arrivata. Da dove? avrebbe voluto chiedere Savitha, ma pensò bene di aspettare. Padma viveva lì da più di un anno, ormai, e si era già completamente e perdutamente innamorata di Mohan. Il problema (a parte quelli ovvi di casta, classe, appartenenza, schiavitù e opportunità) consisteva in questo: Mohan si rifiutava di andare a letto con lei. Il padre e il fratello maggiore l'avevano già fatto, ma il minore non la guardava nemmeno. Perché? continuava a lamentarsi Padma. Aveva tentato di tutto, disse Geeta: aveva preso in prestito i suoi fermagli nuovi, quelli che le aveva dato la madre prima di partire per l'America; aveva accorciato le maniche della camicetta per mettere in evidenza le sue belle braccia; aveva provato a sciogliersi i capelli come le ragazze americane che vedevano per strada quando venivano accompagnate a fare le pulizie. Però non avevano lo shampoo e non potevano andare in un negozio né da nessun'altra parte, perciò i capelli di Padma avevano finito per penzolare come le setole unte di una scopa sudicia, e nessuno si era accorto della sua nuova acconciatura, tanto meno Mohan, anche se lei se li era tenuti sciolti, continuando a sperare, finché Vasu (l'uomo che abitava al piano di sotto e custodiva l'edificio, ma soprattutto le ragazze) non le aveva detto: «A meno che tu non abbia intenzione di usarli per pulire il pavimento, tirateli su». Le cose erano andate avanti in quella maniera, con Padma che cercava sempre più disperatamente di sedurre Mohan, lasciando cadere questo o quello per poi chinarsi a raccoglierlo con ridicola lentezza, dopo essersi messa camicette scollatissime o quell'orribile rossetto arancione che aveva trovato abbandonato in uno degli appartamenti. La faceva sembrare un orango, commentò

Geeta ridendo. «Niente di tutto ciò aveva funzionato, capisci» continuò, «finché un giorno Mohan non arrivò da noi ubriaco. Era venuto solo per accompagnarci al lavoro. Di solito ci aspettava in macchina, ma quella volta salì in camera, ci fissò a lungo, spostando lo sguardo dall'una all'altra, e poi incespicò verso la mia branda, si sdraiò e scoppiò a piangere».

«A piangere?» ripeté Savitha.

«Piangere. Proprio piangere: anzi, singhiozzare» disse Geeta.

Nel frattempo Geeta e Padma erano state prese dal panico, domandandosi se fossero colpevoli di qualcosa, e se in quel caso Gopalraju avrebbe rivoluto indietro i soldi ricevuti dai loro genitori per la vendita delle figlie: quei soldi, lo sapevano bene entrambe, erano ormai spariti da un pezzo, spesi per pagare i debiti o la dote delle altre figlie. Poi Mohan si era calmato, si era messo a sedere e aveva chiesto un bicchiere d'acqua. Padma era corsa a prenderglielo. Lui l'aveva vuotato, quindi aveva detto: «Non avete un po' di vodka?»

«E cosa sarebbe?» avevano domandato loro, e lui aveva ribattuto: «Non importa».

A questo punto Geeta s'interruppe.

«E poi?» chiese Savitha.

«E poi niente» rispose Geeta. «Niente finché non arrivammo all'edificio in cui dovevamo fare le pulizie. Era il cuore della notte, capisci. E lui mi consegnò la chiave e mi disse: "Comincia a salire". Obbedii. Ma rimasi sul chi vive, in attesa di Padma, domandandomi cosa stesse succedendo, anche se in realtà lo sapevo, e quando infine lei mi raggiunse, scarmigliata, forse una ventina di minuti dopo, glielo chiesi. E lei mi rispose: "Mi ha scopata. Sul sedile posteriore della macchina". Ma non sembrava molto felice mentre lo diceva.

«Insomma» continuò Geeta, «lo so che l'aveva costretta, lo so che non aveva fatto l'amore con lei, ma credevo che sarebbe stata più contenta. Perciò glielo domandai. Le dissi: "Pensavo che tu lo desiderassi". "Sì, però eravamo allo stretto, e lui aveva un alito fetido. Puzzava". Poi aggiunse: "C'è un'altra cosa. Quando ha finito, mi ha trascinata fuori dall'auto; ero riuscita a malapena a rimettermi i vestiti addosso. Mi ha trascinata fuori, mi ha spinta a terra ed è rimasto in piedi a fissarmi. Credevo che mi avrebbe presa a calci. Invece si è lasciato cadere in ginocchio proprio vicino al punto dov'ero sdraiata in maniera scomposta, ma senza guardarmi. Non mi ha guardata, guardava soltanto il terreno accanto a me, e poi ha spostato lo sguardo da qualche altra parte nel buio. Infine ha allungato le mani verso di me che giacevo sull'erba, ha preso uno alla volta i bottoni della mia camicetta, ancora slacciati perché avevo avuto appena il tempo di tirarmi su i pantaloni, e li ha abbottonati. Uno per uno. Delicatamente, con dolcezza, come se non fossero bottoni ma gocce di pioggia. Nemmeno mia madre" disse Padma "era mai stata così dolce con me"».

«E poi cos'accadde?» domandò Savitha.

«Niente» rispose Geeta. «Ci rimettemmo a fare le pulizie».

«E Padma?» insisté Savitha. «Continua ad amarlo?»

Geeta rise, poi disse: «Lo ama ancora di più».

Quando Padma rientrò a tarda notte, riaccompagnata nella stanza dopo un lavoro a Redmond, guardò Savitha e le chiese: «Nuova arrivata?» Savitha annuì. Padma era davvero carina. E sapeva di esserlo. Disse: «Ah», e poi andò in bagno e chiuse la porta.

L'indomani mattina, come Geeta aveva previsto, pioveva. Savitha venne condotta al lavoro insieme alle altre. Quando era uscita dal bagno (Geeta le aveva mostrato l'uso della doccia, spiegandole come in quel paese l'acqua fosse così abbondante che nessuno usava il secchio per lavarsi), con indosso uno dei due sari che si era portata, Padma aveva riso e Geeta le aveva spiegato: «Non vogliono che ci vestiamo così. Diamo troppo nell'occhio»; dopo di che le aveva prestato un paio di pantaloni neri di poliestere e una camicetta a scacchi grigi e rosa. La camicetta, aveva notato Savitha, era di cotone e dava una sensazione piacevole sulla pelle. Ne aveva controllato la trama, anche se la stoffa era chiaramente tessuta a macchina. Nel vedersi consegnare un vecchio paio di scarpe da ginnastica, Savitha le aveva guardate, e poi aveva guardato Geeta e Padma. Le due ragazze l'avevano fissata a loro volta. «Non è in grado di allacciarsele» aveva esclamato Padma allegramente, come se avesse risolto un indovinello. Geeta le aveva legato le stringhe, dicendo che le avrebbe procurato un paio di scarpe con il velcro. «E cosa sarebbe?» aveva domandato Savitha. «Lo vedrai. Riuscirai ad allacciarti le scarpe con i denti» aveva risposto Geeta ridendo. Con i denti, aveva ripetuto tra sé Savitha, chiedendosi cosa ci fosse di simile tra allacciarsi le scarpe e sbucciare una banana.

Le tre ragazze furono lasciate a destinazione, dove ciascuna andò a pulire appartamenti diversi. Prima Padma e Geeta mostrarono a Savitha il modo di utilizzare i vari spazzoloni, le diverse scope e spazzole, gli spray, l'aspirapolvere. Nulla di complicato – passare l'aspirapolvere era persino divertente – ma non era facile eseguire quei compiti con una mano sola. Savitha era lenta. Quando Padma e Geeta vennero a cercarla un'ora più tardi, aveva appena cominciato. Ma nel giro di una settimana, divenne rapida quasi quanto loro. In capo a quindici giorni, ripensando a ciò che le aveva detto Guru, che le sarebbe bastato lavorare al doppio della velocità, a volte riusciva persino a batterle sul tempo.

Gli appartamenti erano sempre vuoti. Il che facilitava il compito. L'inquilino che aveva traslocato, di solito uno studente universitario, se n'era andato soltanto da un giorno, in qualche caso da poche ore appena, e Savitha, entrando, si fermava invariabilmente sulla soglia. Rimaneva immobile e annusava l'interno. Le case di Indravalli non avevano alcun odore caratteristico, perché porte, finestre e verande venivano tenute aperte al mondo e lasciavano penetrare tutti i suoi odori, mentre le anguste capanne prive di finestre sapevano di una cosa sola: di povertà. Lì invece gli odori erano più sottili. Era stato un ragazzo o una ragazza ad abitare in quell'alloggio? Una cosa abbastanza facile da capire. Ma al di là di questo, al di là di questo c'era molto di più. Quello che mangiavano, quanto spesso stavano in casa, quanto spesso si lavavano, se amavano i fiori, se apprezzavano la pioggia. In certi casi Savitha arrivava addirittura a indovinare cosa studiavano. Pensava che un ragazzo potesse aver studiato le stelle, perché le trovava minuziosamente disegnate sulle pareti all'altezza di quella che doveva essere la sua statura. Gli piacevano il latte, il formaggio, i latticini, ipotizzava, e non si lavava con molta frequenza. Un'altra ragazza probabilmente studiava arte, a giudicare dall'odore di pittura e di olio, e dovevano piacerle il sole e la pioggia, perché c'erano le finestre spalancate in ogni stanza.

Tutto ciò nel giro di pochi minuti da quando metteva piede nell'appartamento.

Alla fine del mese ne puliva quasi una dozzina al giorno, ma non ricavava più molto piacere dalle congetture sui loro inquilini. C'era sempre un nuovo alloggio da riordinare prima di rientrare a casa per mangiare un piatto di riso e sottaceti, o magari un po' di pappu, se una di loro trovava l'energia per prepararlo, con l'unica mano che le tremava di stanchezza, incapace persino di sollevare un po' di riso verso la bocca; e poi veniva il momento di andare a dormire. Ormai, entrando negli appartamenti deserti, Savitha li esaminava in fretta, valutando con una sola occhiata il lavoro necessario. Individuava – sulla moquette e sulle pareti, a volte su uno scaffale – i punti in cui c'erano stati mobili, cornici, vasi o libri, che dopo essere stati rimossi lasciavano un cerchio, un quadrato o un rettangolo più chiari, immuni da impronte, sudiciume e danni, più luminosi dello spazio che li circondava. Savitha fissava le vivide chiazze in mezzo alla stanza grigia e scialba e desiderava essere al loro posto, desiderava identificarsi con quelle zone protette. E invece, nel giro di alcune settimane, reduce dalla pulizia di tanti appartamenti, capì che lei era la parte sbiadita e scolorita. Quella che assorbiva la sporcizia e subiva il logorio. Quella spossata dal sole. Quella che, come una mano, copriva la vividezza.

8.

Viveva a Seattle da due mesi, ma ancora non aveva visto l'uomo che un sabato sera di dicembre venne a prenderla a bordo di un'automobile rosso fiammante. Era sempre Vasu ad accompagnare lei e le sue compagne al lavoro e a riportarle a casa. E ogni giorno che passava, le pareti degli alloggi si facevano più opprimenti, l'aria diventava più rarefatta. Savitha correva ad aprire le finestre e si sporgeva all'esterno, affamata di freddo, di sensazioni, di pioggia.

A differenza di Vasu, l'uomo sulla macchina rosso fiammante era alto, con qualche capello grigio sulle tempie. Aveva un accenno di pancia e, sebbene fosse assai meno muscoloso di Mohan, era chiaramente suo fratello. «Sali» le disse in Telugu, e poi la condusse fino a un basso edificio in una strada laterale. Savitha aveva cercato di imparare a riconoscere le lettere, studiando i cartelli e i nomi delle vie, ma quella notte non riuscì a vedere nemmeno un'insegna, forse perché si trovavano in un'area industriale ed era troppo buio. Solo da un lampione lontano guizzava una luce bianca. La zona era deserta, e quando Suresh spense i fari, piombarono in una fitta oscurità. Una volta abituato lo sguardo al buio, Savitha vide che dalla fessura tra il marciapiede e la porta dell'edificio davanti al quale era parcheggiata la macchina filtrava una sottile striscia luminosa. Brillava nelle tenebre come un coltello.

Entrarono oltrepassando una stanza piena di scatole allineate e raggiunsero una porta posteriore sulla sinistra. Suresh bussò, una voce lo invitò a entrare e, ancora prima di vedere chi avesse parlato, Savitha capì che là dentro c'era il padre, Gopalraju, l'uomo che l'aveva comprata. Non era vecchio quanto si aspettava: aveva i capelli di un nero innaturale con riflessi blu, chiaramente tinti, mentre la faccia era larga e vigile, accesa dalla stessa luce caratteristica – quella cruda e fredda innescata dal successo e dalla ricchezza – che lei aveva già visto sul volto di Guru, anche se l'espressione di Gopalraju sembrava ancora più penetrante e calcolatrice. Gopalraju guardò Savitha per un lungo momento e poi, con una sollecitudine fasulla, le chiese: «Ti trovi bene?» Lei annuì, per quanto sapesse che non era una vera domanda, nel senso che non esprimeva un interesse autentico. Più precisamente, sapeva che si trattava di una domanda che celava un'affermazione del tutto diversa. Tu devi trovarti bene, voleva dire. E sotto questo messaggio, proprio come l'aveva avvertita Geeta, ce n'era un altro: se per caso non ti trovi bene, se per caso ti viene voglia di parlare, di raccontare qualcosa, di correre via, di gridare, se per caso ti fai prendere da qualsiasi forma di disperazione o di disgusto, se provi il bisogno di trovare un telefono, di fermare qualcuno per strada, di scrutare il marciapiede in cerca di un poliziotto, se per caso ti senti calare addosso l'affanno, la follia, la tentazione di spifferare tutto, allora smetterai di stare bene. Di conseguenza, dunque, la vera domanda era questa: Hai capito? Ecco cosa le stava chiedendo Gopalraju. Mi sono spiegato?

Poi l'uomo vide il moncherino.

Le sue labbra s'incurvarono all'insù, in modo appena percettibile, a rivelare quello che lei sapeva essere ribrezzo. Poi Gopalraju chiuse gli occhi, solo per un attimo, e in quell'attimo sembrò quasi beatifico, un uomo devoto, e Savitha pensò che l'avrebbero semplicemente lasciata andare, le avrebbero permesso di tornare alla sua branda vuota, alla federa che conteneva un sari non finito, al rettangolino di carta nascosto nel gesso, all'alloggio dove Padma e Geeta dormivano e sognavano.

«Stai attento. Potrebbe cavarti un occhio» disse infine Gopalraju, continuando a guardare Savitha, ma rivolgendosi chiaramente a Suresh. Savitha si girò verso di lui e lo vide ridere, e fu allora che capì: non l'avrebbero ricondotta indietro, di fronte a lei c'era un'altra porta, alle spalle di Gopalraju, e fu al di là di quella porta che Suresh la sospinse. Dentro era buio, e quando lui accese la luce, apparvero soltanto un letto rifatto alla meglio, un frigorifero basso e alcune bottiglie sparse su un tavolo d'angolo. Su uno dei lati si apriva un minuscolo bagno. Nella stanza senza finestre ristagnava un tanfo di birra stantia, che Savitha non riconobbe, anche se individuò gli altri odori: lenzuola non lavate, merda, sperma, sale, sudore, sigarette, una sorta di angoscia, una sorta di apatia, una sorta di desolazione; tutto ciò aveva un odore, tutto ciò aveva una forma, e si annidava negli angoli della piccola camera.

Suresh le chiese di mettersi sul letto. Poi vi salì anche lui. Quando Savitha si coricò di schiena, le disse: «No, devi fare un'altra cosa». Perciò lei si girò, ma lui ripeté: «No, no, non è questo che intendo». Savitha lo guardò, confusa, e allora Suresh le consegnò una boccetta di liquido trasparente e le mostrò come usare il suo moncherino. Un dolore le esplose in qualche punto dietro gli occhi, e Savitha si voltò dalla parte opposta. Ma il dolore era un tuono, e continuava a scoppiare e scoppiare.

Chiuse la porta del minuscolo bagno. La luce le diede le vertigini, perciò la spense. Raggiunse il lavabo a tentoni e si lavò, strofinandosi ancora e ancora con una piccola saponetta, arrossandosi la pelle bruna fino alla spalla. Chiuse l'acqua, e stava per uscire quando udì qualcosa. Cos'era? Rimase in ascolto. Veniva dal water; sembrava una specie di canto. Si chinò per avvicinarsi e sentire meglio, ed era proprio così. Il water stava cantando! Cantava per lei. Una melodia semplice, una canzone per bambini, ma la cantava per lei. Savitha sorrise nel buio, poi s'inginocchiò vicino al water e lo abbracciò. Si unì al suo canto. Una melodia così semplice, fatta di poche note, eppure così deliziosa. Restò in ginocchio a canticchiare: la frescura della porcellana e della sua canzone; la frescura di un fiume e del suo gorgoglio.

Suresh era sdraiato a fumare. Savitha aveva le gambe malferme, e forse lui se ne accorse, perché le disse in Telugu: «Vieni qua. Siediti». Perciò lei camminò fino al letto e si sedette sul bordo. Suresh la guardò a lungo, quindi cominciò a parlarle in inglese, come se lei potesse capire: «Non sono cresciuto qui, sai. Sono cresciuto in Ohio. Sai dov'è? Facevo parte della squadra di atletica. Vuoi sapere come mi chiamavano? Curry in a Hurry. Mohan era nel gruppo della lotta libera, e l'avevano soprannominato Curry Up[1]. Lo dicevano tanto per dire, i nostri compagni. E io ridevo insieme a loro. C'erano tante ragioni per ridere, allora. Ma in realtà io avevo voglia di prenderli a pugni. Ogni volta che qualcuno faceva quella battuta e rideva, ridevo anch'io, e gli fissavo la bocca e immaginavo di afferrarne le estremità e di aprirgliela in due. Di squarciargliela per bene».

Bevve un sorso da una delle bottiglie posate sul tavolo d'angolo. Affondò meglio nel materasso con un sospiro soddisfatto, e soggiunse, sempre in inglese: «E tu come l'hai persa, la mano?»

Chiuse gli occhi per un istante, e quando li riaprì, si drizzò a sedere di colpo. Sgranò gli occhi e disse in Telugu: «Ehi. Ehi, sta' a vedere».

C'era una mosca sul tavolo. Scattava di qua e di là. Suresh la fissava con attenzione. Savitha seguì il suo sguardo. Suresh si tolse di bocca la sigaretta. La resse a mezz'aria sopra il tavolo, non vicino all'insetto, ma a una certa distanza, quasi sapesse dove si sarebbe diretta la mosca. E fu proprio ciò che accadde. La mosca avanzò verso la mano, che lui teneva immobile come una statua. Savitha non aveva mai immaginato che un uomo potesse rimanere

1. I due nomignoli, basati sull'allusione all'India della parola *curry*, significano rispettivamente «curry che va di fretta» e «sbrigati», sfruttando, in quest'ultimo caso, la quasi perfetta identità tra i termini *curry* e *hurry*. (*N.d.T.*)

così immobile. Che potesse aspettare così pazientemente. Aspettare cosa? Non ne aveva idea, ma la sua immobilità le sembrava uno stato di grazia dannata. Una cupa forma di culto. Poi, in un lampo, la mano calò giù e la prese: intrappolò la mosca sotto la sigaretta accesa. Savitha batté le palpebre. Non era possibile. Guardò di nuovo, ed era proprio vero: la mosca era là; un lieve sfrigolio, un agitarsi di questa o quella zampetta, e l'insetto rimase immobile. Immobile come la mano di Suresh.

Suresh scoppiò a ridere forte. «Nessun altro è in grado di farlo. Nessuno. Io ci riesco da quando avevo cinque anni». Guardò Savitha. «Il segreto è muovere la mano prima ancora che il cervello dia il comando. È l'unica maniera per uccidere una mosca».

Sollevò la sigaretta, la mosca ancora intrappolata all'estremità, il corpo dell'insetto indistinguibile dal resto, e lasciò cadere il mozzicone nel posacenere. Lasciò ricadere all'ingiù anche gli angoli delle labbra e smise di sorridere. «Andiamo» disse. Quando accostò davanti all'edificio dove viveva Savitha, soggiunse: «Tornerò tra una settimana o due».

Rientrata nell'alloggio, Savitha si fermò un istante a contemplare i volti addormentati di Padma e Geeta.

Un tempo eravamo bambine, bambine piccole. E giocavamo con la terra all'ombra di un albero.

Poi si girò, con la nausea che le saliva in gola. Fece la doccia. Sentiva odore di carne bruciata, ma una mosca era una creatura abbastanza grande per parlare di carne? Non lo sapeva, e smise di domandarselo. Dopo la doccia, bevve un bicchiere d'acqua, si avvicinò alla sua branda e tirò fuori il sari non finito per Poornima. Lo guardò, lo guardò intensamente e pensò: Tra una settimana o due. Tornerà tra una settimana o due. E poi: Ma certo che era una creatura abbastanza grande. Non poteva essere altrimenti. Qualsiasi essere vivente lo è. Anche il più piccolo. Il più povero. Il più solo. Eppure. Eppure Suresh sarebbe tornato tra una settimana o due. Fissò il pezzo di sari che teneva in mano e pensò: Io non sono la ragazza in quella stanza. Non lo sono. Io sono questo; sono l'indaco e il rosso. Ed essere ancora lì tra una settimana o due, e poi tra un'altra settimana o due, e tra una settimana o due dopo quelle, significava arrendersi al pericolo denunciato dal corvo, contro il quale il corvo non aveva mai cessato di mettere in guardia chiunque lo ascoltasse: significava lasciarsi divorare a brandelli.

Quella notte non dormì, calata nei propri pensieri. E continuò a riflettere per tutto il giorno successivo: mentre puliva appartamenti, mentre riordinava un intero piano di un palazzo di uffici e alcune camere di un residence. Quando tornò nel suo alloggio, a tarda sera, pensò anche mentre cenava. Padma rientrò più tardi di lei. Ancora carina dopo una giornata di pulizie, notò Savitha, ma tanta bellezza non le serviva a niente. Era solo una ragazza truccata, con un rossetto arancione sulle labbra e gli occhi pesantemente contornati dal kajal, una ragazza che puliva le case altrui e aspettava un uomo che non sarebbe mai arrivato.

Savitha era taciturna, e Padma dovette accorgersene, perché le domandò: «Cos'hai?»

Savitha la guardò come se non l'avesse mai vista prima. «Cosa ti impedisce di andartene?»

«E dove potrei andare?»

«Potresti tornare in India».

«E i soldi dove li trovo? E poi, l'India non è questa gran meraviglia. Non ho niente laggiù. Mio padre ha speso il denaro ricavato dalla mia vendita per comprarsi una moto».

Savitha rimase in silenzio.

«Perché? Tu stai pensando di tornarci?»

«Io no, ma tu. Sei così carina».

Questo la fece sorridere: si toccò i capelli, e Savitha le restituì il sorriso, immaginando che Padma le avesse creduto.

Si sbagliava.

Pochi giorni più tardi, quando tirò di nuovo fuori il sari non finito per Poornima, restò senza fiato: qualcuno ne aveva strappato via una lunga striscia. Il tessuto era lacerato, mutilato, il bordo irregolare. Chi aveva fatto una cosa simile? Cercò nella federa e poi sulla branda. Guardò il pezzo rimasto, al quale mancava un terzo della stoffa. Sparito. Rimase seduta per un attimo, poi scattò in piedi e frugò in tutto l'alloggio: negli armadietti della cucina, in bagno, nel ripostiglio, tra gli effetti personali di Geeta e Padma. Padma! Doveva aver detto a qualcuno che lei le aveva parlato dell'India, aveva parlato di andarsene. E loro avevano… avevano fatto cosa? Si lasciò ricadere sulla branda. Si erano presi un pezzo dell'unico oggetto che avesse qualche significato per lei. E a che scopo? Perché non portarselo via intero? «Perché?» disse alle pareti. Ma le pareti non le risposero.

Devo essere più cauta, decise. Molto più cauta. Il cielo parve approvare: la pioggia scese più fitta; l'aria divenne più pesante.

9.

Nelle settimane successive, ogni notte, coricata a letto, ripensò al viaggio dall'India a Seattle. Analizzò ogni istante, ogni documento. All'aeroporto di Chennai, la donna che si faceva passare per sua madre aveva tirato fuori due strisce di carta e due libriccini blu e aveva consegnato il tutto alla signora dietro il banco. Le strisce dovevano essere i biglietti, perché l'hostess li aveva timbrati per poi restituirglieli. Ai libretti blu aveva dato solo un'occhiata prima di ridarglieli. E poi? E poi niente fino all'arrivo a New York. Là l'intera procedura si era svolta al contrario. Avevano aspettato in una lunga fila, ricordò Savitha, e stavolta la donna aveva mostrato biglietti e libriccini blu a un uomo. E l'uomo aveva timbrato i libriccini blu, ma non i biglietti. Cos'erano quei libriccini? Savitha non ne aveva idea, però sapeva che gliene occorreva uno. Sapeva che le occorreva anche un biglietto. E per procurarseli? Sapeva che aveva bisogno di soldi.

Fu presa dallo sconforto.

Si rese conto che non avrebbe potuto andarsene nemmeno se avesse avuto denaro, biglietto e libriccino blu. Niente affatto. Quella gente conosceva i suoi famigliari, sapeva che vivevano a Indravalli, e se lei fosse fuggita, la sua famiglia avrebbe rischiato di subire chissà quali ritorsioni. Gopalraju aveva sborsato un sacco di soldi per comprarla, più di quanti Savitha riuscisse a immaginare: lei era un investimento, un concetto che Savitha capiva soltanto in termini di vacche, capre e polli. E perché mai qualcuno dovrebbe permettere alle sue vacche, capre e polli di allontanarsi senza reagire? Nessuno lo farebbe. Mai. I suoi famigliari rischiavano di essere uccisi. Savitha se lo sentiva con la stessa forza con cui sentiva il proprio amore per loro: nelle viscere. Dunque doveva rimanere.

Verso la fine dei suoi primi tre mesi a Seattle, udì dei colpi alla porta. Fu colta dal panico. Di solito Vasu entrava senza annunciarsi usando la propria chiave, perciò non poteva essere lui. Era mercoledì sera, e Padma e Geeta non avevano ancora fatto ritorno. Che fosse Suresh? Lui però andava sempre a prenderla davanti a uno degli edifici, la portava nella stanza e le porgeva la boccetta di liquido trasparente. In quelle notti Savitha rientrava molto più tardi di Padma e Geeta, e le trovava già addormentate. A volte, dopo che lui si era allontanato con la macchina, vomitava sul marciapiede; una notte aveva tenuto il moncherino sopra una fiamma.

Altri colpi alla porta. Chi poteva essere?

Savitha si avvicinò e rimase in ascolto. Niente. Poi uno scalpiccio. Ma non di passi che si allontanavano, non ancora. Aspettò. Non c'era lo spioncino: in alcuni degli appartamenti che puliva aveva notato il piccolo foro nella porta, e in quel momento desiderò che ce ne fosse uno anche lì.

Alla terza serie di colpi, girò adagio la maniglia, il più silenziosamente possibile, e sbirciò attraverso la fessura.

Era Mohan.

Savitha spalancò la porta, e lui restò là impacciato, senza muoversi. Lei attese sulla soglia, domandandosi se anche lui fosse venuto lì per portarla nella stanza.

Mohan sorrise timidamente, forse persino con tristezza, e poi le consegnò un sacchetto di carta marrone. Aprendolo, Savitha ci trovò dentro sei banane. Vedere le banane – la loro liscia buccia gialla, la loro baldanzosa consistenza, la loro delicata bellezza – le strappò una risata di piacere. Le guardò e le riguardò, e quando infine alzò gli occhi, Mohan la stava fissando.

«In America le tagliano a metà nel senso della lunghezza e ci mettono in mezzo il gelato» le disse.

Savitha cercò di immaginarselo senza riuscirci. «A me piace mescolarle con il riso allo yogurt».

Rimasero in piedi per un momento, poi lei lo invitò a entrare (anche se l'invito le parve buffo: in fin dei conti quell'edificio apparteneva a suo padre). «No, forse un'altra volta» rispose lui. «Forse la prossima settimana» aggiunse, e se ne andò.

Quella sera, Savitha mangiò due porzioni di riso allo yogurt con le banane. La prima era così dolce, cremosa e divina che si ritrovò con le guance striate di lacrime. Geeta rise, e le cedette un po' del suo riso. La seconda porzione – avuta per la gentilezza di Geeta, oltre a quella di Mohan – la fece pensare a Poornima e le riempì di nuovo gli occhi di lacrime, anche se questa volta, lo sapeva, per motivi diversi.

«Andiamo» disse Mohan.

Era venuto in uno degli appartamenti che lei stava pulendo, e adesso aspettava sulla porta, come se la moquette fosse bagnata, e non lo era, o come se all'interno ci fossero altre persone.

«Ma non ho ancora finito» replicò Savitha.

Lui diede una sola occhiata alla stanza illuminata, facendo scorrere uno sguardo frettoloso da un'estremità all'altra, e poi disse: «È tutto a posto».

Savitha salì sulla stessa macchina con cui era andato a prendere lei e l'anziana donna all'aeroporto. Era sempre inondata dal profumo di limone. Savitha non sapeva dove Mohan volesse condurla, ma non stavano andando in direzione del suo alloggio. Mohan era taciturno, quasi imbronciato, eppure lei lo notò a malapena. Guardava le strade notturne fuori dal finestrino. Veniva accompagnata sempre e soltanto dal lavoro a casa e viceversa, dieci, venti minuti alla volta, ma adesso intuiva che stavano vagando senza una meta precisa, un'idea che lei non aveva mai associato alla propria vita, alla vita in generale, perché la vita è solo un continuo fare, un fare incessante affinché sia possibile nutrirsi, dormire e sopravvivere. Adesso, invece, adesso, in quella vasta strada, in quella vasta notte piovigginosa, mentre l'automobile scivolava sotto i semafori, Savitha guardava la gente seduta nelle stanze vividamente illuminate. Immaginava l'odore di quelle stanze. Ne immaginava il calore, il chiacchierio delle persone all'interno, quello della TV o l'assenza di ogni rumore: solo il silenzio. Immaginare tutto questo, seduta su una lussuosa macchina profumata di limone, senza nulla di fronte a sé e nulla, non veramente, alle proprie spalle, bastava a gonfiarle il cuore, bastava a stringerlo nella morsa di qualcosa che somigliava alla felicità.

Alla fine lasciarono la strada principale e iniziarono a salire su una collina, zigzagando lungo vie buie. Si alzò il vento. Savitha chiese a Mohan se poteva aprire il finestrino, e quando lui non le rispose, forse perché non l'aveva sentita, armeggiò con i tasti sulla portiera finché il vetro non si abbassò con una facilità morbida ed elettrizzante. La brezza le sollevò i capelli sciolti (con una mano sola non riusciva più a intrecciarseli), la pioggia le spruzzò la faccia e la fece rabbrividire di piacere. Le foglie immerse nell'ombra ondeggiarono sopra e accanto a lei mentre la macchina le superava, agitandosi come se fossero sposate con la notte, come se danzassero nel vento.

No, Savitha non ricordava una notte così meravigliosa, né lì né in nessun altro posto, e nel girarsi verso Mohan, quasi ridendo, vide che stava svitando il tappo di una bottiglietta e se la portava alle labbra. Fu allora, quando vide il liquido dorato nella bottiglia inclinata, quando vide la sua faccia trasalire al primo sorso, fu allora che capì di essersi sbagliata. Niente di tutto ciò era vero. Assolutamente niente. La notte, la pioggia sottile, l'ascesa sulla collina. Niente di tutto ciò le apparteneva. Apparteneva a lui. Savitha era una sua proprietà, ed era questa l'unica cosa reale.

Tirò su il finestrino; le pareti tornarono a opprimerla; chiuse gli occhi.

Quando li riaprì, le vie erano ancora più buie e la macchina continuava a salire. Alla fine Mohan si fermò su un piccolo terrapieno al margine della strada e spense il motore. Bevve un lungo sorso dalla bottiglia, e accorgendosi che lei lo guardava, gliela offrì. Savitha pensò al padre, poi pensò al padre di Poornima e la prese. Il liquido le scese in gola come fuoco – il suo primo assaggio di whisky – facendola tossire e sputacchiare finché Mohan non scoppiò a ridere e le tolse la bottiglia di mano. Lei pensò che doveva essere poco abituato a ridere, o per lo meno a ridere senza tristezza. Il whisky le scese nello stomaco, e gli occhi di Savitha galleggiarono e ondeggiarono su un mare caldo. Appena si rimisero a fuoco, vide che l'automobile era ferma su un'alta cresta, e che sotto di loro e più in là, per l'intera distesa che li separava dallo scuro orizzonte, c'era un tappeto di luci. Luci sparpagliate come gemme sul velluto nero. «In che direzione guardiamo?» domandò.

«Ovest».

Ovest, ovest.

Savitha osservò le luci, e pensò che da qualche parte laggiù, proprio laggiù, doveva esserci il suo alloggio. Oltre le luci, in lontananza, spiccava una striscia di nero compatto. «Cos'è quella fascia non illuminata?»

Mohan alzò gli occhi, chiaramente ubriaco a giudicare da come tentennava il capo, e disse: «Dove?» Savitha indicò l'orizzonte lontano. Lui seguì la direzione del suo braccio e rispose: «Acqua. Quella è acqua». Lei ricordò il ponte sul quale erano passati all'arrivo: eppure, nei tre mesi trascorsi a Seattle, aveva dimenticato di essere così vicina all'acqua. Non conosceva altro che pareti. Persino nelle giornate di sole, la luce era grigia, e scendeva dolorosamente nelle stanze sporche. Le pagliuzze di polvere vorticavano in circolo, non avendo nessun posto dove andare. Savitha fissò la massa nera di fronte a sé, la striscia di tenebre, e sebbene ormai sapesse tutto in fatto di lavatrici, si domandò se quell'acqua avesse mai avuto lavandaie sulle sue sponde, se laggiù i sari avessero mai ondeggiato nel vento come bandiere.

«Sai quand'è stata la prima volta che ho bevuto alcolici?» le domandò Mohan nel buio, parlando Telugu.

Savitha trangugiò un altro sorso dalla bottiglia.

«Avevo undici anni. Quasi dodici. Fu dietro la giostra, alla grande fiera del paese». Adesso Mohan passava dal Telugu all'inglese e viceversa, e Savitha si sforzava di capire. «C'ero andato con il mio amico Robbie e suo padre. Suo padre pensava che fosse arrivato il momento, e così ci comprò due birre». Poi Mohan fece una lunga pausa di silenzio. «Traslocammo l'anno successivo. Nanna vendette il motel, ne comprò altri due. "Costruirò un impero" ripeteva. Un impero!» Mohan guardò Savitha e disse: «Io credo che sia tu. Credo che sia tu l'impero».

Il whisky era finito. Mohan gettò la bottiglia sul sedile posteriore e abbassò lo schienale. Come aveva fatto? si chiese Savitha, spingendo il proprio per inclinarlo.

«Apri quello» le disse lui, indicando il cassetto del cruscotto.

Savitha armeggiò con la maniglia, e quando riuscì a farla scattare, vide un'altra bottiglia all'interno. Gliela porse e lui se la tenne vicina senza aprirla, come se fosse un talismano, un oggetto di grande bellezza.

Nel silenzio della macchina, continuò: «Ho smesso di praticare la lotta a sedici anni. Di punto in bianco. Suresh deve avermelo domandato un milione di volte. Continua ancora a domandarmelo. Perché? vuol sapere. "Perché hai smesso? Eri bravo, Mo, davvero bravo. Potevi arrivare alle finali dello stato. Alle gare nazionali"». S'interruppe per guardare Savitha. «Capisci un po' d'inglese?» le chiese in Telugu.

Lei fece segno di no con la testa.

Mohan continuò, usando solo l'inglese. «Mi venne a prendere a scuola, una volta. Quell'unica volta. C'era una ragazza sul sedile posteriore, all'incirca della mia età. La guardai e poi gli domandai: "Chi è?". Lui non si girò nemmeno. Mi disse: "Vai là dentro, Mo. Vai là dentro con lei, aspetta che abbia finito, e torna fuori. Niente di complicato". A quel punto aveva parcheggiato la macchina davanti a una clinica, ed eravamo lì seduti nel parcheggio. Tutti e tre. E a quel punto compresi. "Perché non ci vai tu?" ribattei. Lui aspettò. Non pensavo che mi avrebbe risposto, invece dichiarò: "Potrebbero riconoscermi". Perciò accompagnai la ragazza e parlai con l'infermiera. Capii cosa pensava dall'espressione con cui mi squadrò. Mi diede opuscoli sulla contraccezione e sull'astinenza e roba simile. Devo essere diventato rosso come un peperone.

«Quando la ragazza uscì, reggeva dei fascicoli uguali a quelli che l'infermiera aveva dato a me. Non conosceva una parola d'inglese, ma li stringeva come se fossero la mano di una persona cara. Non mi guardava. Non alzava la testa. Io non sapevo cosa dire. Ero un ragazzo. Lo eravamo entrambi. Alla fine le chiesi balbettando se voleva un bicchiere d'acqua, e lei rispose: "No, grazie, signore". Riesci a immaginarlo? Avevo sedici anni, e lei mi ha chiamato signore».

Rise.

«Dopo averla riaccompagnata, sbottai: "Chi cazzo è quella? Cosa ci fa in uno dei nostri edifici? Cosa le hai fatto?" Lui mi fissò a lungo e duramente, poi rispose: "Tu cosa pensi che ci faccia nel nostro edificio? Eh? Cosa credi che facciamo, Mo? Come pensi che riusciamo a cavarcela in questo paese? A cavarcela alla grande? Credi che papà ci abbia portati dove siamo senza ragazze come lei?"»

La pioggia sottile s'infittì.

«Ragazze come lei» ripeté Mohan, e restò in silenzio. In Telugu domandò a Savitha: «Cos'hai capito?»

Savitha rispose con sincerità: «Ho capito la parola *ragazze*».

Lui la guardò con un'espressione che a lei parve di vero desiderio, o di vera solitudine, poi le passò adagio le dita sul contorno del viso e disse in inglese: «Tu sei un impero. Sei più di un impero».

Savitha lo guardò a sua volta, e in quel momento ebbe voglia di raccontargli tutto, assolutamente tutto, ma invece gli prese la bottiglia dalle mani, vide il liquido che s'inclinava sullo sfondo delle gocce di pioggia, delle luci lontane, bevve come avrebbe bevuto suo padre e poi sorrise.

Passò una settimana. Mohan andò da lei in un altro appartamento, in Brooklyn Avenue, e senza una parola la fece sdraiare sulla moquette. Le baciò il braccio e poi la gola e poi la bocca, e sebbene fosse stata baciata molte volte in passato, Savitha pensò: Allora è questo che si prova a essere baciate. Sentiva la cedevolezza della moquette contro la schiena, e Mohan le tolse i capelli dalla faccia e le slacciò la camicetta. Non si aprì del tutto, solo da una parte, e lui le prese in bocca il seno da quel lato. Savitha gli posò la mano sul capo, e vide, nel placido nero dei suoi capelli, i primi chiassosi fili grigi. Sopra le loro teste la finestra ondeggiò, poi una fitta nuvola si spostò e la luce inondò la stanza e illuminò il volto di Savitha. Mohan le tolse i pantaloni e la biancheria, gli uni e l'altra troppo grandi per lei perché doveva condividere i vestiti con le sue compagne e Geeta era più robusta, ma lui sembrò non accorgersene né badarvi, perché le stava baciando il ventre. Vi appoggiò il capo, come per ascoltare delle voci, e lei glielo carezzò di nuovo, gemendo, desiderando che continuasse, però lui non lo fece. «Non ancora» disse. Savitha provò prima un senso d'impazienza e poi di disperazione. Ti prego, fu sul punto di implorarlo, in inglese, in Telugu: ti prego. Ma lui aspettò, si fermò sopra di lei a contemplarla. «No» ripeté, «no, voglio prima guardarti. Voglio vedere tutto il tuo ardente bagliore bruno». Savitha reclinò la testa all'indietro, e lui la tenne così, lontano da sé, sovrastandola, perfettamente e spietatamente sospeso, e dietro di lei la luce tremò, carica di nettare e di vita.

Dopo, sedettero insieme nella luce calante. Sotto la finestra, sul pavimento, con le gambe allungate che si toccavano. Rimasero entrambi in silenzio. Savitha avrebbe voluto prendergli la mano, ma lui era seduto alla sua sinistra. Si guardò il moncherino, appoggiato alla coscia, anche se Mohan sembrava non farci quasi mai caso. Invece, allungò un braccio verso i pantaloni, tirò fuori il portafogli e le disse: «Guarda. Ti voglio mostrare una cosa».

Era una piccola fotografia, e nonostante fosse sgualcita e ingiallita, lei vide subito che raffigurava Mohan e Suresh da piccoli. «Quanti anni avevate?»

«Otto e quattordici».

Li osservò: i capelli troppo lunghi, gli occhi rotondi, l'espressione d'irrefrenabile meraviglia sul volto di Mohan, girato in parte verso il fratello maggiore, in parte verso l'obiettivo, con un sorriso spontaneo e assoluto, mentre Suresh non sorrideva affatto, ed esibiva invece una serietà adolescenziale, o forse una caparbietà adolescenziale, eppure circondava con il braccio il fratellino, tenendolo vicino a sé ma non troppo. «Dov'è vostra sorella?»

«È stata lei a scattare la foto. Eravamo in vacanza. L'unica vacanza che abbiamo mai fatto. Papà voleva mostrarci il Monte Rushmore. Ci andammo quando vivevamo in Ohio. "Quella è grandezza, ragazzi" ci disse, "avere il proprio ritratto scolpito sul versante di una montagna". Io non ricordo molto. Del Monte Rushmore, intendo. Ma ricordo benissimo questo posto» disse Mohan, indicando la fotografia con un cenno del capo.

Savitha la fissò più attentamente, spingendo lo sguardo oltre Mohan e Suresh per osservare il boschetto alle loro spalle e la distesa d'acqua, forse un fiume o un lago, poco più in là. «Cos'è?»

«Spearfish Canyon. Ci siamo solo passati, ma ricordo che era perfetto. Il posto più perfetto in cui sia mai stato».

Savitha tornò a contemplare l'immagine. Non le sembrò un granché; era un paesaggio assai meno maestoso dell'Indravalli Konda. «In che senso perfetto?»

Mohan rimase in silenzio. E poi spostò il braccio e avvolse le dita della mano destra intorno al moncherino di

Savitha, con la stessa totale naturalezza con cui le avrebbe stretto la mano se ne avesse avuta una anche lei. «Non c'è modo» disse. «Non c'è modo di spiegare ciò che è perfetto».

Savitha rifletté sulla foto. «Somigliava alla melodia di un flauto?»

«Cosa?»

«Questo posto. Somigliava alla melodia di un flauto?»

Un lieve sorriso gli sfiorò gli angoli della bocca. «Sì, in un certo senso sì». Poi soggiunse: «Non ci avevo mai pensato in questi termini. Però è vero, somigliava proprio alla melodia di un flauto».

«Come hai detto che si chiama?»

«Spearfish Canyon».

Savitha spezzò le parole in sillabe e le ripeté tra sé. Spear. Fish. Can. Yon. Poi le pronunciò ad alta voce. «Come si scrive?»

«Guarda dietro» le disse Mohan. E dopo aver girato la fotografia, Savitha vide il nome scritto con l'inchiostro blu: S-P-E-A-R-F-I-S-H C-A-N-Y-O-N. Quando gliela restituì, Mohan commentò: «Forse potremo andarci, un giorno», e lei quasi scoppiò a ridere. Non sapeva perché, non avrebbe saputo spiegarlo; di sicuro quella che provava non era gioia.

10.

Era a Seattle da più di un anno. In certi giorni, mentre Vasu la portava da un appartamento all'altro, passavano davanti all'università, e Savitha guardava fuori dal finestrino della vecchia auto beige per vedere gli studenti che aspettavano, camminavano o ridevano; osservava soprattutto le ragazze. Erano sue coetanee, a volte più grandi, e guardava la loro pelle, la pettinatura, la curva delle spalle, entrambe le mani, e pensava: Come vi chiamate? Dove vivete? Abitate in uno degli appartamenti che ho pulito io?

Se Mohan sapeva di Suresh, della stanza e della boccetta di liquido trasparente, non lo lasciava capire. Di solito era silenzioso, o le raccontava storie in inglese, oppure faceva l'amore con lei e poi le preparava il caffè. Anche se erano in un appartamento vuoto, senza nemmeno una pentola o una casseruola, correva giù al negozio più vicino, comprava il caffè solubile, metteva l'acqua a bollire nel forno a microonde e poi si sedeva sul pavimento insieme a lei a bere caffè lungo da una tazza di polistirolo recuperata in macchina.

Una volta si ritrovò senza pentole né tazze, ma l'ultimo inquilino aveva lasciato su uno dei davanzali un piccolo portavasi di plastica. Savitha vide che Mohan lo guardava e disse: «No, è disgustoso». Lui però lo lavò nell'acquaio, ci bollì l'acqua, e se lo passarono a vicenda, con il lieve odore della terra che si mescolava all'aroma forte del caffè.

Ovviamente, Savitha non disse nulla a Geeta o a Padma, né di Mohan, né di Suresh. Nessuna di loro parlava molto dei due fratelli. Ma una sera, dopo aver trovato davanti alla porta un sacchetto di peperoni mezzi marci, lasciato lì con ogni probabilità da Vasu, Geeta eliminò le parti inutilizzabili e cucinò curry di peperoni e patate. Lo mangiarono con il riso, per poi concludere il pasto con il riso allo yogurt, e mentre Savitha si sbucciava una banana, Padma le domandò: «E quella dove l'hai presa?»

Non potendo confessarle la verità, Savitha rispose: «Era davanti alla porta, come i peperoni».

Continuarono a mangiare in silenzio, e una volta lavati i piatti si sdraiarono sulle brande; Savitha udì un urlo lontano e disse: «Cos'è?»

«È per la nebbia. Per avvisare le navi».

«La nebbia?»

Una fitta foschia, le spiegarono. Le navi rischiavano di perdere l'orientamento. Savitha ripensò alla foschia mattutina che aleggiava sul Krishna: avrebbe potuto prenderla con un mestolo come se fosse stata sambar. E poi pensò alle navi. Dev'esserci un porto qui vicino, immaginò, e ci devono essere marinai e capitani e passeggeri e cose meravigliose che arrivano da ogni parte del mondo. Spezie, forse, o magari oro.

«Prima è passato Mohan» la avvertì Geeta. «Aveva bisogno di te per un lavoro nel quartiere Ravenna. Gli ho detto che potevo andarci io, ma lui ha risposto che non importava, non era urgente».

Savitha rimase in silenzio, ma Padma sospirò nel buio.

«Dovresti parlargli» disse Geeta, ridacchiando come una scolaretta.

Padma si girò nel letto e sospirò di nuovo, per nulla divertita.

I loro respiri si fecero più profondi, e nell'oscurità Geeta parlò di nuovo: «Di cosa hai paura? Insomma, il peggio l'hai già affrontato, no?»

Silenzio. Savitha cercò con la mano il sari non finito per Poornima, chiedendosi se dovesse nasconderlo prima di uscire al mattino. Ma perché?

Infine Padma e Geeta parvero crollare in un sonno inquieto. Savitha invece rimase sveglia. Le parole di Geeta s'insinuavano nei suoi pensieri; incombevano sulla stanza come una sorta di peso. Anche la notte era un peso. Savitha passò un po' di tempo a domandarsi se si sentiva gelosa, non di Padma, naturalmente, ma del futuro. Suresh era sposato, aveva scoperto, però Mohan non ancora. Presto gli avrebbero trovato una moglie, lo sapeva, una ragazza adeguata, con una famiglia adeguatamente ricca. Sarebbe stata Telugu e incantevole. Savitha sapeva anche questo. Eppure non era gelosa. Conosceva fin dall'inizio le circostanze dell'affetto che la legava a Mohan. Affetto? No, non era quella la parola giusta; ma era amore? Forse sì, e fu quell'idea a rattristarla, mentre giaceva sulla sua branda, sul pavimento di uno squallido monolocale. Si ritrasse fisicamente da quel pensiero e si girò verso la parete. Le tornò alla memoria una storia sentita raccontare da suo padre molto tempo prima. Allora era solo una bimbetta e giocava tutto il giorno tra gli alberi rachitici intorno alla capanna, guardando le lavandaie che passavano con i loro fagotti di abiti ben piegati in equilibrio sulla testa. Era ormai sera, le faccende erano già state sbrigate, e persino la sua Amma era venuta a sedersi per terra ai piedi del letto del marito e cospargeva d'olio i capelli di Savitha (all'epoca l'unica figlia). Nella storia, Nanna aveva la stessa età della figlioletta, se non era addirittura più giovane, ed essendo il più piccolo, non ancora abbastanza cresciuto per lavorare al telaio o al charkha, veniva mandato ogni mattina dal lattaio. Il lattaio, però, le aveva spiegato il padre, viveva a quasi quattro chilometri di distanza, e non c'erano soldi per prendere un risciò o un autobus, per cui doveva andarci a piedi.

«Avevo sonno, sempre sonno, e continuavo a incespicare» le aveva raccontato, «ma quello che mi piaceva di più era salutare le vacche. Stavano là ad aspettarmi, i nasi umidi contro il recinto, e proprio quando arrivavo, proprio in quel momento sorgeva il sole e accendeva le loro buffe orecchie pelose come collinette illuminate da dietro. Di giorno» aveva continuato «il percorso era una passeggiata piacevole. In mezzo ai campi e verso il fiume. Ma al mattino, al mattino presto, con il buio, magari alle tre o alle quattro – per poter trovare la giuncata migliore, che il lattaio mi vendeva con lo sconto perché mi compativa, dispiaciuto che un bambino così piccolo dovesse spingersi tanto lontano – la campagna era terribile. Terribile e spaventosa».

«Ma perché?» aveva domandato Savitha, mentre il profumo del cocco si mescolava all'aria della notte.

«Perché ero solo un bambino» aveva risposto il padre «e perché era buio, ed è in quella situazione che nascono tutte le paure: quando si è piccoli» aveva aggiunto carezzandole il capo «ed è buio. E perciò» aveva continuato «una mattina, mentre camminavo verso la casa del lattaio, mi fermai di colpo. Mi bloccai proprio in mezzo al sentiero. Lo sai perché?» aveva chiesto a Savitha.

Lei aveva scosso il capo con gli occhi sgranati.

«Perché avevo visto un orso. O una tigre. Non riuscivo a distinguere cosa fosse, capisci? Era buio, come ti ho già detto, e sebbene potessi allungare una mano e quasi toccare quella bestia, persino con il mio braccio di bambino, non osavo. Chi si sarebbe arrischiato a farlo? Ma la belva mi tratteneva col suo sguardo. Aveva gli occhi gialli, li vedevo, occhi che non si chiudevano mai o si chiudevano solo nel preciso istante in cui io battevo le palpebre. In ogni caso, ero bloccato sotto quello sguardo. Completamente terrorizzato. E rimasi là, immobile, e anche la bestia rimase là immobile. Se ne stava lì a scrutarmi. Aspettando di divorarmi».

Savitha aveva inspirato bruscamente. «E dopo cos'è successo, Nanna?»

«Be'» aveva ripreso il padre, «continuammo a fissarci, respirando, senza muoverci, e i suoi occhi gialli pian piano divennero rossi. Prima arancioni e poi rossi. E poi sempre più rossi. A quel punto avevo scoperto una piccola buca accanto a me, ad appena pochi passi di distanza, perciò indietreggiai zitto zitto per allontanarmi dall'orso o dalla tigre e mi rannicchiai nella buca. Avrei aspettato l'alba, decisi, e poi sarei corso via. O più probabilmente, speravo, la bestia se ne sarebbe andata per tornarsene nella foresta, nella giungla o in qualsiasi altro luogo da cui era venuta. A quell'ora, inoltre, immaginavo che i contadini avrebbero cominciato ad arrivare nei campi, e forse qualcuno avrebbe avuto un bastone per spaventarla e scacciarla. Ebbene, erano questi i pensieri che mi giravano nella mente, ma per lo più non pensavo, avevo soltanto paura».

E poi, con grande stupore di Savitha, il padre era scoppiato a ridere forte. «E sai cos'accadde dopo?»

Savitha l'aveva guardato con tanto d'occhi.

«Spuntò il sole. Ecco cosa accadde. E sai cosa successe poi? Vidi che il grosso orso o la tigre o il mostro che mi ero immaginato, quale che fosse, non era altro che un albero. Un albero! Solo un albero. Un albero morto». Aveva riso ancora un po'. «Colpa del buio, capisci. Della mia immaginazione».

«Perciò non c'era nessun orso? Nessuna tigre?» aveva chiesto Savitha, un po' delusa.

«No, mio laddoo» le aveva risposto lui. «Era solo un albero. Come la maggior parte delle paure, non era niente. Niente».

Savitha giacque nell'oscurità e pensò a quella storia. Non ci pensava da anni, ma adesso ci rifletté sopra e comprese: Ma le mie paure sono qualcosa. Le mie paure per i miei famigliari, per il loro benessere, sono reali. Sono un orso. Una tigre. E se dovessi andarmene… non riuscì neppure a concludere la frase. Ma perché mi torna in mente una storia sulla paura subito dopo aver pensato all'amore? si domandò. C'era un motivo evidente? Certo che c'era. Non aveva mai conosciuto un amore privo di paure: era sempre stata in apprensione per la salute del padre, per il suo alcolismo, per i matrimoni delle sorelle, per le giornate interminabili della madre. E con Mohan? Be', con Mohan era ancora più chiaro: con lui non poteva esserci amore senza paura. Le due cose erano sempre state legate per lei, si rese conto, amore e paura, sempre; ma in quel momento, mentre fluttuava al confine tra la veglia e il sonno, affiorò alla sua coscienza un nuovo pensiero, come se fosse emerso dal tessuto infilato nel cuscino: forse c'era stata un'eccezione. Forse un'unica volta, per un breve periodo, da ragazza, paura e amore erano rimasti distinti. Per un po' (stava già dormendo, ormai, e cominciava a sognare) aveva amato Poornima, e in quell'amore non c'era stata paura.

Venne Suresh a portarla nella stanza, e poi venne Mohan, e poi venne Suresh. Poi tornò Mohan e fecero sesso in un appartamento vuoto, e una volta in un ufficio. Questo schema la seguiva come un cane smarrito. Passarono i mesi. Un giorno Savitha era seduta sul bordo del letto; vide Suresh che si apriva una birra e gli chiese: «Posso averne una?» Lui la guardò stupefatto – forse perché aveva aperto bocca, cosa che evitava, visto come la facevano sentire lui, quella stanza, quella boccetta di liquido trasparente, quell'atto – e le porse una bottiglia. E così, ecco un altro schema ricorrente: birra con Suresh, caffè o whisky con Mohan. Una sera si ritrovò sola nel monolocale, incapace di stare ferma. Passava dalla finestra alla cucina e al bagno e viceversa, e capì che quello che voleva davvero era qualcosa da bere. Questa consapevolezza la agghiacciò. Si fermò davanti alla finestra a pensare al padre, alla sua rovina, e poi si ricordò di quando giaceva sulla branda a fissare la porta sprangata aspettando che il ragazzo cieco arrivasse con la siringa. In quel preciso momento giurò a se stessa che avrebbe smesso. Che si sarebbe tenuta alla larga da tutto quanto. E non toccò mai più la birra né il whisky che le offrivano.

Alla fine di luglio, in un pomeriggio caldo e nuvoloso, Mohan passò a prenderla e le disse: «Ho una sorpresa per te». Percorsero un'altra strada ampia che costeggiava l'acqua, e poi Mohan parcheggiò in una via trafficata, tra un'auto blu e una rossa. Savitha se ne sarebbe sempre ricordata: che aveva parcheggiato la sua macchina nera tra un'automobile blu e una rossa. Il ristorante in cui la condusse aveva la sala più variopinta che avesse mai visto. I separé erano di un rosso vivo, il bancone blu, e sulle pareti spiccavano poster cinematografici. Di nuovo il rosso e il blu, pensò lei. Savitha era ancora confusa perché Mohan non l'aveva mai portata in un luogo pubblico, e per di più lei non aveva mai messo piede in un ristorante prima di allora: mai, né con Mohan né senza di lui. Quando si sedette, guardò gli altri avventori intorno a sé, che ridevano e chiacchieravano, del tutto a loro agio, e si strinse nell'angolo della sedia. S'infilò furtivamente la camicetta nei pantaloni perché non si vedesse quanto le stava larga, nascose il moncherino sotto la tavola e poi osservò ciò che succedeva nella sala, ascoltò l'acciottolio delle stoviglie e le conversazioni e guardò i piatti di cibo fumante che passavano accanto al loro tavolo, tutto con una sorta di reverenza, di attonita meraviglia.

La cameriera venuta a prendere l'ordinazione squadrò Savitha con quella che a lei sembrò un'aria di scherno, o forse di commiserazione, e poi si rivolse a Mohan. Lui ordinò qualcosa che Savitha non capì, e quando la donna tornò, piazzò in mezzo a loro, al centro del tavolo, una bassa ciotola ovale.

Savitha ne guardò il contenuto. «Cos'è?»

«Non ti ricordi? Te ne avevo parlato. Si chiama banana split».

Lei guardò meglio, ed eccola lì! Una banana! «Ma quello cos'è?»

«Gelato».

«No, lì sopra».

«Cioccolato. E questa è panna montata».

«E quella?»

«Salsa alla fragola».

«Questi sembrano pezzetti di arachidi».

«Sì».

«E quella pallina in cima a tutto?»

«È una ciliegia. Hai mai mangiato una ciliegia?»

Savitha scosse la testa, e così lui insistette perché cominciasse da quella, e quando se la mise in bocca, decise che era la cosa più strana che avesse mai assaggiato. Con la consistenza di un litchi, ma dal gusto più simile a un liquore dolce e sciropposo. Poi prese un pezzo di banana, un po' di gelato e di cioccolata e immerse la punta del cucchiaino nella salsa alla fragola per sentire tutti i sapori insieme. Prese anche un po' della sostanza bianca vaporosa e inconsistente, e ci impiegò un momento, ma una volta fatto, chiuse gli occhi. Era il cibo più buono che avesse mai assaggiato. Meglio della banana con il riso allo yogurt? No, ma più particolare. La banana con il riso allo yogurt era come la vita, semplice, diretta, con un principio e una fine, mentre questa – la banana split – era come la morte, complessa, pervasa da una sorta di mistero che andava al di là della comprensione di Savitha, e ogni boccone, come ogni morte, lasciava sbigottiti.

Mohan la scrutava intensamente, limitandosi a mangiare un cucchiaino o due del dolce, e infine disse: «È difficile separarsi da te, in momenti come questo».

«Momenti come quale?»

Lui non rispose. Invece, allungò una mano per toglierle uno sbaffo di cioccolato dalla guancia e le annunciò: «Presto dovrò andare all'aeroporto».

«Ah» fece Savitha, ascoltandolo appena, concentrata sulla banana split.

«Una nuova ragazza».

Savitha alzò gli occhi. Adesso lo ascoltava.

«Labbro leporino, credo».

Un altro visto per cure mediche, allora.

«Da dove viene?»

«E io che ne so?»

«Voglio dire, è Telugu?»

«Probabile. Ma facciamo in modo di non saperlo».

Savitha sentì una folata d'aria fredda. Strinse il cucchiaino con forza. «Non capisco. Fate in modo di non saperlo?»

Mohan abbassò la voce fino a ridurla a un sussurro, anche se Savitha vide che non c'era nessuno seduto vicino a loro. E poi stavano parlando Telugu. Chi mai poteva comprendere i loro discorsi? «Altrimenti» spiegò, «be', altrimenti, in caso di problemi...» S'interruppe, e poi aggiunse: «Non qui».

Perciò Savitha finì di mangiare la banana split e lui pagò il conto, e quando tornarono in automobile, lei cominciò: «Vuoi dire...»

«Solo che, in caso di problemi, nessuno sa nulla delle altre persone coinvolte. Nessuno può fare nomi».

«Perciò non sapete da dove... da dove viene questa ragazza? Qual è il suo villaggio?»

«No».

«La sua famiglia?»

«No».

«E allora come ha fatto tuo padre a comprarla?»

«Ci sono gli intermediari. Il mondo è pieno di intermediari».

«E quella signora anziana? Quella che si faceva passare per mia madre?»

«Non conosciamo neanche lei» rispose Mohan. «Tanto meno lei».

Savitha si appoggiò al sedile.

I suoi pensieri turbinavano: mi serviranno dei soldi; dove posso trovarli? E come, come riuscirò ad andarmene? Il libretto blu; il libretto blu; visti per cure mediche; stupida, stupida, perché non sono stata più attenta ai cartelli, alle strade, all'inglese; una ragazza con il labbro leporino; Nanna, sei al sicuro; Nanna, avevi ragione, non era un orso, non era una tigre, era tutto nella mia mente; dovrei dirlo a Padma e Geeta? Non posso, non posso; labbro leporino; ricordo qualcuno con il labbro leporino, quella bambina, la figlia di una delle lavandaie, stava gattonando e cadde nel pozzo per disgrazia, o forse non fu una disgrazia. L'aeroporto, dovrei andare all'aeroporto; banana split; morte, restare qui sarà la morte; il libretto blu; idiota, perché non hai pianificato meglio le cose? Ma Nanna, non lo sapevo, non sapevo che non era un orso né una tigre, l'ho scoperto solo adesso, solo all'alba, solo in questo momento, prima non lo sapevo.

I suoi pensieri continuavano a vorticare, a girare impetuosamente trascinati da furiose folate di vento, e al centro, nel centro preciso e perfetto, regnava una quiete assoluta, e in quella quiete c'era solo un'idea: Posso andarmene.

11.

Aspettò. Lasciò che la sua mente si placasse e aspettò.

Rivide Mohan due settimane dopo. Arrivò da lei nell'appartamento che stava pulendo, un monolocale come il suo, ma molto più grazioso, con bei pavimenti di legno e armadi bianchi laccati. Mohan le preparò il caffè. Lei ne bevve un sorso, attese, ne bevve un secondo, quindi gli chiese: «Sei andato a prenderla?»

«A prendere chi?» Era distratto, stava armeggiando con un rubinetto allentato in cucina. Savitha non lo vedeva in faccia, ma gli scorgeva le mani e si concentrò su di esse. «La ragazza. Quella con il labbro leporino».

«Non ancora. È stato tutto rimandato. Un problema con il visto».

Savitha gli guardò ancora le mani, poi si guardò intorno nell'appartamento. «Questo posto è carino, non trovi? Mi piacerebbe vivere qui».

Mohan si girò per mettersi di fronte a lei. Le disse: «Potrei provare a farti trasferire qui. Potrei parlare con Nanna».

Savitha fu sul punto di correre da lui. Di lasciarsi sfuggire un grido. È amore, pensò, è amore.

Qualche giorno dopo, mentre era a casa e stava scaldando il riso, qualcuno bussò alla porta. Rimise il riso nella pentola, si lavò la mano e andò ad aprire. Suresh. Una fitta di dolore le pugnalò lo stomaco. Quando arrivarono al magazzino, Savitha guardò di nuovo la scrivania alla quale sedeva Gopalraju la prima volta che era stata là. Quella sera la sedia era vuota, infilata sotto il tavolo da lavoro, e tutti i fogli erano impilati con ordine accanto a un grosso computer. La scrivania, notò, aveva tre cassetti da una parte. Tutti senza serratura.

Entrando nella stanza, Suresh la baciò con irruenza e poi le consegnò la boccetta di liquido trasparente. Lei se lo spalmò sul moncherino e chiuse gli occhi. L'aveva fatto tante di quelle volte che ci riusciva anche così. Ma sullo schermo delle palpebre vedeva una scena diversa. Un edificio crollato. Non vedeva la causa del crollo, però nella sua visione erano crollate anche tutte le costruzioni e le case intorno. E la visuale si allargava: al di là degli edifici in muratura c'erano baraccopoli, anche queste ridotte in macerie. Più avanti cominciavano le fabbriche e le discariche e i campi: ogni cosa era rasa al suolo. Savitha non sapeva cosa avesse provocato quella catastrofe, estesa fino all'orizzonte; non aveva bisogno di saperlo. Le bastava vedere le rovine, sapere che c'erano, sapere che non avrebbero mai avuto fine.

Quando Suresh andò in bagno, lei scivolò fuori dalla stanza e frugò nel primo cassetto della scrivania. E poi nel secondo. E poi nel terzo. Niente. Niente libretti blu. Dove potevano essere? In qualsiasi posto. In un milione di posti diversi. Con ogni probabilità non erano neppure in quel magazzino. Si affrettò a tornare nella stanza, e mentre entrava, Suresh uscì dal bagno. Guardò Savitha, e poi la porta aperta. «Dove sei andata?» le domandò con voce piatta.

«Avevo sentito un rumore».

Suresh scavalcò Savitha e andò a controllare nel magazzino e all'esterno. Tornò nella stanza e annunciò: «Niente». La scrutò sospettoso, severo, quindi fece due passi per avvicinarsi al punto in cui lei stava in piedi, la schiaffeggiò con forza e disse: «La prossima volta che senti un rumore, andrò io a vedere».

Tornata nell'appartamento, restò seduta a lungo sulla sua branda. Ascoltò i rumori della notte: il respiro di Padma e Geeta, il fruscio delle automobili di passaggio, lo stormire delle fronde, la combustione delle stelle. Poi tirò fuori la striscia che le rimaneva del sari non finito per Poornima e se la avvicinò alla faccia. Lanciò un grido.

Geeta si drizzò a sedere. «Che c'è? Cosa c'è?»

Savitha si gettò in fretta dietro le spalle il pezzo di tessuto. «Niente. Un brutto sogno». Padma non si svegliò. Savitha spostò lo sguardo da lei a Geeta, che si era lasciata ricadere sul cuscino, e poi riprese in mano la striscia di stoffa: persino al buio lo vedeva chiaramente. Un altro pezzo. Sparito. Ormai il sari si riduceva a un rettangolo non più grande di un asciugamano. Adesso capiva. Adesso sapeva. I pezzi mancanti erano un avvertimento. Un messaggio. Le dicevano: Fermati. Ma come avevano fatto? Come avevano fatto a scoprire le sue intenzioni? E quanti pezzi le restavano? Quanti, prima dell'ultimo?

Guardò il tessuto, quasi in attesa di una risposta. «Da capsula a filo a telaio a questo momento» sussurrò nella striscia di stoffa. «Ce ne andremo, io e te».

Aspettò. Continuò a interrogarsi sul libretto blu.

Una mattina, dopo che Padma era uscita, chiese a Geeta in un sussurro: «Serve per spostarsi? E per andare dove?»

«E io che ne so?»

«Ne avrei bisogno se Vasu non potesse venirmi a prendere? Se dovessi tornare con l'autobus?»

«No, no in quel caso no. Ne avresti bisogno per salire su un aereo. Per andare in un altro paese».

Savitha rimase stupefatta. Fu invasa dal sollievo. Guardò Geeta. «Da quanto tempo sei qui?»

«Cinque anni».

«E quanti ne avevi quando sei arrivata?»

«Diciassette» le rispose Geeta.

Savitha annuì. All'incirca la stessa età che avevo io quando ho conosciuto Poornima, pensò. E poi pensò: Ma dove potrei andare? Certamente non in India; non aveva abbastanza soldi. Né tanto meno il libretto blu. In America però non conosceva nessuno. Nemmeno una persona. A parte… quella signora, la signora dai capelli color jalebi, dai denti di perla. Era già qualcosa; qualcuno. Mentre Geeta faceva la doccia, Savitha tirò fuori il rettangolino di carta bianca e lo guardò. La signora si chiamava Katie, Katie e poi un'altra parola. E sotto il nome c'era una serie di lettere. Niente numero di telefono, ma un indirizzo: New York, New York. Ripetuto due volte. A est.

Qualche giorno dopo, Savitha vide una giovane donna dal volto gentile che usciva da uno degli appartamenti, e le mostrò la scritta. «Cosa, per favore» le disse.

La giovane donna la fissò, perplessa. «Come scusi?»

«Cosa questo?»

La giovane donna guardò. «È un indirizzo di posta elettronica.»

Adesso fu Savitha ad assumere un'aria perplessa.

«Lei ha un computer?»

Ah. Savitha annuì e la ringraziò.

Un computer.

Be', non ce l'aveva, un computer, e non poteva dirigersi a ovest; Mohan le aveva detto che da quella parte c'era solo l'oceano. E a nord, a sud? Cosa c'era a nord e a sud? Non ne aveva idea. A est, invece, lo sapeva. Sarebbe dovuta andare a est.

Cominciò a portare sempre con sé il sari non finito per Poornima. Ogni giorno. Mohan se ne accorse, una volta, in una giornata limpida e fredda di metà settembre. «Cos'è quello?» le domandò.

«Niente» gli rispose Savitha, infilandoselo in tasca. «È solo un pezzo di stoffa che qualcuno ha dimenticato in uno degli appartamenti».

Lui la guardò, si affrettò a rivestirsi e disse: «Devo andare. Vado a prenderla».

«Chi?»

«La ragazza con il labbro leporino».

Savitha annuì. Dopo che Mohan fu uscito per andare all'aeroporto, lei tirò fuori il sari non finito, lo piegò e lo ripiegò, lo lisciò con l'unica mano che le restava. Era diventata ancora più attenta. Lo stringeva tra le dita mentre dormiva, non lo perdeva mai di vista, nemmeno sotto la doccia. Ancora niente. Niente. Ma sapeva di dover agire presto.

Un giovedì pomeriggio, ormai verso la fine di settembre, Mohan venne di nuovo a prenderla. La riportò al parco, quello affacciato sulla distesa di luci simili a gemme e sulla striscia d'acqua, e poi le chiese quali appartamenti avesse pulito quel giorno e la condusse nell'alloggio di Phinney Ridge. A quel punto Savitha aveva memorizzato i nomi di alcune delle strade e riusciva a leggere qualche cartello, tipo Stop, Uscita e Strettoia. Strettoia: il suono di questa parola era quello che le piaceva di più. Aveva imparato anche i numeri, sapeva scrivere il proprio nome con le lettere dell'alfabeto inglese e aveva chiesto a Mohan la grafia corretta del suo, e poi gli aveva domandato come si scriveva Seattle. Non erano andati molto più in là di questo.

Adesso lo guardò, in cucina, mentre le preparava il caffè. Ripensò alla prima volta che l'aveva visto, e al modo in cui aveva fissato la sua ingessatura, sapendo che era fasulla, ma pur sempre con autentica sollecitudine e curiosità. A quando le aveva comprato le sue prime banane americane. A come l'aveva corteggiata, alla sua maniera. Da allora, sebbene sapesse così poco di lui – dato che le raccontava buona parte delle sue storie in inglese – era arrivata a intuire che in Mohan palpitava un essere fragile, una creatura solitaria e ferita, che batteva le ali contro un cuore solitario e ferito. E se avesse dovuto immaginare ciò che provava, avrebbe pensato che nemmeno lui aveva idea di cosa fare con lei, con quello che c'era tra loro. Ma anche questo era come doveva essere. Non c'erano soluzioni. Mohan era stato cresciuto per altre cose. Per altri fini. Per scopi che forse neppure lui capiva. E lei, invece? Lei conosceva lo scopo per cui era stata allevata, persino con una mano sola, lo conosceva bene: era stata allevata per il telaio, per la magia dei filati, per la magnificenza di produrre un tessuto, di avvolgerselo intorno al corpo come un amante.

E fu così che, quasi senza esitazione, allungò il braccio e sfilò il portafogli dalla tasca dei pantaloni di Mohan. Perché aspettare ancora? Conteneva poco più di cento dollari, centododici. Oltre seimila rupie! Le avrebbero certamente permesso di arrivare a New York. Dovevano bastarle.

Proprio mentre si ficcava in tasca il fascio di banconote, si accorse che tra i biglietti di banca c'era la fotografia che lui le aveva mostrato, quella di Spearfish Canyon. Rifletté solo un istante prima di strapparla in due e di rimettere nella tasca di Mohan la metà con l'immagine di Suresh. E nella propria, insieme ai soldi, quella che raffigurava Mohan.

Mohan la riaccompagnò a casa. Non si salutarono con un bacio, né quella volta, né nessun'altra prima di allora.

Doveva andarsene quella notte, quella notte stessa, prima che Mohan aprisse il portafogli, prima che il suo amore per lui la trattenesse.

Perciò lo fece. Scivolò fuori dall'appartamento – dopo essersi accertata che Geeta e Padma dormissero – e scese le scale con cautela. Avvicinandosi all'alloggio di Vasu, vide che dalla fessura sotto la porta filtravano solo tenebre. Nonostante questo, tremò nel passarci davanti; posò a terra il piede sinistro. Il destro. Uno scricchiolio.

Si accese la luce.

Savitha si fermò; trattenne il respiro. Un rumore di passi. Vai: vattene subito. Si precipitò giù per gli ultimi gradini. Aprì di schianto il portoncino d'ingresso.

Sapeva dov'era l'est. Lo sapeva. Iniziò a correre.

Poornima

1.

Non fu facile per Poornima ottenere l'incarico di accompagnare a Seattle la ragazza con il labbro leporino. In Telugu, la parola usata per quel ruolo significava "pastore". No, fu estremamente difficile. E richiese una pianificazione così meticolosa, una tale capacità di persuasione e una perspicacia talmente sottile che a volte Poornima rideva tra sé. Con lo sforzo che mi è costato, pensava, avrei potuto costruire una ferrovia attraverso un paese montuoso, o attrezzare una regione piena di corsi d'acqua di tutti i ponti necessari.

Per gran parte dei due anni che impiegò a conseguire quello scopo, le sembrò di perdere tempo, tempo prezioso, che lei contava in minuti e in secondi: eppure si rendeva conto di dover aspettare. In certi casi era l'attesa, aveva imparato, a consentire i maggiori progressi. Avrebbe trovato Savitha, questo lo sapeva, ma sapeva anche che ci sarebbe voluta una buona dose di pazienza per capire ciò che non sapeva. Di fatto, le uniche informazioni di cui fosse realmente a conoscenza si limitavano a questo: Savitha era stata venduta a un ricco americano, in una città chiamata Sattle. Non aveva idea di dove si trovasse quella città, né di come arrivarci, e nemmeno di cosa fosse necessario per andare in America.

Come si faceva a superare il confine di un paese?

All'inizio, dopo che Guru le ebbe rivelato la destinazione di Savitha, Poornima non fece nulla. Aspettò. Se avesse destato qualsiasi sospetto nella mente crudele di Guru, lasciandogli capire che conosceva Savitha o che intendeva cercarla, era sicura che lui avrebbe distrutto qualsiasi indizio utile e l'avrebbe allontanata subito dal bordello. Perciò restò in attesa per tre mesi buoni, lunghi e frustranti, e poi, con grande noncuranza, nella luce gialla di un languido mattino rovente in cui persino il ventilatore sembrava incespicare per la stanchezza, alzò gli occhi dai libri contabili e dalla calcolatrice e disse: «È uscito un nuovo film all'Alankar. L'ho visto ieri sera. C'era una folla di centinaia di persone. Una donna è stata gettata a terra».

Guru annuì appena. Stava masticando il betel e leggeva un giornale. «A un'altra hanno strappato il corpetto. Che animali».

Guru sollevò lo sguardo dal giornale. Rabbrividì impercettibilmente, come faceva ogni volta che vedeva la faccia di Poornima. Nessuno riusciva mai ad abituarcisi, lo aveva notato, nemmeno lei. Le ustioni erano guarite del tutto, ma la metà bruciata dall'olio appariva ancora di un rosa vivido e, nel contrasto con la sua carnagione bruna, sembrava un fiore imputridito. L'intero lato sinistro era deforme, scavato come una miniera, e rivelava qualcosa di troppo crudo, di troppo scoperto. Ma non era solo il colore intenso, circondato da un margine bianco che ricordava il contorno di un'isola, il centro costellato di crateri, scuro, come se fosse abitato da minuscoli animali; c'era un altro aspetto ancora più inquietante. Poornima pensava fosse il suo sorriso, che le distorceva il volto in modo grottesco: i bambini smettevano di giocare e la fissavano impauriti nel vederlo. Per questo aveva completamente smesso di sorridere. Ma il vero problema non era neanche quello.

Aveva un'origine del tutto diversa: nasceva da qualcosa che si trovava sotto la faccia. O piuttosto, che infuriava sotto la faccia. Una luce, un fuoco. Infuriava e bruciava. Persino dopo che sulla superficie della pelle l'olio bollente si era raffreddato, si era arreso, il fuoco interno aveva continuato a divampare più luminoso. Ed era questo l'aspetto davvero inquietante e sconveniente. Essere vittima di ustioni – provocate dall'olio, dall'acido, dalle dispute sulla dote, dalla crudeltà dei suoceri e così via – era una tragedia, ma in seguito ci si aspettava una reazione umile e afflitta, un atteggiamento femminile sofferente e misurato. In altre parole, ci si aspettava l'invisibilità. Ci si aspettava che la donna scomparisse. Poornima invece si rifiutava di scomparire, o meglio, non aveva mai neppure preso in considerazione quell'idea. Camminava per la strada, teneva la testa alta, non portava il mangalsutra, non aveva accompagnatori maschili, era tenace nei suoi propositi, regale nel suo contegno. E la cosa più significativa, quella più inquietante di ogni altra, era che tutto ciò, tutto quel fuoco, aveva cominciato a infuriare dopo l'aggressione con l'olio bollente.

Com'è ovvio, Guru non vedeva nulla di tutto questo. Vedeva solo la scottatura, e la faccia deforme, e fremeva per il disagio.

«Hanno girato le scene musicali in Svizzera» continuò Poornima. «In Svizzera! Sulla neve. Quella poveretta della protagonista, poco vestita com'era, costretta a cantare e ballare in mezzo alla neve, nel gelo».

«Come hai detto che s'intitola il film?» domandò Guru.

«Mi piacerebbe andarci, un giorno» osservò Poornima con un sospiro. «A te no?»

«In Svizzera? E perché? Abbiamo montagne in abbondanza anche qui. Ho saputo che ce ne sono alcune a nord di Delhi, ad appena due ore dalla città».

«Lo so. Lo so. Ma quelle della Svizzera sono diverse. Non credi?»

«No».

Poornima fece una pausa. «Come si fa ad arrivarci, in ogni caso?»

Guru tornò a concentrarsi sul giornale. «In Svizzera? Immagino ci voglia un visto e un biglietto aereo, come per andare da qualsiasi altra parte».

«Un visto?»

«Il permesso di uscire dal paese».

«E come lo si ottiene?»

«Be', tanto per cominciare bisogna avere il passaporto».

«Il passaporto? E cos'è?»

Guru abbassò il giornale, spiegazzandone le pagine, perché lei potesse guardarlo negli occhi, e poi disse: «Come se qualcuno fosse disposto a farti entrare nel suo paese con una faccia ridotta così».

«Solo per una visita. Solo per vedere le montagne».

Guru si lasciò sfuggire un profondo sospiro e poi le spiegò cos'era il passaporto, e le parlò del governo indiano, del visto e del consolato svizzero («Chissà dov'è» commentò. «Buona fortuna con la ricerca»), e poi della smisurata quantità di tempo e di documenti, fotografie e impronte digitali necessaria per tutto questo. «E ci vogliono soldi! Soprattutto soldi. Prima ancora di comprare il biglietto aereo, prima ancora di arrivare laggiù. E a quanto ho saputo, la Svizzera non è esattamente un paese a buon mercato» aggiunse infine.

Be', pensò Poornima, io non ho intenzione di andare in Svizzera.

Nonostante le tante difficoltà, non si scoraggiò. E come aveva detto Guru, cominciò col fare domanda per ottenere il passaporto.

I mesi passavano lenti. Poornima non ci badava. Faceva il proprio lavoro, si era affittata una camera a una certa distanza dal bordello, lungo il tragitto dell'autobus. A volte percorreva a piedi i cinque chilometri per arrivare a destinazione, e nelle giornate più calde, o più piovose, si concedeva il lusso di un risciò a motore. Mangiava cibi semplici, che cucinava su un fornellino a gas, comprava le verdure per la cena lungo la via del ritorno e faceva scorta di confezioni di latte che teneva nel frigorifero della padrona di casa. Usava solo l'olio strettamente necessario per friggere le verdure, mai una goccia di più. La domenica passeggiava per Vijayawada: guardava le vetrine o vagabondava verso la diga di Prakasam, oppure saliva fino al tempio di Kanaka Durga. Non entrava mai nel santuario. Un giorno fece una follia e accettò di spendere venti rupie per un giro in barca sul Krishna. Il barcaiolo era un giovanotto snello, neanche ventenne, con una pelle di bronzo ramato e la chioma più folta e nera che Poornima avesse mai visto. Era corso a raggiungerla mentre lei camminava lungo l'argine, dicendo: «Lo guardi. Gli dia solo un'occhiata. Non le piacerebbe navigarci sopra? Non ha esattamente l'aspetto che dovrebbe avere la vita?» Indicava il fiume: e il Krishna, con le sue acque scintillanti, il loro fulgore reso ancora più vivido dalle nubi che ne incupivano la superficie più a valle, brillava davvero come una gemma, come una promessa.

Poornima contrattò il prezzo, riducendo le trenta rupie iniziali a venti, e salì sulla barchetta sgangherata. «L'hai costruita tu?» domandò.

Il giovane rise. Le piaceva il suo sorriso. Le piaceva il fatto che la guardasse dritta in faccia senza trasalire.

La condusse al centro del fiume, dove a un tratto il Krishna divenne agitato. Poornima si aggrappò ai bordi della barca, mentre il ragazzo spingeva l'imbarcazione verso la riva con il lungo palo che usava al posto del remo. Adesso le nuvole correvano a monte, e Poornima guardò le vorticose masse grigie che s'infittivano sopra di loro, scontrandosi e ruggendo come leoni; disse al barcaiolo «Sbrigati», e il ragazzo si limitò a ridere e a replicare: «Ha paura?»

Sì, pensò lei, sì, ho paura.

Un'onda li scagliò per aria come se fossero stati una monetina e li fece atterrare sull'acqua con un tonfo, e poi cadde la prima goccia di pioggia. Grossa quanto una mela, sul braccio di Poornima. Per un attimo, per un brevissimo istante, non successe nient'altro, dopo di che il cielo, quasi si fosse stancato di giocare, di scherzare, si spalancò con una violenza così improvvisa e poderosa che Poornima si ritrovò sbattuta sul lato sottovento della barca. Si afferrò ai bordi, graffiandosi le mani. Adesso il ragazzo lottava contro le acque tumultuose. Il palo s'incurvava a tal punto per contrastare la corrente che Poornima temeva potesse spezzarsi in due. Vedeva i muscoli tesi e bagnati del giovane. Gli vedeva i capelli intorno alla faccia, come una foresta grondante di pioggia. E vedeva i vestiti di entrambi, completamente inzuppati. In quel momento pensò al padre, e per poco non scoppiò a ridere: dopo tutto, potrei davvero affogare nel Krishna, Nanna, gli disse. Solo con vent'anni di ritardo per te.

Alla fine il ragazzo riuscì ad allontanare la barca dal centro del fiume e a guidarla verso riva. La pioggia parve calare un po', anche se ormai non c'erano più distinzioni: la pelle di Poornima, il corso d'acqua, il temporale e il cielo erano ugualmente fradici. Appena raggiunsero una zona dove il fondo era abbastanza basso da permettere di vedere la sabbia, Poornima saltò giù. Aspettò che il ragazzo trascinasse l'imbarcazione sulla sponda e scoprì che la paura le aveva lasciato addosso un'euforia e una leggerezza mai provate prima: rivolse il viso al cielo. Alla pioggia, al resto dei suoi anni.

Diede venticinque rupie al giovane, che le restituì un sorriso ancora più largo, dal fascino impossibile, e poi s'incamminò per le strade bagnate, esultante: ma non mise mai più piede su una barca.

Arrivò il suo passaporto. Aveva portato i moduli in bianco da uno scrivano del posto, nei pressi del tribunale, e l'uomo li aveva compilati per lei. Poi le aveva detto che le servivano delle fotografie e le aveva indicato a quale ufficio consegnarle insieme alla richiesta. Poornima tornò al tribunale qualche mese dopo, stringendo in mano il documento, e passò in rassegna la folla degli scrivani in cerca di quello che l'aveva già aiutata. «E adesso» gli domandò «come faccio ad andare in America?»

Un visto, dunque. Ecco cosa le occorreva. Gliel'aveva spiegato lo scrivano, con molta più chiarezza di Guru, perciò Poornima tornò nel suo alloggio, profondamente immersa nei propri pensieri. Si preparò il riso e un semplice pappu, e mangiò il tutto con un po' di pomodori sottaceto, poi concluse il pasto con il riso allo yogurt, lavò i pochi piatti sporchi e si sedette davanti alla finestra. L'appartamentino al secondo piano in cui viveva si affacciava su un albero di peepal, e dietro l'albero un uomo aveva sistemato l'attrezzatura per stirare che usava per il suo lavoro. Veniva lì quasi ogni giorno: era magro, con il volto stanco e i capelli grigi; il suo ferro fumigava, pieno di rossi carboni ardenti, e lui immergeva le lunghe dita in una ciotola d'acqua e spruzzava il liquido sulle pieghe di camicie e pantaloni per renderle più nitide e sugli orli dei sari per lisciarli con cura. Di tanto in tanto Poornima l'aveva guardato, ma quella fu la prima volta che lo osservò con attenzione, che si accorse di quanto fosse concentrato, completamente assorto nel compito di stirare... cosa? Cos'era quello? Un vestito da bambina. Un abito da bambina che lo assorbiva profondamente. Poornima rimase a guardarlo ancora un poco, lo guardò mentre piegava l'abitino con estrema delicatezza e lo posava in cima alla pila degli indumenti già stirati. Quindi lo vide prendere il capo successivo. Una camicia da uomo. Poornima scrutò la strada. A una delle due estremità c'era una vacca, e dall'altra parte un cane randagio che mordicchiava un giornale unto gettato a terra; sul lato opposto, il wallah di un risciò faceva un sonnellino. Il vento fresco della sera stormiva tra le foglie del peepal, e da una delle case vicine saliva un odore di frittura, forse di pakora. Il cielo era giallo, spesso come ghee, mentre si rinfrescava nella sera e si avviava all'umore nero della notte, e Poornima alla fine dovette riconoscere l'ineluttabile: non aveva i soldi per il visto. Aveva usato tutto il denaro e i gioielli rubati dall'armadio di Namburu per pagare le spese del passaporto. Quanto le restava non sarebbe bastato nemmeno per un visto turistico, e in America non c'era nessuno che potesse garantire per lei. Rimaneva solo Guru. E sebbene questo la esasperasse, non vedeva altre opzioni: dipendeva da Guru molto più di quanto avesse immaginato e di quanto le piacesse, e ora aveva più che mai bisogno di lui.

Ovviamente non poteva dirgli che le occorreva il suo aiuto: Guru non gliel'avrebbe mai concesso. Doveva sfruttare l'unica cosa che a lui interessava e che lei non aveva: il denaro. La sua opportunità si presentò poche settimane dopo. Poornima stava controllando l'elenco delle uscite relative all'ultimo mese: una serie di spese di ordinaria amministrazione, tra cui quelle per un boiler nuovo destinato a uno dei bordelli e per la riparazione di un cancello arrugginito, oltre a pagamenti ufficiali, come il costo di una linea telefonica aggiuntiva, e non ufficiali, come la bustarella consegnata al responsabile dell'azienda telefonica per accelerare la pratica. In mezzo alle varie cifre, ne individuò una enorme, otto lakh di rupie per essere precisi, priva di giustificazioni. Niente nome del destinatario, né ragione sociale di qualche ditta, neppure un'iniziale. Poornima pensò a una mazzetta versata a un politico; soltanto questo poteva spiegare quella somma eccezionale e il fatto che fosse stata lasciata senza indicazioni e perciò non tracciabile. Quando incontrò Guru, gli domandò: «Gli otto lakh di rupie. Quelli del mese scorso. Sai per chi erano?»

Guru era venuto a controllare una nuova ragazza appena arrivata. La figlia di un agricoltore. Il padre si era tolto la vita e la madre aveva venduto la figlia per pagare i debiti. Poornima l'aveva vista di sfuggita, seduta da sola in una stanza, una ragazzina di poco più di dodici o tredici anni. Aveva la faccia rotonda, e portava un luccicante anellino al naso. Poornima immaginò che fosse stata la madre a darle quel piccolo gioiello, dicendole: «Conservalo per ricordarti di me, di tuo padre». Ma con ogni probabilità era soltanto un ornamento da quattro soldi, un gingillo pacchiano da carnevale comprato con poche rupie. Eppure lo scintillio era autentico, e nella stanza buia le faceva brillare la faccia come brace ardente.

Quando Poornima lo interpellò, Guru stava andando a vedere la nuova venuta. Si fermò sulla soglia, i denti e le labbra colorati di arancione dal betel, e disse: «Ah, quei soldi? Fottuti kuwaitiani. Mai disposti a scucire neanche un paisa per il pastore. Fanno pagare sempre me, quei ricchi bastardi».

«Il pastore? E chi sarebbe?»

«La persona che accompagna la ragazza».

Poornima lo guardò. «Quale ragazza?»

«Senti, non posso starmene qui tutto il giorno a chiacchierare con te. E poi non è necessario che tu lo sappia».

«Ma io devo far quadrare i conti. Devo conoscere le spese».

Guru lanciò un'occhiata verso la stanza dove l'aspettava la figlia dell'agricoltore e disse: «Te lo spiego dopo». Quando tornò, venti minuti dopo, aveva il volto disteso; sorrise e disse: «Di solito dividiamo i costi con l'acquirente, ma quelli non sono disposti a contribuire».

A quel punto Poornima era riuscita a venire a capo di buona parte della questione: una ragazza giovane, arrivata da qualche villaggio e comprata da uno straniero, non poteva certo viaggiare da sola. Aveva bisogno di un accompagnatore, una persona incaricata di consegnarla al destinatario. Ma chi erano questi cosiddetti pastori? «Sono gli intermediari a procurarceli» disse Guru. «Ci vuole qualcuno che parli inglese, ovvio. E che conosca gli aeroporti e tutto il resto».

«Tutto lì? Un tizio che sa l'inglese si becca otto lakh di rupie per due giorni di lavoro?»

Guru scosse la testa con aria disgustata. «È un furto bello e buono. Ma ciò che compri con quegli otto lakh non sono due giorni di lavoro, e neanche la conoscenza dell'inglese: ciò che compri è la discrezione. O una cattiva memoria, chiamiamola così».

Poornima scosse la testa insieme a lui. Ma i suoi pensieri erano da tutt'altra parte. L'inglese, stava pensando. L'inglese. Quella sera stessa prese l'autobus per andare nel quartiere di Governorpet e chiese informazioni. C'era una buona scuola d'inglese in Eluru Road, le dissero gli studenti universitari, e così Poornima salì su un altro autobus diretto a Divine Nagar. S'iscrisse a un corso di conversazione che iniziava la settimana successiva.

Pensò alle parole inglesi che conosceva, le stesse che sapevano tutti: *hello*, *goodbye*, *serial* e *cinema*. Sapeva anche *battery*, *blue*, *paste*, *auto*, *bus* e *train*. E *radio*. Non l'avrebbero aiutata molto. Conosceva inoltre la frase *penal code section*, imparata dalle scene dei film girate in tribunale. E le espressioni *please* e *thank you*, che forse potevano servirle.

La lezione si svolgeva tre volte la settimana, tra le sette e le nove di sera. Il primo giorno vennero spiegate molte delle parole che Poornima conosceva già e alcune che non sapeva, e gli studenti impararono frasi semplici tipo «Mi chiamo...», «Come stai?» e «Abito a Vijayawada». Un'ottima cosa, ma alla fine della prima settimana non era stato toccato neppure uno degli argomenti utili per viaggiare, per muoversi in un aeroporto o per cavarsela in un paese straniero, anche solo per un giorno o due. Poornima voleva sapere quando avrebbero imparato a chiedere informazioni, a leggere i cartelli degli aeroporti o a interagire con i funzionari del controllo passaporti di cui le aveva parlato lo scrivano. L'insegnante era una giovane donna appena sposata: Poornima l'aveva capito perché ogni sera si metteva tra i capelli una ghirlanda di gelsomini freschi e profumati, guardava l'orologio in continuazione e, man mano che le lancette si avvicinavano alle nove, arrossiva per quelle che potevano essere solo ansiosa attesa, allegria, gioia per la novità. Interpellata da Poornima, la donna la scrutò con aria curiosa, distogliendo gli occhi dalla cicatrice, e rispose: «Questo è un corso di conversazione. A lei occorre quello per uomini d'affari».

«Per uomini d'affari? Perché?»

«Perché sono loro a viaggiare».

Perciò Poornima si fece assegnare al corso per uomini d'affari. Oltre a lei, c'erano solo cinque uomini. L'insegnante era un signore di mezza età, forse sulla quarantina, con il naso prominente e una personalità eccitabile. Saltellava per la classe come una cavalletta, spiegando il significato di varie parole e attaccando discorso con gli allievi. Alla fine della quarta settimana, Poornima era euforica. Era in grado di sostenere il seguente dialogo:

«Come si chiama, signora?»

«Poornima».

«Di cosa si occupa?»

«Faccio contabile».

«Faccio la contabile» la correggeva l'insegnante.

«Sì, sì» riprendeva lei. «Faccio la contabile».

«Com'è andato il suo volo, signora?»

«Molto bene, signore».

«L'aereo partiva da Delhi o da Mumbai?»

«Ha partito da Delhi».

«È partito» precisava l'insegnante.

«Sì, sì, è partito» diceva Poornima sorridendo, radiosa, inconsapevole dei cinque compagni che la fissavano in viso inorriditi.

Il corso durò quattro mesi. Alla fine di quei quattro mesi, Poornima conosceva i nomi dei principali aeroporti (Heathrow, Francoforte, JFK) e le parole *gate*, *transit*, *business*, *pleasure*, *no*, *nothing to declare*, e molte altre espressioni legate al mondo degli affari, come «Abbiamo fatto trenta, facciamo trentuno» e «Sigliamo l'accordo» e «*Bon voyage*» (che non era nemmeno inglese!). Dopo le lezioni, tornava a casa a piedi o prendeva l'autobus, e rivolgeva la parola a tutto ciò che vedeva. Diceva: «Salve, uccellino. Sto imparando l'inglese». Oppure: «Albero, conosci l'inglese?» Una volta scorse un gatto che gironzolava in un vicolo vicino al suo alloggio e gli disse: «Gatto, mi sembri magro. Dovresti bere latte». L'ultimo giorno, l'insegnante consegnò a Poornima un dizionario tascabile Telugu-inglese perché era stata la studentessa migliore della classe. Glielo diede in presenza degli altri allievi, nessuno dei quali si era ancora abituato alle cicatrici che le segnavano la faccia, e lei unì le mani e nel suo inglese disse: «Grazie, signore. Con me, lo porterò America».

Dopo aver terminato il corso, a Poornima non restò altro da fare. Considerò l'idea di frequentarne un altro, un corso avanzato per uomini d'affari, ma le mancavano i soldi, perciò si limitò ad aspettare, risparmiando ogni mese buona parte dello stipendio e portando con sé dovunque andasse il dizionarietto Telugu-inglese come se fosse un amuleto, un portafortuna capace di condurla più in fretta da Savitha. Invece non le servì a molto. Dovette attendere sei mesi prima di vedere un nuovo pagamento consistente. Stavolta si trattava di cinque lakh di rupie. Niente nomi, niente indicazioni. Colse al volo l'opportunità. Domandò a Guru: «Un altro pastore?»

Lui gemette. «Mi rovineranno, con le loro pretese».

«Quanto ricavi dalle ragazze?»

«Questo non ti riguarda» ribatté Guru, fissandola dritto negli occhi per darle un avvertimento, per metterla in guardia. Il denaro veniva conservato da qualche altra parte, aveva notato Poornima, conteggiato in nero.

«Pensavo solo» continuò lei ignorando la sua espressione «che potrei andarci io. Ad accompagnare le ragazze. Tu dovresti pagare solamente il biglietto».

«Tu» disse lui, e scoppiò a ridere. «Con quella faccia? E senza sapere un'acca di inglese?»

«Ma io lo conosco, l'inglese».

«Cosa?»

«L'ho imparato a scuola. Al corso per diplomati. Insieme alla contabilità».

«Da dove hai detto che vieni?»

«Interrogami pure. Chiedimi quello che vuoi».

Guru non conosceva l'inglese abbastanza bene per chiederle quello che voleva, a parte «Come ti chiami?» e «Qual è la tua casta?», ma l'indomani portò in ufficio un quotidiano in inglese, il *Times of India*, e le disse: «Leggi questo». Poornima obbedì e gli spiegò che l'articolo parlava di due tribali del Jharkhand picchiati a morte perché erano cristiani. Guru la guardò, sbalordito. A quanto pareva, aveva già chiesto a qualcuno, un conoscente o un tizio all'edicola, di leggere il pezzo e di riferirgliene il contenuto. «Corso per diplomati, hai detto?»

Poornima annuì.

Guru era ancora scettico, finché Poornima non si mise a parlargli soltanto in inglese, una prova abbastanza convincente per lui, che non ne sapeva quasi nulla, tanto che infine si decise a dirle: «C'è questa ragazza. Va a Dubai. Ma tu dovrai procurarti il passaporto».

Poornima approfittò subito dell'occasione, nascondendogli il fatto che il passaporto ce l'aveva già.

Guru la avvertì. «È un sistema insolito» le spiegò. Poi si corresse: «In realtà è una cosa che non si fa mai». Inspirò a fondo. «Dovremmo tenere tutto separato. In modo che nessuno sappia nulla per l'intera durata dell'operazione. Ma ti manderò lo stesso ad accompagnare questa ragazza, e staremo a vedere». Masticò il betel che aveva in bocca. «Non rivolgerle la parola. Non risponderle. Non metterti a chiacchierare con lei, hai capito? Tu non la conosci. E soprattutto non conosci me. Chi sono io?»

«Chi?»

«Esatto». E poi aggiunse: «Io sono uno sconosciuto. La ragazza è una sconosciuta».

«Okay, ma chi è?»

«La figlia dell'agricoltore» rispose Guru.

2.

Partirono il mese successivo. La ragazza si chiamava Kumari e indossava un sari nuovo, un capo appariscente, giallo con il bordo verde. Poornima notò che quel mattino si era lavata e cosparsa d'olio i capelli, si era messa sul viso un velo di borotalco e portava ancora l'anellino al naso, che brillava contro la sua carnagione color ruggine. Sembrava una bambola, una di quelle che Poornima vedeva nelle vetrine dei negozi durante le sue passeggiate.

Dovevano farsi passare per sorelle, in viaggio per andare a trovare dei parenti, per quanto con le sue cicatrici fosse quasi impossibile capire l'età di Poornima. «Perché non ci ho pensato prima» esclamò Guru, felice della prospettiva di risparmiare i cinque o sei lakh che gli sarebbe toccato scucire per un altro pastore. «Sei perfetta. Perfetta. E così brutta che forse non riusciranno a guardarti abbastanza a lungo per farti tutte le loro domande».

Poornima ci sperava.

Poi Guru disse: «Lasciati sfuggire il mio nome, pronunciane solo la prima sillaba e ti uccido con le mie mani».

Poornima annuì.

Guru risparmiò anche il costo del biglietto ferroviario fino a Chennai, perché si limitò a mandare il suo autista ad accompagnare Kumari e Poornima alla stazione di Vijayawada. Naturalmente Poornima sapeva tutto ciò che c'è da sapere su quella stazione. Comprò a Kumari una tavoletta di cioccolata al chiosco di Higginbotham's, diede un'occhiata alla nicchia dietro l'espositore delle riviste e poi salì insieme alla ragazza su un treno notturno diretto a Hyderabad. Di lì presero un aereo per Mumbai. Il volo durava meno di due ore, ma era la prima volta per entrambe, e quando attraversarono una zona di turbolenza a metà del tragitto, Kumari, atterrita, verde come il bordo del suo sari, guardò Poornima e chiese: «Cadremo giù dal cielo?» Poornima le restituì lo sguardo, pensò agli ordini di Guru di non rivolgerle la parola e poi si disse: Cosa può succedere? E sebbene fosse terrorizzata anche lei, le rispose: «Certo che no. Gli aerei sono come gli uccelli. Non cadono mai dal cielo».

A Mumbai presero un altro volo di due ore per Dubai. Una volta superati i controlli doganali e quelli per l'immigrazione, con i passaporti timbrati senza quasi uno sguardo né una domanda, trovarono un uomo che le aspettava agli arrivi: un indiano dall'aria arcigna. Disse che c'era una macchina ad attenderle e portò Kumari con sé. Ma nell'attimo in cui la ragazza si girò, il sole le illuminò il viso, e brillò sull'anellino al naso, accendendolo di barbagli. E fu allora, con il minuscolo gioiello sfolgorante come un sole, che Kumari si voltò verso Poornima e disse: «Succede. A volte».

«Cosa?»

«Che gli uccelli cadano dal cielo».

Poornima la guardò allontanarsi, gli occhi caldi di lacrime. Ecco cosa può succedere, pensò.

Passò qualche giorno a Dubai, alloggiata in un ostello a buon mercato, in modo che gli addetti al controllo passaporti in India non si mettessero a fare domande. Quali domande, Poornima non ne aveva idea, ma Guru le aveva dato dei dirham dicendo: «Rimani là. E non parlare con nessuno». Nessuno le rivolse la parola, perciò fu facile, e tre mesi dopo essere tornata a Vijayawada, ripartì per accompagnare una seconda ragazza a Dubai. E due mesi dopo ne portò una terza a Singapore. Infine riuscì anche a risparmiare a sufficienza per iscriversi al corso avanzato di inglese per uomini d'affari. C'era un insegnante diverso, un altro uomo di mezza età che non le piaceva quanto il primo, ma Poornima apprezzò il fatto che stavolta ci fosse anche una donna a frequentare le lezioni, una tipa elegante che indossava gonne e jeans e che era già stata per affari in molti posti, tra cui l'Inghilterra e l'America. «Che genere di affari?» le chiese Poornima. «Computer» rispose la donna. Poornima non aveva mai visto un computer, né aveva mai sentito pronunciare quella parola, ma era troppo imbarazzata per farle altre domande.

Finalmente, intorno alla metà dell'anno, successe.

Quando Guru glielo disse, Poornima rimase ammutolita. Restò seduta con gli occhi spalancati. Fissò Guru, il corpo a un tratto senza peso, euforica, e ripensò alla sera della gita in barca.

«Mi hai sentito? Lo so che non è la Svizzera» continuò lui ridendo, «ma forse ti piacerà. Piace a tutti».

L'America. Seattle.

Laggiù avevano bisogno di una nuova ragazza. L'ultima che avevano comprato, le spiegò Guru, si era rivelata la più strenua lavoratrice che avessero mai visto. «E senti questa: la più strenua lavoratrice, e ha una sola mano» esclamò. Poornima annuì, ascoltandolo appena. Sarebbe andata in America. A Seattle.

«Savitha» sussurrò quella notte, nel buio della sua stanza. «Savitha, sto arrivando».

3.

I preparativi per quel viaggio furono assai più complessi dei precedenti. C'erano regole molto più severe, le spiegò Guru. La ragazza che Poornima avrebbe accompagnato, Madhavi, aveva il labbro leporino. Un altro visto per cure mediche, commentò Guru. Poi rise e disse: «Voi due potreste fare la pubblicità dei visti per cure mediche». Eppure, ci vollero mesi per mettere insieme tutti i documenti, attestarli e consegnarli a chi di dovere, e per andare avanti e indietro tra Vijayawada e il consolato americano a Chennai. All'inizio la richiesta per il visto di Poornima venne rifiutata e fu necessario presentare una nuova domanda per un visto turistico, la cui concessione, rimandata fino all'ultimo minuto, dopo che erano già stati acquistati i biglietti aerei, costrinse Guru a pagare un sovrapprezzo per il cambio di volo e a corrompere un funzionario del consolato: non la finiva più di brontolare, ma Poornima sapeva che l'operazione continuava a essere redditizia per lui, anche con tutte quelle spese.

In attesa dei visti, Poornima cominciò pian piano a vendere le proprie cose. Non aveva granché, solo una branda, il fornello e qualche piatto, oltre alla piccola valigia che si era comprata per metterci i vestiti. Dalla branda ricavò cento rupie e in seguito dormì sulla stuoia che c'era sotto. Provvisoriamente tenne il fornello, ma lo promise alla padrona di casa non appena fosse arrivato il momento della partenza. Gettò via la valigia, di una plastica leggera e piena di ammaccature, che aveva pagato sessanta rupie al Maidan Bazar, e ne comprò una nuova. «Fabbricata per l'estero» dichiarò l'uomo del negozio, prendendo a manate uno dei lati del bagaglio. Poornima la portò a casa, la riempì con i suoi pochi indumenti, ritirò tutti i soldi dalla banca – quelli che aveva risparmiato dopo le spese per il passaporto, mille dollari scarsi, una volta cambiati –, mise anche quelli nella valigia, in una tasca laterale segreta, e poi aspettò.

La mattina della partenza, ci fu un ultimo ritardo: Madhavi. Si rifiutava di uscire dalla sua stanza. All'interno non c'era la chiave, ma la ragazza aveva puntellato la porta infilando una scopa o un bastone sotto la maniglia, e respingeva qualsiasi richiesta di venir fuori o di lasciar entrare qualcuno. Guru pazientava, maledicendo il padre e la madre di Madhavi e l'intero parentado fino alla terza generazione, e quando Poornima gli chiese il permesso di parlarle, le rispose: «No. No, tu non devi parlare con lei. Il tuo unico compito è consegnarla ai destinatari». Di lì a cinque minuti, però, visto che la ragazza non aveva ancora aperto la porta, cedette. «E va bene. Prova a parlarle. Avvertila: altri cinque minuti e sfondiamo la porta». Fino a quel momento, Madhavi non aveva detto una parola né alla tenutaria del bordello né alle altre ragazze, ma quando Poornima si chinò verso la porta e la chiamò: «Madhavi, apri. Lasciami entrare. Non vuoi andare in America? Tutti vogliono andarci», si fece sentire.

Ci fu un sommesso calpestio, seguito da un gemito. E poi una vocina rispose: «Sì che ci voglio andare».

«E allora cosa c'è? Esci di lì».

«Ho paura».

Poornima indietreggiò di un passo. Certo che aveva paura. Non aveva idea di quello che la aspettava in America. «Non preoccuparti. Ci sarò io con te».

«Ma è proprio questo a farmi paura» ribatté lei.

«Questo cosa?»

«Lei».

«Io?»

«La sua faccia. Mi spaventa. Ho fatto un brutto sogno, da piccola, e ho visto una faccia identica alla sua».

Poornima rise forte. Poi rimase in silenzio. «Madhavi» disse, ma poi s'interruppe. Sentì qualcosa montare dentro di sé, una rabbia, un'amarezza, e sbottò: «Stupida!» Udì la ragazza che si allontanava dalla porta. «Stupida!» gridò di nuovo, e la udì piagnucolare. Come sei stupida, pensò furiosa. Come siamo stupide, tutte quante. Noi donne. Ad aver paura delle cose sbagliate nel momento sbagliato. Ad aver paura di una faccia ustionata, quando là fuori, là fuori ad aspettarci ci sono fiamme che non possiamo neanche immaginare. Uomini pronti ad avvicinare un fiammifero ai nostri occhi colmi di benzina. Fiamme, fiamme tutto intorno a noi, che lambiscono i nostri seni appena nati, il nostro corpo che ha appena sanguinato. E inferni. Inferni vasti come il mondo intero. In attesa di consumarci, di trasformarci in cenere. E il vento, anche il vento. Il vento, cara mia, pensò Poornima, che ci guarda bruciare, che alimenta l'incendio, che passa sopra di noi e attraverso di noi. Che ci disperde, perché siamo donne e perché siamo cenere.

E tu hai paura di me?

Andò dove Guru era rimasto ad aspettare e gli disse: «Sfondala». Quando lui la guardò sconcertato, aggiunse: «La porta. Sfondala».

Partirono in un pomeriggio di metà settembre. Da Chennai a Mumbai a Doha a Francoforte. A Francoforte trascorsero cinque ore in un'affollata sala transiti. Fino ad allora Madhavi aveva evitato Poornima il più possibile, rannicchiandosi nell'angolo del suo posto vicino al finestrino senza quasi parlare. In aereo aveva saltato i pasti, limitandosi a spilluzzicare il cibo. Quando Poornima l'aveva esortata a mangiare, le aveva risposto: «Non mi piace». A Francoforte, Poornima guardò la gente che andava e veniva. Viaggiatori giunti dai posti più diversi, che si affrettavano a tornare a casa o ad allontanarsene. La sala transiti non aveva finestre, ma Poornima alzò la faccia verso il soffitto e immaginò di sentire il profumo delle montagne svizzere:

erano così vicine. Poi si girò e si accorse che Madhavi fissava i pasticcini in mostra al caffè vicino al quale sedevano. «Aspetta qui» le disse, e andò a comprargliene uno.

La osservò mangiare.

Provò la stessa soddisfazione di una madre nel vedere come le brillavano gli occhi mentre allungava la mano per prendere il dolce, nel vederla spezzettare a poco a poco il pasticcino zuccherato per farlo durare di più e poi mordicchiarne i frammenti con un piacere così puro e bramoso che Poornima fu sul punto di afferrarle il capo e di stringerselo al petto.

Arrivarono al JFK nelle ore buie del mattino presto e, subito prima dell'atterraggio, Poornima si chinò su Madhavi addormentata e guardò giù. Vide una fitta distesa di stelle, e credette che l'aereo si fosse capovolto; come potevano esserci stelle sotto di loro, altrimenti? Poi però capì che non erano stelle, ma luci, e restò senza fiato, con un dolore a opprimerle il torace al pensiero che esistesse un paese così luminoso, così denso e abbacinante. Una volta a terra, peraltro, furono fatte incolonnare in una lunga fila per l'immigrazione, e quando Poornima si ritrovò davanti al funzionario, dimenticò tutto il suo inglese. Incespicò nelle risposte, a malapena in grado di comprendere l'accento dell'uomo. Si domandò se avesse imparato la giusta variante della lingua. Lui però non parve dare molto peso a quello che gli diceva. Era calvo, con le spalle più robuste che Poornima avesse mai visto, un volto severo e una pelle così bianca che lei riusciva a scorgere i puntolini rosa sul naso e i capillari blu e viola sulle guance. Aveva le labbra rosee e delicate di un neonato, e Poornima immaginò che potesse avere una voce dolce; invece le parlò con un timbro aspro e profondo e le chiese: «Quanto vi fermerete?»

«Tre settimane» disse Poornima.

«Dove siete dirette?»

Dirette? «Scusi, prego?»

«Dove andate?»

«A Seattle, signore».

La scrutò in volto, e Poornima non osò distogliere lo sguardo, ma a un tratto fu consapevole delle proprie cicatrici come non le era mai capitato in India. Il funzionario timbrò i passaporti e congedò lei e Madhavi con un cenno. L'incaricato della dogana era l'opposto di quello dell'immigrazione. Era talmente nero che riluceva. Poornima vedeva il bagliore delle lampade al neon riflettersi sul suo volto. Ma lui evitò di guardarla in faccia e le domandò: «Qualcosa da dichiarare?»

Questo Poornima lo capì. «No, niente da dichiarare» disse in tono trionfante.

Salirono su una navetta, e poi, mentre camminavano verso il gate successivo, spinte e assediate dagli altri passeggeri che le superavano con malgarbo, Poornima rallentò per studiare i numeri delle uscite. La folla, l'ambiente nuovo, le enormi superfici di vetro, l'intensità delle luci e dei rumori erano soverchianti, eppure, proprio mentre si avvicinavano al gate, Poornima si bloccò di colpo. Madhavi le finì addosso, e un tizio in giacca e cravatta incenerì entrambe con un'occhiataccia. «Che c'è?» disse Madhavi. «Cosa c'è?»

Ma Poornima non la udì. Stava guardando un espositore di vetro. Sopraffatta, annichilita dalla ciotola di frutta posata là sopra. Che conteneva anche una banana.

Rimase ferma a fissarla. Non riusciva a credere alla sua bellezza. Al perfetto giallo sole della buccia. Era la banana più grossa che avesse mai visto, e con una forma squisita. Arrotondata come un arco di cui lo sguardo di Poornima era la freccia.

Le parlò.

Guarda dove sono, le disse. Guarda quanto sono arrivata lontano. Eravamo a Indravalli un tempo. Ricordi? Eravamo così giovani, io e te. E le parole di un corvo sono state nostra madre e nostro padre. Guarda dove sono ora. Grazie a te. È grazie a te se sono arrivata così lontano. Se non ho perso la speranza. Porto questa ragazza da un macello a un altro, a causa di quella speranza. Perché mi ha reso spietata. Però non l'ho persa. Ricordi? Eravamo bambine, io e te. E guardati adesso, forte e inflessibile. Curva come un machete, puntato contro il mio cuore.

Sarebbe rimasta là per giorni, ma Madhavi la chiamò, e due ore dopo salirono a bordo dell'ultimo aereo, quello diretto a Seattle.

Atterrarono a Seattle a metà pomeriggio. Uscendo dall'aeroporto, Poornima trasse un respiro profondo e le parve che fosse il primo da giorni e giorni. E sebbene lei e Madhavi non avessero messo piede fuori dall'aeroporto di New York, lì sentì l'aria più fredda e più luminosa. C'era un'automobile ad aspettarle. Nera e lucida.

Ne scese un uomo che lanciò un'occhiata frettolosa a entrambe e poi sistemò le valigie nel bagagliaio aperto. Era bello, pensò Poornima, e sebbene fosse chiaramente indiano, non somigliava a nessuno degli uomini indiani che aveva conosciuto. Troppo muscoloso, troppo triste. Accanto alla sua statura e alla sua prestanza, immaginò Poornima, lei, con la sua faccia ustionata, e Madhavi, con il labbro leporino, dovevano sembrare attrazioni da circo o fenomeni da baraccone. E lui il loro guardiano.

Imboccarono una strada ampia, che le rammentò quella per uscire dall'aeroporto di Singapore, e Poornima capì, con un senso di risveglio, con un senso di libertà, che era l'ultima, quella che l'avrebbe condotta da Savitha.

4.

«Come ti chiami?» chiese l'uomo a Poornima in Telugu, rompendo il silenzio. In realtà non c'era silenzio. Poornima si rese conto in quel momento che l'autoradio trasmetteva una musica, una musica senza parole. Avrebbe potuto essere un ronzio, trasportato dal vento.

«Poornima» gli rispose. «E lei è Madhavi».

Lui annuì, o così parve a Poornima, o forse stava solo chinando il capo per quella terribile tristezza che sembrava aleggiargli negli occhi, intorno al collo.

«E tu?»

L'uomo allungò la mano verso la radio per alzare il volume della musica, e Poornima vide in quella mano una tale forza, una tale integrità che fu sul punto di afferrarla. Di stringerla nella propria. E lui sembrò accorgersene, perché la guardò, e lei notò sulla sua faccia la bellezza e la decadenza delle grandi rovine. Poi lui disse: «Mi chiamo Mohan».

Poornima capì immediatamente due cose su Mohan. Innanzitutto che era un alcolizzato. Ne mostrava tutti i segni: gli occhi cerchiati di rosso, l'angoscia a malapena sommersa, subito sotto la pelle, le mani che si agitavano oppure penzolavano flosce e inutili, prive di scopo senza una bottiglia da impugnare, la pelle grigia, lo sguardo grigio, la grigia attesa celestiale: della bevuta successiva, del successivo tintinnio della bottiglia contro il bicchiere, della successiva eterea ascesa. La seconda cosa che Poornima comprese fu che aveva il cuore spezzato.

E queste due cose, capì anche, sarebbero state le sue armi più efficaci.

Si rese conto inoltre che in quel paese nuovo doveva scegliere qualcuno di cui fidarsi, e Guru aveva menzionato solo tre persone, in termini piuttosto vaghi. La prima era Gopalraju, il patriarca, ma Poornima dubitava che l'uomo al comando di quella vasta rete di appartamenti, denaro e ragazze l'avrebbe in alcun modo guidata verso Savitha. Con ogni probabilità avrebbe fatto esattamente il contrario. Una volta aveva anche sentito parlare di un secondo figlio. Ma chi era? Come si chiamava? Le sarebbe stato utile? Impossibile saperlo.

Perciò scelse Mohan. Non si rivolsero più la parola durante il tragitto dall'aeroporto; lui la condusse davanti a un motel, portò la sua valigia di fronte alla portiera della macchina e disse: «Starai qui finché ripartirà il volo di ritorno».

Poornima rimase seduta in automobile. «Che strana città» osservò, guardando fuori attraverso il parabrezza. «Dall'aereo, le sue isole sembravano foglie di banano a galla sull'acqua, in attesa del riso».

Mohan la fissò con impazienza. «Andiamo?»

Poornima spostò lo sguardo su di lui e scosse la testa.

«Non ripartirai oggi, vero?»

«No, il mio volo è fra tre settimane».

«Tre settimane» ripeté lui, passandosi le mani tra i capelli. «Di solito i pastori se ne vanno nel giro di un giorno o due».

Lei gli guardò le mani, guardò la sofferenza che stringevano con la stessa fermezza e sicurezza con cui avrebbero stretto un bicchiere, un'amante. «Si sono messi a fare più domande del solito. Al controllo passaporti» disse.

«All'uscita dall'India?»

«Anche all'ingresso negli Stati Uniti» mentì lei. «Ma ho mille dollari. Bastano per questo posto?»

Mohan sospirò rumorosamente, marciò verso il bagagliaio, ci ributtò dentro la valigia e si lasciò cadere al posto di guida. Guardò Madhavi nello specchietto retrovisore – Poornima l'aveva a malapena sentita respirare da quando erano salite in automobile – e poi guardò Poornima. Lei non riuscì bene a decifrare la sua espressione: manifestava una certa curiosità, forse, ma anche un vago atteggiamento protettivo, pensò, magari per via della sua faccia e del collo pieni di cicatrici. Inclinò impercettibilmente il capo a sinistra, per rivelare il centro della bruciatura. Mohan continuò a scrutarla in viso per un po', ma senza mostrare affatto la compassione che Poornima si sarebbe aspettata. Senza mostrare neppure disgusto, un'altra reazione a cui si era abituata.

«Ti terrò d'occhio. Ogni giorno per le prossime tre settimane. Non credere che non lo farò» disse Mohan, e riprese a guidare verso un piccolo monolocale in una zona diversa della città, un quartiere più residenziale, con sprazzi d'acqua blu scuro a baluginare tra alcuni degli edifici. Mohan e Poornima presero l'ascensore per raggiungere un appartamentino pieno di luce, anche se le nubi si stavano ammassando a ovest, la direzione verso la quale davano le finestre; la stanza aveva il pavimento di legno e immacolati armadietti bianchi. Poornima si guardò intorno e disse: «Qui? Sì, possiamo stare qui», benché sapesse che non avrebbero mai permesso a Madhavi di rimanere con lei.

«La ragazza viene con me».

«Dove alloggerà?»

«È la prima volta che fai il pastore, eh?»

Poornima avrebbe voluto sorridere, ma conscia della grottesca deformazione innescata dai suoi sorrisi, si limitò ad annuire.

«Avrai bisogno di cibo» osservò Mohan, dando un'occhiata all'appartamento vuoto. «Ti procurerò una coperta, qualche piatto».

«Riso e sottaceti andranno bene».

«C'è un negozietto a due isolati da qui. Non allontanarti oltre. Nel negozio potrai comprare il riso. Non i sottaceti. Per trovarli bisogna andare in una drogheria indiana». Parve riflettere su quella frase, con Poornima che voleva chiedergli dov'era la drogheria indiana, pur essendo sicura che lui non gliel'avrebbe detto; le ustioni sulla faccia la rendevano troppo appariscente per lasciarle frequentare una bottega dov'era probabile che la comunità indiana si ritrovasse a spettegolare. Chi è? avrebbero domandato i clienti, e poi si sarebbero guardati intorno in cerca di una risposta. «Sai l'inglese?» le chiese Mohan dopo un momento.

«Sì» rispose lei orgogliosa, alzando la testa. «So parlare inglese».

Lui non sembrò molto impressionato e le disse in quella lingua: «Stasera ti porterò i sottaceti».

A sorprendere Poornima fu l'assenza della neve. Era metà settembre e lei si trovava a Seattle, eppure non ce n'era nessuna traccia. Nel corso degli anni aveva sentito un'infinità di discorsi su quanto facesse freddo in America, sulla neve alta fino alla vita e sulle macchine che circolavano lo stesso, slittando e sbandando sulla neve e sul ghiaccio. Dovette ammettere di essere un po' delusa. Non solo non c'era neve, ma faceva addirittura caldo. Non caldo come a Indravalli o a Vijayawada, certo, ma dovevano esserci più di trenta gradi, pensò, aprendo le due finestre del monolocale. Si sventolò e si tolse le spesse calze marroni da uomo che aveva comprato a Vijayawada appositamente per il viaggio, per non trovarsi impreparata in un paese dal clima rigido.

Quando tornò dalla spesa – con un pacchettino di riso, un po' di verdura, sale, peperoncino, un barattolo di yogurt e poca frutta, oltre a una saponetta e un minuscolo flacone di shampoo – si stupì anche del fatto che il paese fosse così vuoto. Lungo i due isolati per arrivare al negozio, aveva visto qualche macchina di passaggio e un aereo che attraversava il cielo, e aveva sentito dei clacson in lontananza, ma per le strade non c'era nessuno. Nemmeno un'anima. Dov'erano le persone? Ci vive qualcuno, in questo quartiere? si domandò. Andavano tutti in centro a lavorare, a scuola o a fare compere? E i bambini? Aveva superato un piccolo parco, deserto anche quello. La spaventavano un po' il silenzio, il vuoto, la solitudine delle vie, dei marciapiedi e delle case, che se ne stavano là abbandonati, costruiti per gente che non ci passava né ci si fermava mai. Soltanto la sera, mentre aspettava Mohan, vide accendersi alcune luci negli edifici vicini, e di quando in quando scorse una figura passare davanti a una finestra; fu lì lì per gridare di gioia nel vederla.

In ogni caso, aveva trascorso quell'intero primo pomeriggio a trattenersi. Aveva stretto i pugni per impedirsi di uscire di slancio dalla porta e correre su e giù per le strade in cerca di Savitha. Gridando il suo nome. Ma a cosa sarebbe servito? A niente. Doveva agire in modo sistematico, e per questo aveva bisogno di Mohan.

Lui tornò quella sera con un sacco a pelo (di cui dovette mostrarle l'uso), un cuscino e una borsa che conteneva una pentola, una padella, qualche utensile da cucina e alcuni piatti e bicchieri di plastica. Poornima li guardò, impilati sul bancone dell'angolo cottura e domandò: «Come sta la ragazza, Madhavi?»

Mohan la scrutò severamente. «Perché?»

«Ho attraversato mezzo mondo insieme a lei».

«Non hai più niente a che vedere con quella ragazza» le rispose. «Lasciala perdere». Si girò e si diresse alla porta. Quando ci fu arrivato, Poornima costrinse la propria voce ad affievolirsi e a spezzarsi, e ricominciò a parlare: «Qualcuno le ama, sai. Tu credi che non siano amate, perché sono povere, o perché sono state vendute, o perché hanno il labbro leporino, ma qualcuno ama quelle ragazze. Qualcuno ne sente la mancanza. Capisci? Sono amate. Tu non puoi conoscere quel genere d'amore».

Lui le lanciò un'occhiata torva, con un'espressione che a lei parve omicida, e Poornima sbiancò, zittendosi, ma poi lo sguardo di Mohan sembrò spegnersi in qualche modo mentre le diceva con voce turbata: «Sta bene».

«Allora mostrami dove vive. Cosa può esserci di male? Portami là adesso, con il buio. Non sarà così lontano, no? Voglio solo vedere».

Poornima trattenne il respiro. Pensò che Mohan avrebbe rifiutato; invece la fissò, a lungo. «Solo per questa volta. Una volta soltanto. Poi non riparlarne mai più».

Poornima non lo credeva possibile, ma le strade erano ancora più silenziose che durante il giorno. Abbassò il finestrino per vederne meglio i nomi, ma non riuscì a individuarne nemmeno uno nell'oscurità, e dove c'era luce Mohan passava così veloce da impedirle di leggerli. I pochi che poté scorgere, con il suo inglese limitato, le parvero solo un'accozzaglia di lettere. Perciò si concentrò sulle svolte, sul numero delle vie tra l'una e l'altra, sulla pendenza di ciascuna strada, sull'aspetto delle case e l'ampiezza degli alberi. Memorizzò persino i vasi fioriti ai margini delle verande.

Infine, al termine di un tragitto di una decina di minuti, arrivarono in una lunga strada stretta fiancheggiata da quelli che sembravano modesti condomini. Mohan si fermò a metà della via, dopo undici edifici, accostò a sinistra, indicò una finestra al secondo piano e disse: «Là. Vedi? C'è la luce accesa. Sta bene». Nei pochi attimi prima che ripartisse a razzo, Poornima cercò di memorizzare tutte le caratteristiche che riuscì a registrare di quella costruzione immersa nel buio: la logora pensilina marrone sopra il portoncino d'ingresso, le finestre illuminate, sei per piano, ciascuna schermata da una tenda da quattro soldi, un albero dalle larghe foglie verde scuro all'angolo dell'edificio, con uno dei rami che si protendeva verso la finestra indicata da Mohan – quella di Savitha, forse – un ramo contorto, che pareva voler penetrare all'interno. Avrebbe avuto lo stesso aspetto di giorno, o era un effetto della luce artificiale? Le occorrevano altri punti di riferimento. Cercò una stella, una qualsiasi, ma il cielo era completamente imbrattato di nubi. Erano fermi a un semaforo in fondo alla strada.

«Qui le stelle sono le stesse che si vedono in India?»

«Più o meno» rispose Mohan.

«Perciò la stella polare» riprese lei con voce rilassata, come se fosse solo vagamente curiosa e cercasse di fare conversazione «è alle nostre spalle?»

«No, si trova laggiù» spiegò lui, puntando davanti a sé.

Ah, fece lei, nel tono più noncurante che poté, e sorrise nel buio.

Quella notte Poornima cercò di dormire. Disse a se stessa: Non puoi uscire nelle tenebre, in una città sconosciuta, in un paese che non è neppure il tuo, in cui sei arrivata appena dieci ore fa, per andare in cerca di un preciso edificio e di una precisa persona all'interno di quell'edificio. Perciò si sforzò di dormire. Invano. Aveva il jet lag, e la differenza di fuso orario tra l'India e Seattle era di dodici ore e mezza, per cui di fatto la notte era giorno e il giorno notte, anche se Poornima non sapeva nulla di tutto questo. Si limitava a girarsi e rigirarsi nel sacco a pelo, spostandolo un poco sul liscio pavimento di legno. Verso le tre o le quattro del mattino iniziò a sonnecchiare, ma si svegliò di soprassalto. Fu raggelata da un brivido improvviso. E se Savitha fosse già stata venduta a qualche altra banda? In un'altra città? E se la pista che stava seguendo fosse arrivata a un punto morto? Se quella fosse stata la fine, e lei avesse perduto le tracce di Savitha per sempre?

Prese a respirare a un ritmo affannoso; si alzò e bevve un bicchiere d'acqua. Andò alla finestra. Pioveva; le gocce scendevano pigre lungo il vetro. E in quel momento, guardando la pioggia nel buio, le tornò in mente un episodio accaduto molto tempo prima, pochi mesi dopo aver conosciuto Savitha.

Era la stagione dei monsoni. Lei e Savitha erano andate al mercato. Essendo domenica, buona parte dei negozi erano chiusi, ma quello del tabacco era aperto. Il padre di Poornima aveva arrotolato la sua ultima foglia la sera precedente, e così, mentre si preparava a coricarsi per il sonnellino pomeridiano, le aveva chiesto di andare al mercato a comprargli due rupie di tabacco. Savitha era arrivata proprio mentre lei stava per uscire; nessuna delle due, naturalmente, portava le scarpe: Savitha perché non ne possedeva, e Poornima perché i suoi sandali sottili (ereditati dalla madre) sarebbero stati assolutamente inutili in caso di pioggia, finendo per rimanere invischiati, se non addirittura per strapparsi, nella fanghiglia melmosa. Ciò nonostante, se l'erano presa comoda camminando per il mercato: benché il cielo fosse coperto, non pioveva. Non ancora.

Poornima ricordò che si erano fermate a sbirciare la vetrina del negozio di braccialetti, con le sue file e file di cerchi di vetro variopinto, i cui colori si adattavano a sari di ogni sfumatura. «Te lo immagini» aveva detto Poornima senza fiato «averne abbastanza per poterli intonare con qualunque sari?» Savitha si era limitata a ridere, e aveva guidato l'amica oltre la bottega del paan, oltre la drogheria e il negozio di granaglie, tutti chiusi.

Arrivate al mercato, i venditori le avevano guardate con gli occhi insonnoliti. Se ne stavano accovacciati per terra, con un telo di plastica sporca a portata di mano casomai si fosse messo a piovere, per coprirsi la testa e riparare peperoni, zucche e coriandolo. Sapevano che Savitha e Poornima non avevano soldi da spendere: i venditori capiscono sempre certe cose. A una svolta, mentre seguivano un carro trainato da buoi, carico di prodotti invenduti da riportare alla fattoria, una piccola melanzana di quelle tonde era caduta a terra. Savitha aveva strillato di gioia ed era corsa a raccoglierla. «Guarda, Poori! Che fortuna».

Già, aveva pensato lei, che fortuna.

Erano quasi arrivate a casa quando aveva cominciato a piovere. Poornima pensava fosse meglio mettersi a correre, ma Savitha le aveva indicato un albero di sandalo poco lontano. «No» le aveva detto, «aspettiamo là sotto». Perciò si erano rannicchiate insieme al riparo dei rami, a guardare l'acquazzone. Era un piovasco, e Poornima sapeva che sarebbe finito presto, eppure aveva sperato che durasse per il resto dei suoi giorni come un tempo aveva sperato che una manciata di anacardi e un po' di frutta potessero salvare la madre dal cancro, dalla morte. Perché? Non avrebbe saputo dirlo. Non aveva senso. Tuttavia lo aveva pensato. Persino mentre entrambe rabbrividivano di freddo. Persino con l'acqua che grondava dagli abiti e dai capelli di tutte e due. Persino con il padre che la aspettava e si sarebbe infuriato, Poornima ne era certa, non appena avesse visto il tabacco bagnato.

A un certo punto una folata di vento aveva fatto tremare le fronde dell'albero, e grosse gocce gelide erano precipitate sul collo e sulla schiena di Poornima e Savitha. A solleticare la loro pelle. Quanto avevano riso.

La pioggia si era messa a cadere più violenta. A scendere in scrosci incessanti. Savitha aveva allungato un braccio per attirare Poornima in una zona più riparata. Per proteggerla dalla pioggia. E Poornima, rabbrividendo, si era sentita davvero protetta, davvero al sicuro.

Ma adesso, in piedi davanti alla finestra di un appartamento vuoto a Seattle, con un bicchiere vuoto in mano, Poornima scoppiò a ridere in tono beffardo, le labbra tremanti, gli occhi bagnati di lacrime cocenti, e pensò: Che sciocche. Che sciocche eravamo, che sciocca eri tu, si stizzì, a credere di potermi proteggere dalla pioggia. Da una cosa come la pioggia. Come se la pioggia fosse un pugnale, una battaglia. E tu il mio scudo. Quanto eri sciocca, quanto sei stupida, pensò Poornima, quasi piangendo dalla rabbia. In preda alla collera per l'ignoranza di Savitha, per la sua innocenza esasperante. Finire in quel posto, passata come una beedie da un uomo all'altro. Non lo capisci? Non siamo mai state al sicuro. Né dalla pioggia, né da qualsiasi altro pericolo. E tu, inveì Poornima, non hai trovato di meglio che rifugiarti sotto quell'albero indifferente. Come se contro la pioggia, contro mio padre, contro tutto il resto, ci bastasse stare più vicine. Rimanere insieme. Come se contro la pioggia, contro il destino, contro la guerra, due corpi – i corpi di due ragazze – fossero più forti di uno solo.

«Sciocca» gridò nel buio, e si precipitò fuori dall'appartamento nel pieno della notte.

5.

Impiegò più di cinque ore a ritrovare l'edificio che le aveva mostrato Mohan. Era fradicia. Aveva lasciato il monolocale poco prima di un'alba torbida, e adesso erano quasi le undici. Aveva smesso di piovere, ma Poornima era ancora fredda e bagnata, con i vestiti zuppi; si piazzò sulla soglia del portoncino e aspettò. Ovviamente sapeva che Mohan sarebbe passato a controllarla: la sua unica strategia per giustificarsi consisteva nel battere le ciglia dichiarandosi innocente. «Oh» pensava di dire in tono timido, «non credevo di dover rimanere chiusa qua dentro. In fin dei conti, è la prima volta che faccio il pastore».

Tra le undici e le dodici uscirono solo due persone dall'edificio, e nessuna delle due era indiana. Appena la prima varcò la soglia, Poornima scivolò all'interno superando la porta a vento e valutò l'idea di bussare a tutti gli appartamenti, ma quando sgattaiolò fino in cima alla prima rampa di scale, sbirciò al di là dell'angolo e vide un vecchio indiano seduto in una stanza squallida, la seggiola girata verso la porta semiaperta. Apparentemente, l'uomo era assorto a guardare la televisione, ma Poornima la sapeva lunga: in realtà stava sorvegliando le scale. Abbandonò il progetto e tornò fuori. Un'ora dopo, un tizio parcheggiò un furgoncino di fronte all'edificio e si avvicinò al portone con un pacco in mano. Premette uno dei pulsanti e disse: «Ho un pacco da consegnare» rivolgendosi alla parete, dopo di che la porta si mise a ronzare e lui entrò.

Poornima provò a fare lo stesso. Evitò il pulsante con la scritta 1B, quella che aveva visto sulla porta del vecchio indiano, ma premette gli altri. La maggior parte degli inquilini non rispose o non era in casa. Rispose solo una persona, e Poornima, nel suo inglese dal forte accento, domandò: «Lei è indiano, per favore?» All'altro capo ci fu un attimo di silenzio, e poi una voce di donna disse: «Che vuol dire? Ho appena ricevuto un pacco».

Poornima si rimise a sedere sulla soglia.

Aspettò fino alle cinque del pomeriggio, dopo di che riprese il tragitto a piedi verso casa, un tragitto che sarebbe durato almeno un'ora, reso ancora più lungo dal fatto che si perse due volte. Rientrata nell'appartamento, si fece una doccia e cucinò il riso, e quando sentì bussare capì che era Mohan, venuto a controllarla. Si trattenne cinque minuti appena, scrutò la stanza, la faccia di Poornima e poi se ne andò.

L'indomani Poornima si organizzò meglio: portò con sé una porzione di riso per il pranzo e arrivò all'edificio alle sette del mattino. Ripeté gli stessi andirivieni per tre giorni, e infine, il quarto, si rese conto che probabilmente si fermava là ad aspettare nelle ore sbagliate e partì a metà pomeriggio per rimanere fino a tarda sera. Sapeva con certezza che Mohan non l'avrebbe trovata a casa, e immaginò che forse il pretesto dell'ignoranza non sarebbe bastato; decise di comprare qualcosa sulla via del ritorno, qualcosa di cui aveva un estremo bisogno, per giustificare la propria assenza. Sperò che lo stratagemma potesse funzionare.

Un'automobile rallentò e si arrestò davanti all'edificio. Poornima sgattaiolò nell'ombra, ritraendosi dalla luce dei lampioni e da quella che filtrava dalle finestre, e restò in attesa. Non riuscì a vedere chi fosse alla guida, ma una persona scese dalla macchina e, mentre si dirigeva verso il portoncino, Poornima riconobbe Madhavi. La ragazza camminava adagio lungo il vialetto, in qualche modo più curva dell'ultima volta che l'aveva vista. Poornima aspettò che l'automobile si allontanasse e, quando rivelò la propria presenza, fingendosi sollecita e felice, notò che Madhavi aveva la faccia più grigia, più stanca sotto la luce giallastra della lampadina che penzolava sopra l'ingresso, o forse per via della lunga giornata di pulizie. Accorgendosi di Poornima, Madhavi sbarrò gli occhi. «Akka! Che ci fa qui?»

Sorella maggiore. Non l'aveva mai chiamata così prima. «Come stai? Ti trattano bene? Hai abbastanza da mangiare?»

Madhavi si strinse nelle spalle. «Perché è venuta qui?»

«Andiamo» disse Poornima, sperando che ci fosse un ingresso posteriore. «Entriamo a fare due chiacchiere. A bere un tè».

Madhavi si rabbuiò in viso. Parlò con il panico nella voce. «No. No, non è possibile. Nessuno può entrare. Ce l'hanno proibito».

Poornima si sforzò di guardarla con bontà. Arrivò quasi a sorridere. «Sono io, dopo tutto. È stato Mohan a mostrarmi dove vivi, perché potessi venire a trovarti».

«Davvero?»

«Non te l'ha detto? Ad ogni modo, come te la passi? Abiti insieme ad altre ragazze? Sono gentili con te?»

Madhavi fece spallucce. «Abbastanza».

«Sono Telugu? Come si chiamano?»

Madhavi si guardò intorno e lanciò un'occhiata alle proprie spalle. «Non devo parlarne con nessuno».

«Ti comporti come se fossi un'estranea» disse Poornima in tono allegro. Passò un'automobile, ed entrambe guardarono i fanalini di coda rossi che scomparivano in fondo alla strada. Quel rosso bruciò nel campo visivo di Poornima, che sentiva Madhavi tremare accanto a sé. «Una di loro si chiama Savitha?» le domandò.

«No».

Poornima la scrutò in faccia. «Ne sei sicura?»

«Ho freddo, Akka. Ho tanto freddo. Voglio entrare.»

Poornima la prese per un braccio. «Io non sono un'estranea. Lo sai, vero? Forse sono l'unica qui a non essere un'estranea per te.»

Madhavi annuì e si rifugiò all'interno.

Rientrando a casa, dopo essersi fermata al negozio all'angolo, Poornima trovò Mohan che la aspettava. Stava preparando il caffè. «Dov'eri?»

«Caffè? A quest'ora?»

«Dov'eri?»

«Da quanto tempo sei qui?» gli domandò lei.

«Dov'eri andata? A quest'ora?»

«Mi servivano questi» rispose Poornima, mostrandogli un pacchetto di assorbenti.

«Non ci vuole un'ora per arrivare a due isolati da qua».

«Mi sono fermata a riposare un po' al parco giochi. Avevo i crampi». Sorrise con aria imbarazzata, inclinando la faccia quel tanto che bastava.

«D'ora in poi non uscirai più» disse Mohan, versando il caffè in una strana tazza di metallo con il coperchio. «Da questo momento sarò io a procurarti ciò che ti occorre». Le chiese le chiavi – quelle del portone e quelle del monolocale – e se le infilò in tasca. Poi indicò il bricco sul fornello. «Ne è rimasto un po', se ti va».

Ce n'era abbastanza per una tazza di caffè quasi piena, ma dopo che Mohan se ne fu andato, Poornima notò che aveva lasciato lì anche il soprabito. Quando lo sollevò, cadde un libretto. Poornima frugò nelle altre tasche e trovò solo qualche moneta e alcune ricevute. Riprese in mano il libretto. Era strano, diverso da qualsiasi altro avesse mai visto. In confronto ai registri contabili larghi e piatti a cui era abituata, quello era minuscolo, poco più grande della sua mano. Nell'aprirlo, scoprì che nessuna delle righe arrivava al margine della pagina; si fermavano tutte prima, e ciascuna aveva una lunghezza diversa. Che strano, pensò. Che fosse la Gita? No: c'era un autore e un titolo in inglese. Il libriccino era logoro, chiaramente letto molte volte, e una pagina in particolare appariva più consumata, sciupata e stropicciata delle altre.

Poornima lo aprì a quel punto e cominciò a leggere.

L'indomani mattina, dopo una lunga notte di sonno, nonostante avesse bevuto il caffè, valutò le proprie opzioni. Non aveva scoperto molto durante il suo soggiorno a Seattle, ma un fatto l'aveva accertato: Savitha non abitava nello stesso appartamento di Madhavi. Madhavi aveva paura, questo era indubbio, però non le aveva mentito. Perciò dov'era Savitha? Ragionò su quella domanda; ci ragionava da anni. Aveva compreso anche qualcosa sul conto di Mohan: l'aveva convinto a mostrarle dove viveva Madhavi, d'accordo, eppure sapeva, con la stessa sicurezza con cui sapeva che Savitha si trovava lì, che non l'avrebbe mai convinto – per quante bugie gli avesse raccontato, per quanto patetica potesse apparirgli – a rivelarle dove abitava una qualsiasi delle altre ragazze.

E c'era un'altra cosa che aveva imparato su di lui: gli piaceva la poesia.

Rilesse alcune volte la lirica che iniziava sulla pagina più spiegazzata del libro, dal titolo *Il canto d'amore di J. Alfred Prufrock*, e arrivò alla conclusione che la detestava. O almeno detestava ciò che era riuscita a capirne. Le prime righe non sembravano nemmeno in inglese, anche se i caratteri erano gli stessi. E sebbene non avesse idea di chi fossero Michelangelo, Lazzaro e Amleto, colui che aveva scritto quei versi – presumibilmente l'uomo dal nome impronunciabile citato nel titolo – le sembrò un debole. Un completo smidollato. Perché si era messo a scrivere la poesia? Perché prendersi tanto disturbo? Perché non farsi semplicemente avanti e formulare la sua richiesta, qualunque fosse? In tal caso nessuno sarebbe dovuto annegare alla fine. Nonostante ciò, studiò il componimento con grande interesse, chiedendosi cosa ci vedesse Mohan.

Quella sera, quando lui venne a controllarla, gli porse il libro insieme al soprabito. «Ieri notte li hai lasciati qui» disse.

Mohan li prese con aria sconcertata, e ficcò il volumetto in una delle tasche del soprabito. Poornima aspettò che arrivasse alla porta e poi aggiunse: «Parla del rimpianto, vero?»

«Cosa?»

«La poesia intitolata *Canto d'amore*. Quella che ti piace tanto».

Lui si girò a metà; Poornima vide che la sua stretta sulla maniglia si allentava. «L'hai letta?»

«Perché no? Mi piacciono le poesie».

«Davvero?»

«Stanno cominciando a piacermi».

Mohan si voltò per guardarla in faccia; fece un passo indietro. «In parte sì. Ma parla anche del coraggio» continuò dopo un'esitazione. «Della lotta per trovare il coraggio».

«E se non ci riusciamo? Cosa succede? Finiamo per annegare?»

Mohan sorrise. «In un certo senso».

«Tu non credi che questo Puffrock sia un debole?»

In quel momento, negli occhi di Mohan balenò una tristezza così intensa, così violenta che Poornima se la sentì divampare – quella tristezza, quella violenza – in fondo agli occhi. Poi la fiamma si spense con la stessa rapidità con la quale si era accesa. «Credo che non sia tanto diverso da me o da te» rispose infine Mohan.

Poornima lo guardò. No, pensò, ti sbagli. Ti sbagli. È completamente diverso da me.

6.

Forse Madhavi poteva ancora aiutarla.

Poornima ci rifletté quella notte, dopo che Mohan se ne fu andato. Non ne aveva la certezza, ma forse Madhavi, isolata com'era, come dovevano essere tutte le altre ragazze, era stata portata in un luogo diverso all'inizio – in una sorta di cella di custodia, finché non si fosse liberato un posto in quello che sarebbe diventato il suo alloggio – o forse a volte le ragazze venivano trasportate insieme, e lei aveva visto accompagnare questa o quella in qualche altro condominio, o magari chiacchieravano tra loro, e una del gruppo aveva menzionato una strada, un quartiere, qualsiasi cosa.

Era la sua unica possibilità.

Aspettò per tutto il giorno seguente. Dato che non aveva più le chiavi, ispezionò l'edificio in cui si trovava e scoprì un'uscita posteriore priva di serratura vicino ai bidoni dell'immondizia, ma dovette lasciare aperta la porta del monolocale. Mohan arrivava quasi sempre tra le quattro del pomeriggio e le otto di sera, ragionò. Cosa faceva nel resto della giornata? Quanti pastori controllava? Quante ragazze possedevano lui, il padre e il fratello? Conosceva Savitha? Non aveva risposte per nessuna di queste domande; sapeva solo di dover attendere fino a dopo le otto, fino a quando lui non se ne fosse andato, per andare da Madhavi.

Quella sera Mohan era in ritardo. Arrivò verso le nove, senza dare spiegazioni per l'ora insolita; eppure, in un certo senso, sembrava più consapevole della presenza di Poornima, più gentile nel modo in cui osservava la sua faccia, la stanza, il disordine del sacco a pelo, le poche cose sparse sul pavimento. Era come se la loro conversazione sulla poesia avesse risvegliato in lui la possibilità di Poornima, la possibilità della sua esistenza come persona, e non come semplice accompagnatrice di ragazze.

«Hai bisogno di qualcosa?»

«Un po' di verdura».

«Te la porto domani».

«Rimani qui a cena».

Il suo sguardo si rabbuiò, forse per la ripugnanza suscitata da quell'invito, o forse per la sorpresa, anche se Poornima capì di colpo, con estrema chiarezza, come dopo una pioggia purificatrice, di avere davanti un uomo molto solo, che conosceva ben poco al di fuori di quella solitudine. Mohan se ne andò subito dopo senza dire una parola.

Era mezzanotte passata quando Madhavi venne riaccompagnata al suo alloggio. Poornima la aspettava di nuovo nascosta tra i cespugli, al confine tra il condominio in cui abitava la ragazza e quello attiguo, a nord. Questa volta, Madhavi sembrò imperturbata dall'improvvisa comparsa di Poornima mentre lei attraversava il fioco fascio di luce dell'ingresso. Poornima la guardò, e si rese conto che era inutile domandarle come stava; era lampante che si era indurita. Che nel giro di una settimana aveva raggiunto una lenta e stoica rassegnazione. Una settimana. Come fa presto a fiaccarsi lo spirito, pensò Poornima, se lo spirito è disposto a lasciarsi fiaccare. Sopra di loro, le nubi oscuravano la luna, le stelle; un lampione guizzava poco lontano.

Madhavi sospirò. «È di nuovo qui per quella ragazza?»

«L'hai conosciuta? Sai qualcosa?»

«Per piacere, Akka, la smetta di venire. Se ci vede qualcuno...»

«Senti, dimmi soltanto se sai dove vivono le altre. Una qualsiasi delle altre».

«Non ne so niente».

«Non ne hanno mai accompagnato qualcuna in un altro condominio? Non sei mai salita in macchina con altre ragazze? Hai mai parlato con una di loro? Ti hanno mai portata da qualche altra parte?»

Madhavi si strinse nelle spalle e distolse lo sguardo.

«Hai parlato con un'altra ragazza, vero? Con chi? Dove abita? Cosa ti ha detto?»

«Non ho parlato con un'altra ragazza. Solo...» A quel punto s'interruppe e Poornima ebbe la sensazione di stare per esplodere; strinse i pugni per evitare di scuoterla affinché parlasse.

«Solo cosa?» le domandò in tono gentile, placando la propria voce.

«Be', lui mi ha portata in una stanza, una volta. In un posto diverso da quelli dove facciamo le pulizie».

«Dov'era questa stanza? C'erano altre ragazze? Altre persone?»

«No».

«Chi ti ha portata là?»

«Suresh».

Chi era questo Suresh? si chiese Poornima. Il fratello di Mohan? Lei e Madhavi rimasero in silenzio per un momento, con la ragazza che evitava i suoi occhi. «Dov'era la stanza?»

«Non lo so. Non lo so».

«Qui vicino?»

«No».

«Vicino all'aeroporto?»

«No».

Poornima si lambiccò il cervello in cerca di altri punti di riferimento, altri posti della città che Madhavi poteva conoscere. «Era vicino a quella torre? Quella torre sottile? Vicino all'acqua? O in mezzo agli edifici alti? C'era un'università? Hai notato un'università?»

«Akka, per favore».

«Qualche particolare? Non c'è qualcosa che ti ricordi?»

Passò una persona in bicicletta senza vederle. Il vento frusciò tra le foglie dell'albero accanto a loro. Poornima udì un fioco gemito lontano che veniva dalla parte del mare. «C'era una costruzione rotonda nei dintorni di quel posto» disse Madhavi adagio, in tono desolato, nel buio.

«Rotonda?»

«Simile a uno stadio per le partite di cricket. Ma più grande. Molto più grande.»

Come faceva quella ragazza a conoscere gli stadi e il cricket? «E poi?»

«In giro non si vedeva molta gente. Non si vedeva nessuno. Era una zona disabitata».

«Questo paese è tutto disabitato».

«E l'edificio non aveva finestre».

Poornima annuì. Avrebbe sorriso, ma non voleva spaventare Madhavi. Invece si guardò intorno nell'ombra ovattata: le nubi basse e immobili, il lampione ormai spento, le strade quiete, la faccia stanca e il corpo accasciato di Madhavi. In quel momento ripensò alla gioia negli occhi della ragazza mentre mangiava il dolce in quel giorno di una vita completamente diversa, sbriciolandone tra le dita la pasta zuccherina. Poornima fece un respiro profondo, un profondo respiro americano, e pensò: Un paese così silenzioso, eppure così pieno di motivi per piangere. Non le venne in mente nulla da aggiungere, perciò, prima di allontanarsi, prima di incamminarsi nella notte, disse: «Abbi cura di te», sapendo che ogni cura era già stata dilapidata, che ogni cura – per quella ragazza, per il suo viaggio – era andata dispersa e distrutta già da un pezzo.

Poornima si mise in marcia l'indomani mattina presto. Raggiunse l'incrocio tra la Terza e la Seneca Street, dopo aver chiesto a non meno di dodici persone come arrivare allo stadio, e aspettò l'autobus 21. Rimase a bordo finché non avvistò l'edificio, dopo di che, non sapendo da dove cominciare, tornò sulla Terza. Da un lato della strada c'erano magazzini, e dall'altro binari ferroviari. Guardò i magazzini: niente finestre, e neanche un'anima in giro. Però Madhavi non aveva parlato di binari, e Poornima immaginò che li avrebbe menzionati se li avesse visti. Perciò si addentrò più a fondo tra le file di lunghi edifici a un solo piano, tutti dipinti di grigio o di beige. Se la prese comoda, leggendo adagio le poche insegne all'esterno delle costruzioni, sbirciando dalle aperture nelle porte dei garage. Camminava lungo i muri, osservava tutte le automobili parcheggiate e scrutava dietro ogni angolo. Sapeva di dare nell'occhio, anche con gli abiti occidentali e il lato ustionato della faccia nascosto da una sciarpa, ma solo Mohan la conosceva, e questo era il suo più grande vantaggio. In ogni caso si nascondeva meglio che poteva quando le rare macchine la superavano, sapendo che sarebbe riuscita a riconoscere la sua a un chilometro di distanza.

Camminò per ore. Il labirinto di magazzini non finiva più. Alcuni dei vicoli che li separavano erano senza nome, perciò Poornima si ritrovò sul lato opposto delle stesse costruzioni dopo aver percorso un ampio cerchio. Perse il senso dell'orientamento, e così, raggiunto uno slargo, cercò le cime dei grattacieli del centro per individuare il nord. Due uomini rallentarono – uno a bordo di un camioncino, l'altro alla guida di una berlina blu – per chiederle se aveva bisogno di aiuto. Poornima sollevò la sciarpa per coprirsi meglio la faccia e scosse la testa. Sentì passare un treno merci e pensò all'improvviso a quello che non aveva preso a Namburu. Pensò ai frammenti del biglietto strappato che cadevano a terra svolazzando. E se invece ci fossi salita, su quel treno? si domandò. Cosa sarei diventata? Non era abituata a certi pensieri – pensieri senza sbocco – per cui li abbandonò subito, li chiuse di scatto come se fossero la porta d'ingresso di una casa infestata dai fantasmi.

Riprese la via del ritorno quando il sole calò verso ovest. Sull'autobus si sentiva stanca e affamata. Era possibile che non fosse nemmeno arrivata nel posto giusto, rifletté; era possibile che Madhavi alludesse a un quartiere completamente diverso, ma ormai si trovava a Seattle già da una settimana e gliene rimanevano solo due. Tornò tra i magazzini il giorno seguente e i quattro successivi. Soltanto il quinto pomeriggio, dopo ore di cammino sotto una pioggia sempre più fitta, svoltò un angolo – alla fine di una costruzione grigia che reclamizzava pneumatici radiali e altri ricambi per auto – e la vide: vide la macchina nera. Era quella di Mohan, questo lo capì subito, ma dal punto in cui si trovava non riuscì a scorgere l'ingresso dell'edificio. Fece il giro lungo, costeggiando i vasti magazzini di fronte all'automobile di Mohan, e sbucò dalla parte opposta, nascondendosi contro un muro. Adesso era più vicina alla porta, ma più lontana dalla macchina. Ce n'era anche un'altra, rossa, parcheggiata davanti a quella di Mohan: immaginò che appartenesse al fratello, o al padre.

Aspettò, rabbrividendo nella pioggia fredda, senza veder entrare o uscire nemmeno una ragazza. Alle tre tornò alla fermata dell'autobus, sapendo che avrebbe impiegato un'ora per arrivare a casa. La sera, dopo che Mohan se ne fu andato, la pioggia aumentò di intensità, perciò Poornima attese fino al mattino: comprò una torcia elettrica e un paio di calze più pesanti e, quando arrivò al magazzino, vide che non c'era né l'una né l'altra delle due macchine. Si avvicinò all'ingresso in punta di piedi e tentò di vedere qualcosa attraverso i vetri oscurati della porta. Niente. Provò con la torcia, e distinse pochi metri di quella che congetturò essere una grande stanza piena di scatoloni, in fondo alla quale s'intravedevano forse i contorni di una scrivania. Nessun'altra camera visibile. Poornima fece il giro del perimetro, in cerca di un'entrata posteriore non chiusa a chiave o di una piattaforma di carico come quelle che aveva notato in molti degli altri magazzini. Ma questo era interamente rivestito da una copertura di metallo; tese l'orecchio per sentire una voce, un rumore; pensò che poteva provare a forzare la serratura, ma mentre la esaminava passò una macchina nel vicolo attiguo.

Anche supponendo che Savitha vivesse davvero lì, rifletté Poornima, acquattata contro il lato dell'edificio, perché mai avrebbe dovuto essere in casa durante il giorno? In quelle ore sarebbe stata impegnata a fare le pulizie altrove.

Quella sera, quando tornò, trovò il magazzino ancora più buio e silenzioso che di giorno. Bussò alla porta, aspettando che si accendesse una luce. Girò intorno alla costruzione, battendo i pugni contro il muro. Cercò di forzare la massiccia serratura e poi di spaccare il vetro della porta, ma era antisfondamento, e né la torcia di plastica, né il peso del suo corpo ottennero alcun risultato. Dov'era Savitha? Dove? Poornima fissò l'ingresso, gli assestò un ultimo calcio, disse al vetro scuro e infrangibile: «Non qui» e se ne andò.

Lungo il tragitto di ritorno in autobus, dopo mezzanotte, si guardò le braccia piene di lividi, le mani e i gomiti coperti di tagli, guardò la torcia rotta e capì una cosa che aveva intuito fin dall'inizio: la sua unica speranza era Mohan.

Comprò una bottiglia di whisky – la più cara che vendessero al negozio all'angolo – e poi passò il pomeriggio a cucinare riso, curry di melanzane (le melanzane più grosse che avesse mai visto, e che cuocevano in modo del tutto diverso da quelle indiane) e frittelle di patate, anche se l'olio bollente la spaventò al punto che ne preparò appena a sufficienza per Mohan e spense subito il fornello. Ma nonostante il profumo del cibo e la bottiglia di whisky in bella vista sul bancone della cucina, Mohan rifiutò di fermarsi a cena. Se ne andò senza dire una parola, prima che Poornima riuscisse a escogitare qualcosa per convincerlo a rimanere.

Fu presa dalla disperazione.

Camminò per la piccola stanza, fermandosi ogni momento o quasi a guardare fuori dalla finestra, da una parte e dall'altra della strada. Ripensò alla via dove abitava a Vijayawada, all'uomo che stirava l'abitino da bambina, al wallah del risciò addormentato, alle vacche e al cane che frugavano nei mucchietti di spazzatura, ai venditori che lanciavano i loro richiami, e le piombò addosso una nostalgia improvvisa e violenta. Fu sul punto di piegarsi in due sotto il peso dei ricordi, ma raddrizzò subito la schiena. Di cosa sentì la mancanza, si ammonì, arrabbiata con se stessa persino per quel breve attimo di debolezza. Di bordelli, charkha, uomini e suocere? È di questo che hai nostalgia? Si lisciò la camicetta e i jeans – non era abituata a portarli, e li aveva comprati a Vijayawada apposta per il viaggio in America – e poi inspirò a fondo: a un tratto le tornò in mente l'unica cosa che avesse fatto brillare gli occhi di Mohan, l'unica cosa che nelle due settimane in cui l'aveva conosciuto l'avesse reso incerto.

Lasciò la bottiglia di whisky sul bancone, e quando lui arrivò la sera successiva, gli disse: «Io non lo berrò. Tanto vale che lo prenda tu».

Mohan guardò la bottiglia ed esitò, e in quell'istante Poornima gli domandò: «Chi è Lazzaro?»

«Cosa?»

«Lazzaro. Nella poesia. Quella che ti piace. Puffrock dice una frase sul fatto di essere Lazzaro».

Il volto di Mohan si ammorbidì. O forse furono solo le sue labbra che parvero perdere qualcosa della loro severità, della loro compattezza. «Te lo ricordi?»

«Continuavo a chiedermi chi era».

«È un personaggio della Bibbia. Gesù lo riportò in vita dalla morte. Dopo che era morto da quattro giorni, credo».

«Era una prova? Come quella di Sita?»

«No, penso che a essere messo alla prova fosse Gesù. O forse i suoi seguaci. Ma non Lazzaro».

Poornima lo guardò. «Perché ti piace quella poesia? È perché credi che Puffrock sia come me e te?»

«*Pruf*rock. Sì, mi piace per quello e perché è così piena di solitudine».

«Dovresti aprirla» disse Poornima, indicando con un cenno la bottiglia di whisky.

Stavolta non ci fu nessuna esitazione. Mohan si versò mezzo bicchiere di liquore, e il liquido bruno-dorato esalò un odore intenso di profonde foreste e di fumo di legna e di qualcosa che Poornima non avrebbe saputo definire. Forse le ricordava quel temporale, quello che l'aveva colta alla sprovvista sulle acque del Krishna. Mohan si piazzò sotto la finestra e posò il bicchiere davanti a sé. Bevve un sorso.

Poornima lo osservò. Credeva che se ne sarebbe andato dopo aver finito il primo bicchiere; invece se ne versò un altro. Aspetta che finisca anche questo, si esortò. Aspetta fino alla fine.

Quando Mohan l'ebbe svuotato, gli disse: «Devi avere delle lunghe giornate».

Mohan teneva il capo appoggiato alla parete. Parve annuire, o forse fu Poornima a immaginarselo.

«Ci sono altri pastori? Cosa farai una volta uscito di qui?»

«I compiti».

«I compiti?»

Lui evitò il suo sguardo. «Frequento un corso. All'università». Sollevò di nuovo la bottiglia e ne studiò l'etichetta. «Dove l'hai trovata? Credevo di averti proibito di uscire dall'appartamento».

«Che corso? Cosa stai studiando?»

Mohan rise e si versò un altro bicchiere. «La poesia di *Puffrock*. E anche altre poesie».

«Ma...»

Mohan bevve il liquore in un solo sorso. «Si capiscono molte cose di un genitore da quello che lo fa ridere. Quando ho confidato a mio padre, a metà del liceo, il mio desiderio di studiare letteratura, ha riso per tre giorni, e poi ha detto: "Ingegneria o Medicina. Scegli tu". È questo il vantaggio di noi figli indiani» soggiunse. «Possiamo scegliere». Poi la fissò con un'espressione dura: «Non sa niente delle lezioni. Nessuno lo sa».

Rimasero seduti in silenzio, lui sotto la finestra, lei contro la parete accanto all'angolo cottura. Nulla si muoveva, né dentro né fuori. Poornima chiuse gli occhi. Percepiva su di sé lo sguardo di Mohan.

«Questi» disse lui nel buio. «Sono questi i versi della poesia che preferisco: *E di sicuro ci sarà tempo / Di chiedere,*

"Posso osare?" e, "Posso osare?" / Tempo di volgere il capo e scendere la scala»[2].

Andò avanti a spiegarle ogni verso, ogni singola parola nei più minuziosi particolari, e le disse quando era stata scritta la poesia, un'epoca di paura, noia e modernità, nell'imminenza della prima guerra mondiale, e le parlò persino del suo autore, un immigrato anche lui, ma in Inghilterra, e Poornima avrebbe voluto chiedergli di Michelangelo e di Amleto, e invece gli domandò: «Cos'altro faceva ridere tuo padre?»

Ci fu un nuovo silenzio, e Poornima pensò di aver irritato Mohan con quella domanda, ma quando aprì gli occhi vide che si era addormentato, con il bicchiere ancora stretto in mano.

Le rimaneva solo una settimana.

2. Citiamo da T.S. Eliot, *Poesie*, a cura di Roberto Sanesi, Milano, Bompiani, 2016, p. 163. (*N.d.T.*)

Savitha

1.

Il pullman era in mezzo alle montagne quando Savitha aprì gli occhi. Stava sognando Mohan. Niente di preciso, nulla che potesse descrivere, nemmeno negli istanti subito dopo il risveglio, ma aveva l'impressione che lui avesse aleggiato nei suoi sogni, senza sfiorarli, come un fantasma o un profumo. Poi però si svegliò di soprassalto da quel dormiveglia, e si guardò affannosamente intorno, vedendo con chiarezza la strada, le montagne, le facce sconosciute. La fuga. C'erano stati dei passi alle sue spalle? Non si era girata a controllare. Aveva corso come una pazza da una fermata dell'autobus all'altra, cercando di arrestare un mezzo proprio nell'attimo in cui si metteva in moto. Al terzo che era passato, l'autista le aveva aperto le porte, e quando lei aveva chiesto, senza fiato: «New York?», l'uomo era scoppiato a ridere e le aveva detto: «Non esattamente. Deve prendere un pullman della Greyhound. Comunque io passo davanti alla stazione. Salga!» Alla stazione, nel centro di Seattle, Savitha si era messa a studiare una carta degli Stati Uniti. Aveva trovato Seattle, sapendo che a ovest della città c'era solo acqua, e poi aveva cercato New York. Spingendo lo sguardo sempre più a est. Dove poteva essere? Convinta di aver superato il punto giusto, aveva ricominciato da capo. La seconda volta non si era fermata, ed eccola lì, dalla parte opposta, con nient'altro che acqua a est. Aveva chiesto all'uomo allo sportello: «Quanto New York?»

«Signora» le aveva risposto lui, «prima deve andare a Spokane e poi prendere un altro pullman per New York». Quindi aveva aggiunto: «Trenta dollari».

Savitha non aveva capito la prima frase, ma le era sembrato di capire che il biglietto per New York costasse trenta dollari. Tutta quella strada per soli trenta dollari!

Stringendo il biglietto tra le dita, aveva gettato uno sguardo all'ingresso della stazione, e poi si era seduta sulla seggiola più lontana, senza mai perdere di vista l'entrata.

Quanto ci sarebbe voluto per arrivare a destinazione? E cos'avrebbe fatto una volta laggiù? Come avrebbe iniziato a cercare la signora dai capelli color jalebi e dai denti di perla? Nessuna di queste domande aveva una risposta, non ancora, ma una volta salita a bordo dell'autobus che si allontanava da Seattle, una volta placate la paura e l'adrenalina, una volta calmato il ritmo martellante del cuore, mentre guardava dal finestrino le sagome dei pini e il buio delle montagne e la strada, simile a una pezza di stoffa drappeggiata sui loro versanti, aveva compreso che a volte partire è anche una direzione, l'unica rimasta.

Superarono il passo di Snoqualmie, sebbene a quel punto Savitha avesse già richiuso gli occhi. Subito prima che abbassasse le palpebre, le oscillazioni dei fari avevano illuminato un ciuffo di fiori viola ai piedi di un pino solitario che sembrava un ombrello aperto sulle corolle tremanti. Costeggiarono una lunga striscia d'acqua che si estendeva dalla parte del pullman dove sedeva Savitha, così interminabile che pensò di essersela immaginata, disorientata e vaneggiante com'era. Quando infine si svegliò di nuovo verso l'alba, le montagne erano scure, ammantate di alberi e più lontane. Nel cielo grigio acciaio incombevano fitte nubi. La prima luce bastava a malapena a lasciarle scorgere i giovani pini ai lati della strada, ciuffi verde-grigio stretti l'uno all'altro, che parevano vorticare come dervisci al canto mattutino degli uccelli e del vento, e persino al sibilo del pullman che li oltrepassava a tutta velocità.

Savitha si mosse sul sedile, i muscoli irrigiditi, e si accorse con un sussulto che c'era una donna seduta accanto a lei. Dov'era salita? Non ricordava che il pullman si fosse fermato, ma forse la sconosciuta aveva cambiato posto durante la notte. La guardò. Dormiva profondamente, con la testa che ciondolava verso la spalla di Savitha. Era giovane quanto lei, forse più giovane, e aveva le dita piene di anelli d'argento, tutte tranne un pollice e un mignolo. C'era un tatuaggio sul triangolo tra il pollice e l'indice della mano destra, un simbolo che Savitha non riconobbe, e che però si era sbiadito, assumendo una slavata sfumatura verde-azzurra. E guardando il volto della ragazza addormentata, già con le prime rughe che cominciavano a formarsi intorno agli occhi e alle labbra, Savitha intuì che lei non l'aveva voluto in quel modo, che lo immaginava di un blu vivace, intenso, profondo, quello dell'oceano nella notte, ma non era venuto come pensava. Niente era andato come immaginava.

Verso l'alba il pullman si fermò e tutti i passeggeri immersi nel sonno vennero fatti scendere. Il primo pensiero di Savitha fu che forse erano già arrivati a New York. Il viaggio aveva avuto inizio all'una del mattino, e adesso erano le sei passate da poco. Possibile? Poi però guardò l'insegna appesa sulla porta principale: S-P-O-K-A-N-E. Controllò di nuovo la carta geografica e vide che non avevano nemmeno superato il confine dello stato, altro che New York. Si sentì calare addosso una profonda stanchezza. Di quel passo, avrebbe impiegato mesi a raggiungere la città! Si strofinò gli occhi annebbiati e decise di informarsi sull'autobus per New York, ma la biglietteria non avrebbe aperto prima delle otto. Il tabellone elencava solo due pullman in partenza: uno per Seattle e l'altro per un posto chiamato Missoula. Tornò a consultare la carta; Missoula si trovava a est, scoprì Savitha, non di molto, però a est, e l'autobus diretto là sarebbe partito due ore dopo. Doveva forse prendere quello e poi cambiare un'altra volta? Non lo sapeva. Avrebbe voluto aspettare che la biglietteria aprisse, ma era chiuso anche il chiosco del bar, e lei aveva fame. Quando uscì, guardò a destra e a sinistra, e poi osservò tutte le automobili ferme nel parcheggio; ne cercava una rossa, una nera e una beige. Le strade erano asciutte e fredde. Faceva un freddo da montagna, e Savitha, che non c'era abituata, si sistemò il maglione sulle spalle. L'aveva rubato a Padma, quel maglione, insieme allo zainetto di plastica in cui teneva gli ottantadue dollari che le restavano, la fotografia strappata a metà, un cambio d'abito, il rettangolino di carta bianca e ciò che rimaneva del sari non finito per Poornima. Aveva avvolto delicatamente il pezzo di tessuto in un giornale vecchio e l'aveva sistemato sul fondo dello zaino. La stazione degli autobus era un edificio di mattoni rossi, a due piani; fuori c'era una fila di alberi simili a quelli che ammantavano le montagne lungo tutta l'autostrada, e dietro gli alberi spuntavano edifici, alti, ma neppure lontanamente quanto quelli di Seattle. Non erano ancora le sette, eppure Savitha vide in giro alcuni passanti che anziché essere diretti verso una meta, sembravano semplicemente vagabondare. Le parve strano, a quell'ora; tuttavia, non fecero caso a lei, quasi fosse invisibile, e continuarono per la loro strada.

Al parcheggio della stazione, sulla destra della fila di alberi, un uomo fumava appoggiato a una macchina gialla. Dentro l'automobile c'era una donna, fumava anche lei, il braccio sul finestrino aperto, ma i due non si guardavano né si parlavano, come se non si conoscessero, nonostante Savitha avesse notato che la coscia di lui sfiorava il gomito della donna. Un altro uomo, addossato al muro orientale della stazione, leggeva un giornale. Savitha si fermò a contemplare la luce del sole che emergeva dietro le montagne lontane e inondava l'uomo col suo fulgore, colorandogli d'oro brunito la pallida pelle bianca. Attraversò la strada e s'incamminò in direzione degli edifici finché non vide un ristorante. Entrò e andò a sedersi a un tavolo. Sul tavolo c'era un menu, pieno di immagini, e quando venne la cameriera, Savitha indicò quella che sembrava raffigurare tre piccoli dosa in fila. Bevve un sorso d'acqua e aspettò. Una volta che le fu servito il piatto ed ebbe assaggiato il primo boccone (usando il cucchiaio goffamente, senza sapere come maneggiare le posate), si rese conto che non si trattava affatto di dosa. Avevano un sapore dolce! E all'interno, invece del curry di patate, contenevano la stessa sostanza bianca vaporosa e inconsistente che c'era sopra la banana split. Che strano. Che paese misterioso, pensò, e quant'era piccolo nonostante la sua vastità. Comunque il cibo era buono e lei aveva fame.

Prima di uscire dal ristorante, comprò un sacchetto di patatine, una bottiglia d'acqua e un pacchetto di quelle che sembravano torte in miniatura.

Tornò alla stazione degli autobus e si sedette fuori, su una panchina di fronte alla fila di alberi, da cui però si vedevano la strada e il parcheggio. Mancava un quarto d'ora alle otto, e Savitha si sforzò di restare sveglia fino all'apertura della biglietteria. Guardò il movimento delle basse nuvole tonde che salivano dal margine della terra insieme al sole. A ovest le montagne, accarezzate dalla luce del mattino, divennero rosa e verdi e color carbone, anch'esse sormontate da nubi basse che parevano radunate là come bambini per contemplare le alture. Savitha osservò montagne e nubi e pensò: Questo paesaggio è il panorama più ampio che abbia visto in questo paese. E poi ripensò a Mohan. Le sbocciò nello stomaco un dolore che si propagò al petto, sottile e azzurro come inchiostro. Si concentrò di nuovo sulle montagne, le nuvole, ma erano lontane e assorte. Allora rivolse la sua attenzione alla strada e al parcheggio. A un certo punto, un minuscolo groviglio di sterpi si sollevò in aria, volteggiando come un uccello. Era quasi trasparente, e turbinava nella folata di vento, trascinato dalla sua stessa esuberanza e dal più lieve alito di brezza. Savitha chiuse gli occhi – solo per un attimo, si disse – e cadde in un sonno leggero.

Si svegliò per un colpo di clacson, o forse per una voce, e vide che erano appena passate le otto. Balzò in piedi, maledicendosi per essersi assopita mentre loro potevano essere proprio lì, e corse dentro, stringendo tra le dita il suo mozzicone di biglietto. Raggiunse lo sportello, protese la mano con il pezzo di carta e disse: «Salve, signora. Quando è il pullman per New York?»

L'impiegata, una donna di colore con il rossetto cremisi e lustrini d'argento sulle ciglia, batté le palpebre, come per mandarle a orbitare intorno alle loro lune, dopo di che guardò il biglietto di Savitha. Le rispose con una frase che lei non riuscì a capire. «Scusi?»

La donna si girò e tirò fuori un pezzo di carta. Ci scrisse sopra 109$. «Ma io ho già il biglietto» replicò Savitha.

L'impiegata scosse la testa e disse: «Quello era solo per arrivare a Spokane. È questo il prezzo di un biglietto per New York». Spinse il foglio verso Savitha, e lei lo prese. Un altro rettangolino di carta bianca.

Savitha uscì dalla stazione degli autobus.

Lungo il lato dell'edificio correva una strada in curva, e al di là della strada c'era un secondo parcheggio. E più in là si vedevano altri edifici e altri parcheggi. Savitha scrutò a lungo l'infinita serie ininterrotta, in preda alla disperazione, e poi si accorse che stringeva ancora in mano il foglietto di carta, inumidito dal sudore del suo palmo. Lo gettò in un bidone dell'immondizia. Le nuvole si erano gonfiate nelle ore trascorse dal primo mattino e scivolavano pigramente a est; Savitha le guardò con invidia. Camminò barcollando fino all'estremità meridionale della stazione, quindi tornò sui suoi passi fino a quella settentrionale. Si rimise svogliatamente a sedere sulla panchina all'esterno, chiedendosi cosa fare. Poi si alzò e ricominciò a camminare.

Continuò per qualche minuto finché non arrivò in riva a un fiume. Là si sedette su un'altra panchina e cercò di trattenere le lacrime. Si strinse al petto lo zaino come se fosse stato la sua ultima speranza e con una fitta al cuore si rese conto che era proprio così. Non aveva idea di cosa fare, di come procurarsi il denaro che le mancava. Era chiaro che aveva frainteso l'uomo da cui aveva comprato il biglietto a Seattle, e adesso pensò: Anche se non avessi mangiato i dosa dolci al ristorante, non avrei abbastanza soldi. Non li ho mai avuti. Provò un dolore lancinante al moncherino, un dolore fantasma che non sentiva da mesi. Scosse il braccio e prese in considerazione la possibilità di camminare ancora un po', ma la stanchezza tornò a sopraffarla con un senso di arido vuoto, per cui si limitò a restare seduta e a contemplare il fiume.

Intorno alla metà del pomeriggio arrivarono altre persone. Una o due facevano jogging; un uomo sbucciava un'arancia; un gruppetto di mamme teneva d'occhio i figli mentre giocavano.

Savitha batté le palpebre come svegliandosi da un sonno profondo. Aveva fame, ma pensava che avrebbe fatto meglio a conservare patatine e dolci. Non osava spendere i soldi che le rimanevano. Bevve un po' d'acqua a una fontanella e si diresse di nuovo a sud, ma tenendosi alla larga dalla stazione degli autobus: quello era il primo posto dove l'avrebbero cercata. Svoltò l'angolo. Si ritrovò in una lunga strada che conduceva a un gruppo di costruzioni. C'erano automobili parcheggiate ai bordi della via, e mentre avanzava verso gli edifici, le cadde lo sguardo su una delle targhe. Si bloccò di colpo. Guardò da una parte e dall'altra della strada vuota, poi si chinò e rilesse la scritta lentamente. Non si era sbagliata: le lettere componevano le parole *New York*. Si sedette sul marciapiede accanto alla macchina. A far che? Ad aspettare. Aspettare cosa? Qualsiasi cosa, pensò, aspetterò qualsiasi cosa.

Le brontolò lo stomaco. Si arrese, e mangiò le patatine e i due dolcetti a forma di torta.

Dopo un'ora o giù di lì, arrivò un'anziana coppia: i due si avvicinarono camminando. La donna indossava pantaloni rosa lunghi fin sotto il ginocchio e una maglietta gialla con la scritta *New Mexico, terra d'incanto*. Savitha sapeva leggere solo la parola *New*, e la considerò un buon segno. I capelli argentati della donna erano ricci e corti. Aveva un rossetto rosa che voleva essere in tinta con i pantaloni, ma non lo era, in maniera stridente e Savitha pensò che doveva essere stato sempre così per lei, anche in gioventù, sempre sull'orlo della bellezza, ai confini dell'eleganza, senza mai riuscire davvero a superarli. L'uomo portava un berretto da baseball, jeans e una camicia a scacchi, ed era chiaramente suo marito. Dovevano essere sposati da molti anni, fin da quando erano giovani, pensò Savitha, notando la familiarità, la distanza, il dolore sordo tra loro. Raggiunta Savitha, la guardarono incuriositi e cortesi per un attimo, e poi videro il moncherino; si girarono, a un tratto impacciati ed esitanti, verso la loro automobile. L'automobile di New York. L'uomo tirò fuori un mazzo di chiavi.

Savitha balzò in piedi. «Scusi, signore, signora. New York? Andate a New York?»

Entrambi la fissarono perplessi, quindi la donna si lasciò sfuggire un gridolino ed esclamò: «Oh, cara, questa è una macchina a noleggio. Non stiamo andando a New York. Siamo diretti a Salt Lake».

Savitha rimase là a osservarli.

«Falle vedere, tesoro» riprese la donna. «Faglielo vedere sulla cartina».

L'uomo tirò fuori un oggetto dal vano del cruscotto e lo aprì trasformandolo in un grande foglio di carta. Lo appoggiò sul cofano dell'automobile e tutti e tre vi si chinarono sopra. «Qui» spiegò l'uomo, «è qui che siamo adesso». Poi spostò il dito a sud e a est e continuò: «E questa è Salt Lake City. È là che andiamo». Guardò Savitha; Savitha gli restituì lo sguardo. Teneva il moncherino fuori vista, dietro la schiena. Ma lui sembrava non notarlo più. Sembrava intuire invece quanto lei fosse confusa e mortificata, e quasi la cosa potesse confortarla, fece scivolare il dito fino all'estremità della cartina e disse: «E questa è New York».

Tornarono tutti a concentrarsi sulla carta; a quel punto Savitha aveva capito che la coppia era diretta a sud più che a est. Ma non voleva che se ne andassero; le piacevano. Sentiva che avevano figli, che conoscevano un tipo d'amore senza limiti e insieme senza speranza. Fu presa dalla disperazione; pensò come minimo di chiedere loro dei soldi, ma era timida, imbarazzata e non sapeva come fare. E poi, di nuovo con una gentilezza rara, la donna la guardò a lungo e disse: «Forse potrebbe venire con noi, Jacob. Fino a Butte».

Lui scosse il capo. «Ingarbuglierebbe le cose, Mill. Arriverebbe un po' più vicino, ma è Spokane il posto migliore per lei». S'interruppe e domandò: «Come ti chiami, in ogni caso?»

Savitha annuì e sorrise.

L'uomo indicò se stesso e disse «Jacob». Indicò la moglie e disse «Millie». Poi indicò Savitha.

Lei sorrise di nuovo, un sorriso più largo, e disse: «Savitha».

«Saveeta» ripeté lui.

Savitha guardò le montagne lontane, che se ne stavano laggiù come sentinelle, come soldati a guardia dell'est. Il vecchio seguì il suo sguardo e soggiunse: «Un po' più vicino è un po' più vicino, suppongo; vieni pure con noi se ti va».

Lei si girò verso la coppia. Prima verso di lui, per decifrare quello che aveva appena detto, poi verso la moglie. La donna sorrideva. Con uno sbaffo di rossetto rosa sui denti. «Avanti» la esortò, «sali», e fece un gesto in direzione della portiera posteriore. Savitha rimase ferma per un attimo, non sapendo cosa fare. Ormai aveva capito che i due non andavano a New York, nonostante la targa della loro automobile. Capì anche, in quel momento, la propria straziante solitudine, il dolore che le vorticava intorno: non aveva soldi né cibo, e nemmeno una strada da ripercorrere a ritroso.

Si sistemò sul sedile dietro.

I due coniugi chiacchierarono tra loro per un po'. A un certo punto la donna le chiese: «Da dove vieni, cara?»

Savitha non comprese la domanda, perciò rispose: «Sì, sì».

La donna aprì un sacchetto di noccioline e glielo offrì. Lei avrebbe potuto divorarle tutte con facilità, ma ne prese educatamente una e disse: «Grazie, signora».

«Chiamami Millie» la invitò la donna, dopo di che reclinò il capo e si addormentò nel giro di cinque minuti. Savitha la sentiva russare sommessamente.

Il marito guidò in silenzio per un lungo tratto. Erano arrivati in Idaho, e le nuvole erano divenute più fitte, ammassate sull'orizzonte e sfilacciate contro i versanti delle montagne lontane, che adesso s'innalzavano a est e a ovest. Le montagne stesse, notò Savitha, apparivano striate da sottili linee azzurre e rosse. La valle in mezzo all'anfiteatro di montagne, quella che stavano attraversando, era verde e fertile, e le rammentava i campi intorno a Indravalli, fecondati dal Krishna.

L'uomo s'infilò in bocca una nocciolina. Alzò gli occhi verso lo specchietto retrovisore. «Ho trascorso parecchi dei miei giorni da queste parti» cominciò, rivolgendosi chiaramente a Savitha, anche se lei non aveva idea di cosa le stesse dicendo. «A pescare. Sul Bitterroot, sul Salmon, su ogni torrentello e ruscelletto. Ho passato gran parte dei miei vent'anni e dei miei trent'anni laggiù, a Coeur d'Alene». Indicò un punto al di là del finestrino dalla parte del passeggero. «Là, proprio là, c'è Trapper's Peak. È tutto guglie, così». Gliene mostrò la forma usando le mani e manovrando il volante con i gomiti. «Ma non puoi guardarlo troppo a lungo. Altrimenti ti si spezza qualcosa dentro. Certe montagne fanno questo effetto».

I suoi occhi nello specchietto retrovisore fissavano quelli di Savitha.

«Qual è la tua storia, in ogni caso? Come ci sei finita su quel dannato marciapiede? E in nome di Dio, come l'hai persa, quella mano?»

Savitha incrociò il suo sguardo nello specchietto e poi abbassò le palpebre. Le piaceva la sua voce. Le piaceva il modo in cui le si rivolgeva, coinvolgendo anche le parti di lei che non comprendevano le sue parole e divagavano.

«Non riesco nemmeno a immaginarlo. Neanche lontanamente. E quanti anni hai? Una ventina?»

Lei avrebbe voluto parlargli di qualcosa, magari di Poornima, oppure di suo padre o di Indravalli, ma nulla di quanto sarebbe riuscita a mettere insieme avrebbe avuto un senso per lui, e così rimase in silenzio ad ascoltare.

«Be', lo so che gli incidenti capitano. So tutto di certe cose. Ho avuto la mia dose di esperienze. Potrei raccontartene di storie. Altroché, bambina mia». S'interruppe; scosse la testa. Gli occhi di Savitha s'illuminarono. Aveva capito quella parola: *bambina*. Si mise ad ascoltare ancora più attentamente. «Eccotene una» disse l'uomo, alzando il tono della voce. «Eccoti una storia. Su un bambino piccolo. Piccolo. All'incirca di quattro anni, direi. Viveva in Montana, con il papà e la mamma. Solo loro. Solo loro tre. Il padre faceva il bracciante in un ranch. Uno di quei ranch dove allevano bestiame, con centinaia e centinaia di capi. Uno di quei ranch in cui si può passare un anno intero soltanto a riparare le staccionate, per non parlare di far partorire le vacche, vaccinare gli animali, sopprimere le bestie malate e svezzare i vitelli. Un posto enorme. Ho reso l'idea, no? Be', un bel giorno, quando il bambino aveva quattro anni, la sua mamma prese e se ne scappò via. Con un commesso viaggiatore, o un rappresentante di macchinari pesanti. Difficile saperlo, perché subito dopo, prima ancora che il bambino potesse aprire bocca, venne mandato a stare con i nonni in Arizona. A Tucson. Il papà lo piazzò su un autobus, da solo, e lo spedì nel deserto. E sai come andò a finire? Te lo dico io: il bambino trovò il posto giusto per lui. Adorava il deserto. I nonni vivevano in una casetta circondata dalla polvere, dalla sabbia e dai cactus, senza palizzate, con un cortile interminabile, affacciato su una bassa catena di montagne azzurre, viola e arancioni. E il bambino non ne aveva mai abbastanza. Giocava, sì, ma per lo più stava seduto a guardare quelle montagne. Le fissava incessantemente, quasi si aspettasse di vederne sbucar fuori sua madre. Di vederla camminare verso di lui, per prendergli la mano e portarlo con sé. Non indietro in Montana, intendiamoci, ma nel cuore del deserto.

«Qualche tempo dopo l'arrivo del bambino in Arizona, i nonni assunsero un ragazzo alle loro dipendenze. Un ragazzo più grande. Un adolescente. Perché li aiutasse con le faccende da sbrigare. Per esempio, avevano un capanno che andava sgomberato. Sul retro. E volevano una mano per costruire una veranda. Ne avrebbero schermato i lati con stuoie di cardi intrecciati, per ripararla dal sole durante il giorno, ma l'avrebbero lasciata aperta a ovest, verso le montagne e il tramonto. Scherzavano con il nipote. Lo guardavano fissare le montagne – entrava in casa solo nelle ore più calde, con il sole a picco – ridevano e gli dicevano: "Quando la veranda sarà finita, non ti vedremo più, qua dentro".

«Ebbene, il ragazzo – chiamiamolo Freddie – cominciò dalla veranda. La costruì nel giro di un paio di settimane, e poi passò al capanno e iniziò a occuparsi di quello. Doveva aver incontrato il bambino decine di volte: gli aveva parlato, aveva persino risposto a un paio di sue domande, ma senza mai dimostrare nessun particolare interesse per lui. Era un adolescente, in fin dei conti, e i nonni pensavano che un po' di compagnia facesse bene al nipotino.

«Ed era vero. Era vero. Ma la terza settimana, Freddie lo chiamò. Era più o meno l'ora del tramonto. I nonni avevano finito di cenare e sedevano sulla veranda nuova a bere tè freddo e fumare. Quando il bambino entrò nel capanno, dalla cui porta penetrava appena un filo di luce, Freddie lo portò in un angolo, lo prese per un braccio e gli disse: "Zitto".

«Be', ti puoi immaginare cosa accadde dopo. E continuò a succedere quasi ogni giorno per l'intero mese successivo. E per tutto quel tempo, il bambino fece esattamente ciò che gli aveva intimato Freddie. Non si lasciò mai sfuggire una sillaba, non una, però la sera, nel silenzio del deserto, sentiva i nonni, seduti sulla veranda a pochi metri da lui. Ridevano, bisticciavano, per quanto nella maggior parte dei casi chiacchierassero del più e del meno. Del tempo, per esempio. O del cactus davanti alla casa, che era fiorito l'anno precedente, ma non quello. O dei loro doloretti legati all'età. E il bambino, dal capanno, mentre Freddie faceva ciò che faceva, ascoltava con tutte le sue forze. Ascoltava le voci dei nonni. Anche se a dire la verità avevano smesso di essere i suoi nonni. Erano solo voci, ormai, voci che lui ascoltava con una tale determinazione, una tale intensità da perdere pian piano la capacità di parlare. Parlava sempre meno, e un giorno, verso la fine del mese, smise del tutto. I nonni erano sconcertati; non capirono mai il perché. Pensarono fosse per via dell'abbandono della madre e del trasferimento nel deserto. Il bambino però conosceva il vero motivo. Forse non a quattro anni, ma in seguito sì. Arrivò a comprenderne la ragione; arrivò a comprendere che le parole più magiche, le uniche ad avere importanza, erano quelle pronunciate dai nonni. Mentre sedevano sulla veranda, ormai invecchiati, con le loro preoccupazioni per i cactus senza fiori, per le nuvole e il male alle ginocchia a riempire il cielo notturno. A riempirlo come stelle. Vedi, il bambino sapeva, sapeva, persino all'età di quattro anni, che nella sua vita non si sarebbe mai seduto su una veranda come facevano i nonni. Non si sarebbe mai seduto accanto a un'altra persona a parlare di piccole cose. Né di grandi cose. E neppure delle cose più semplici. Era di questo che l'aveva privato Freddie, e il bambino lo sapeva. Lo sapeva come conosceva quelle montagne, come sapeva che sua madre non ne sarebbe mai sbucata fuori».

Calò il silenzio. Un silenzio così profondo che quando Savitha chiuse gli occhi, sentì un vento caldo sfiorarle la faccia. Perché c'è vento, si domandò, in un'automobile chiusa?

«E la cosa più interessante, devi sapere» continuò l'uomo, «non è ciò che accadde al bambino di quattro anni. No. Lui finì per crescere come tutti noi. È un adulto, ormai». L'uomo s'interruppe; Savitha ebbe l'impressione che studiasse la strada. «Vive da qualche parte, immagino. Per lo più infelicemente, come il resto di noi, per lo più tirando avanti. Vuoi sapere invece qual è la cosa più interessante? La cosa più interessante è ciò che accadde a Freddie. Il ragazzo che aveva costruito la veranda. Si iscrisse all'università – usando i soldi messi da parte grazie ai suoi lavoretti saltuari, e a uno dei corsi conobbe una ragazza carina che si chiamava Myra e la sposò. Dopo la laurea si stabilirono ad Albuquerque e in seguito a Houston. Freddie trovò lavoro in una compagnia petrolifera: guadagnava bene, e lui e Myra ebbero tre figli, due maschi e una femmina. In men che non si dica si ritrovarono proprietari di una casa con cinque camere da letto in un quartiere residenziale, di due macchine e persino di una piscina costruita nel giardino».

La moglie si lasciò sfuggire un lieve sbuffo, si sistemò meglio sul sedile e ricominciò subito a dormire. L'uomo la guardò e, come se le stesse parlando, come se fosse sveglia, riprese il suo discorso. «Dunque, dicevo, Freddie ebbe tre figli. Prima due maschi, e poi una bambina. Freddie junior, così si chiamava il primogenito, era il degno omonimo del padre, gli somigliava, e faceva tutto insieme a lui: andavano a caccia e a pesca, giocavano a baseball. In effetti Freddie junior divenne così bravo che un anno la sua squadra partecipò al campionato mondiale giovanile a Williamsport. Be', un'estate i due ragazzi, i due ragazzi di Freddie senior, andarono a stare dal nonno paterno e dalla sua nuova moglie a Tucson. Il padre di Freddie era rimasto vedovo, capisci, e aveva sposato una donna conosciuta sui campi da golf a Palm Springs. Abitava ancora a Tucson, e in ogni caso sarebbe stato soltanto per un paio di settimane. Così i due fratelli salirono a bordo di un aereo, loro due soli, e si diressero verso il deserto. Ti suona familiare?» L'uomo proruppe in una risata e poi disse: «Come puoi immaginare, all'inizio si annoiarono. Sedevano qua e là per la casa a guardare la televisione o a giocare ai videogame. Il nonno, devi sapere, possedeva una grande tenuta a ovest della città, ma a differenza del bambino di quattro anni, i figli di Freddie non erano per nulla interessati al deserto. Lo trovavano noioso. In seguito, però, di lì a pochi giorni, conobbero un altro ragazzo più o meno della loro età, un vicino del nonno, e fecero subito amicizia con lui. Il ragazzo insegnò ai due fratelli a divertirsi nel deserto: ad andare a caccia di lucertole giganti, a scivolare sulle dune e a scavare nella sabbia in cerca di uova di rettili. Tornava a casa sua solo per cena, e a volte non ci tornava per niente. In effetti, al termine delle due settimane, Freddie junior e il fratello non volevano più nemmeno tornare a Houston.

«Bene, l'ultimo giorno di vacanza il figlio dei vicini andò da loro come sempre e i tre si misero a vagabondare sul retro della proprietà. Il nonno e la moglie erano in casa a preparare dei panini per il pranzo. E proprio allora – proprio mentre il nonno spalmava la senape sulle fette di pane – si udì una tremenda esplosione. Un boato fortissimo. Fece tremare la casa; gli fece cadere di mano il coltello da burro. Le cornici si staccarono dalle pareti; i lampadari appesi al soffitto oscillarono. I due coniugi pensarono a un terremoto o a una bomba di qualche genere. Ma non si trattava di questo. Niente affatto. Quando il nonno corse fuori, vide un enorme pennacchio di fumo salire dai confini della tenuta. Il fumo saliva dal punto più lontano, e si vedevano anche delle fiamme. Si precipitò laggiù più in fretta che poté, con una velocità notevole, considerata la sua età. Del resto si sa, no? Si sa che nei momenti di massima tensione, nei momenti in cui è necessario compiere atti straordinari, gli esseri umani si dimostrano inaspettatamente all'altezza della situazione: inaspettatamente capaci di compierli, quegli atti straordinari. Eppure non fu abbastanza rapido. Devi sapere che i tre ragazzi stavano giocando con i fiammiferi, ed erano accanto a un serbatoio di propano. Non voglio scendere troppo nei particolari, capisci, ma erano stati letteralmente spazzati via. Il ragazzo dei vicini aveva subito ustioni di secondo grado; anche il fratello minore di Freddie junior era rimasto ustionato, ma in maniera meno grave. Freddie junior, invece. Le sue erano ustioni di terzo grado. La fiammata dell'esplosione gli aveva bruciato la pelle fino allo strato più profondo, raggiungendo il flusso sanguigno e danneggiandogli gli organi interni. Fu ricoverato in ospedale per oltre due settimane, soffrì terribilmente e alla fine morì di sepsi. Aveva tredici anni. E suo padre, Freddie senior, restò al capezzale del figlio un giorno dopo l'altro di quelle due settimane. Si rifiutava di allontanarsene, nel senso letterale della parola: anche dopo la morte del ragazzo, continuò a starsene là seduto. Era sotto shock, o roba del genere, dissero. Nelle due settimane trascorse a vegliare il figlio, i capelli gli diventarono del tutto grigi, e quando sfondò col pugno uno degli specchi dell'ospedale, una scheggia gli tagliò uno dei nervi più importanti, rendendogli per sempre impossibile sollevare il braccio destro. Ovviamente era distrutto anche il nonno. E naturalmente si sentiva responsabile. Morì pochi anni dopo, ma era già morto da molto tempo. E neppure il fratello superstite fu mai più lo stesso. Per i primi due mesi dopo la morte di Freddie junior si rifiutò di aprire bocca – anche questo suona familiare, no? – e quando infine riprese a parlare, lo fece soprattutto per comprarsi la droga».

L'uomo tacque di nuovo, in un modo che Savitha non aveva mai sperimentato: il silenzio era una sostanza, era fatto d'acqua, e l'aria nella macchina sembrava un lago di luce.

L'uomo sorrise nello specchietto retrovisore, ma per un attimo non disse nulla. Poi riprese a parlare: «Come hai detto che ti chiami? Saveeta? Be', Saveeta, non sono un tipo che rimugina molto sulle cose, ma tutto questo non ti pare... be', non so... inquietante? D'accordo, certo, certo, si può sostenere che tutte quelle vicende sono state fortuite, non collegate tra loro, che la vita non è così poetica. Diavolo, magari era tutta colpa della madre. Quella fuggita con il commesso viaggiatore. Eppure io scommetterei sulla poesia. Sulla simmetria dell'esistenza, certo, ma anche sulla sua inadeguatezza. Sulla sua malvagità. Sulla strage degli agnelli insieme allo sterminio dei leoni. Sulla distruzione di tutto ciò che ha un valore. Non sei d'accordo?» E poi s'interruppe, e sorrise un'altra volta. «Sei graziosa, lo sai? Indiana, vero? A voi indiani viene una bellissima abbronzatura quando state al sole. L'ho notato. Davvero bellissima. Proprio così. No, Mill?»

La moglie si svegliò di soprassalto e disse: «Eh? Di cosa parlavi?»

Lui rise e mangiò un'altra manciata di noccioline.

2.

Lasciarono Savitha nel centro di Butte, nel Montana. Il vecchio le disse: «Rimani sulla 90. Hai capito? La 90 dovrebbe portarti fino a New York o giù di lì». Poi la abbracciarono, lui e la moglie, le augurarono ogni bene e le diedero ciò che restava delle noccioline. La donna salutò Savitha con un gesto mentre l'automobile si allontanava. «Buona fortuna» esclamò, la mano fuori dal finestrino che si agitava come una bandiera. Dove stavano andando? Perché tanta fretta? Certamente gliel'avevano spiegato, ma Savitha non aveva capito i loro discorsi. Avrebbe voluto dire: Forse posso venire con voi, solo per un tratto; ma le mancavano le parole anche per comunicare questo.

Savitha pensò: Loro non arriveranno così lontano, no?

La città era attorniata dai monti. Savitha si trovava all'angolo di una strada in pendenza, che scendeva verso sud e verso ovest, e saliva in direzione nord. A est, dove lei concentrò lo sguardo, s'innalzava una montagna enorme. Questa però, a differenza delle altre, non era integra. Il suo versante appariva scavato, scorticato dalla vetta in giù, e rimaneva solo la carne viva, rosea e scoperta, che palpitava nel crepuscolo imminente. Savitha si girò a guardare le vie in salita e in discesa, e vide che la maggior parte degli edifici in mattoni intorno a lei erano sprangati. Fu presa dallo sconforto.

Mangiò una nocciolina alla volta, cercando di farsele durare, e vagabondò su e giù per le strade. Lei non poteva saperlo, ma molte delle vie centrali della città avevano il nome di gemme, minerali e metalli, le sostanze luccicanti un tempo nascoste nelle viscere delle montagne che circondavano il centro abitato. Camminò dalla Porfido alla

Argento. Svoltò all'altezza della Mercurio e si ritrovò di fronte all'ennesimo edificio di mattoni: questo era illuminato. All'interno, le persone sedevano su alti sgabelli, ridendo e chiacchierando, e Savitha provò una tale stretta al cuore che le si riempirono gli occhi di lacrime. Vide piatti di cibo, e alti bicchieri impregnati di una luce dorata, come se fossero anch'essi gemme estratte dalle montagne. Ma standosene in piedi là fuori, nonostante i vassoi colmi di nachos, di ali di pollo e patatine fritte, Savitha sentiva solo un lezzo di birra stantia: un odore che attraversava i mattoni, il vetro, la strada in pendenza e lo spessore del suo corpo, e penetrava dentro di lei, la trapassava. Un odore che evocava Suresh, e la stanza dietro la scrivania di Gopalraju e la boccetta di liquido trasparente. Avrebbe voluto urlare, spaccare la vetrina con un pugno, e invece deglutì, inghiottì la bile, si lasciò sfuggire un gemito sommesso – quello di un animale intrappolato in una grotta lontana, in una buca remota – e si precipitò giù per la strada.

In fondo, vide un'insegna. *Camere, 10$.*

La stanza sapeva di muffa, le lenzuola erano grigie, spiegazzate e non molto pulite. Ma c'era un bagno condiviso in fondo al corridoio, e l'acqua della doccia era calda. Savitha lavò nel lavabo gli abiti che portava. Li appese ad asciugare davanti alla piccola finestra sudicia della camera. Vide, nella luce calante, che le montagne sembravano più alte, più vicine, più sinistre. Su una delle cime brillava qualcosa di bianco e scintillante; si domandò se fosse un deepa. Quando si addormentò, dormì un sonno senza sogni, stringendosi al petto lo zaino per l'intera notte.

Al mattino capì.

Capì anche che con quei soldi poteva pagarsi sei notti in una squallida stanza di Butte, a un terzo scarso del tragitto per New York, oppure comprarsi il biglietto di ritorno a Seattle. Affittò la stanza per un'altra notte e poi un'altra ancora.

La terza mattina si sedette senza pronunciare una parola su uno sgabello rotondo davanti al bancone di una caffetteria. Il giorno prima aveva mangiato solo un sandwich preconfezionato e una mela rubata, e si sentiva indebolita dalla fame. La cameriera le passò accanto una decina di volte, ma non la degnò di uno sguardo, finché alla fine Savitha non la chiamò con un cenno e le indicò il piatto di una bambina, che conteneva uova, pane tostato e fette di banana. Quando la ragazza tornò con un bicchiere d'acqua e le posate, Savitha disse: «Caffè, per favore, signora».

L'uomo seduto accanto a lei scoppiò a ridere. «Credevo che fossi muta» disse, «e poi ecco che te ne vieni fuori con il tuo "caffè, per favore"». Rise ancora un po'.

Pagò il conto e uscì. Il posto rimase libero finché Savitha non ebbe quasi finito di mangiare il pane tostato, dato che si stava conservando la banana per ultima, quindi un altro uomo si sedette al suo fianco. Il nuovo arrivato sembrava più sulle sue. Era anziano e scuro di carnagione, e aveva i capelli lanosi ingrigiti all'altezza delle tempie, con una chiazza di calvizie sulla sommità del capo. Savitha non era mai stata così vicina a una persona di colore, e con il braccio appoggiato sul bancone accanto a quello di lui, notò che avevano press'a poco la stessa sfumatura di bruno. La sua carnagione tendeva al giallo, e quella dello sconosciuto al rosso. Questa scoperta la confortò: perché poi? Lui si accorse che Savitha lo guardava, ma non disse niente.

Stava mangiando un piatto pieno di quelli che sembravano uthapam, anche se mancavano gli ingredienti per insaporirli: niente cipolle, né peperoncini verdi, pomodori e coriandolo. L'uomo versò uno sciroppo scuro sul contenuto del piatto, e quando sorprese Savitha di nuovo intenta a fissarlo, indicò le sue fettine di banana e disse: «Certe volte mi piace mettercene un po' sopra. E aggiungerci pezzetti di cioccolato, se sono in vena di follie. Ma non oggi. Oggi mi sento incline alla semplicità».

Aveva una voce profonda, con un lieve ringhio sotterraneo, una voce in qualche modo sofferta, ma per lo più bonaria. Parve percepire il piacere che provava Savitha nell'ascoltarlo. «Siamo due pesci fuor d'acqua, noi due, eh?» continuò. «In questo posto. Un uomo di colore e... cosa? Un'indiana? In questo posto. Dove sei diretta?»

Savitha capì la parola *indiana*. Sorrise e annuì.

«Parli inglese? A sufficienza per ordinarti la colazione, questo lo vedo. Scusi, scusi, signorina» chiamò poi la cameriera mentre passava. «Potremmo avere ancora un po' di caffè?» La ragazza lo versò a entrambi, e Savitha, non avendo capito che poteva averne una seconda tazza, ne fu felicissima, e riconoscente che lui le avesse fatto riempire anche la sua. «Rapid City. È lì che vado io. Conosci Rapid City? Ho una figlia laggiù. Press'a poco della tua età. Una vera casinista. Una casinista coi fiocchi. Come ci sono riuscito ad allevare una scombinata del genere? La madre è bianca. Forse è questo il motivo, ma non ne sono certo. È nata casinista, ecco tutto».

No, pensò Savitha, non è affatto un tipo sulle sue.

«Ti dirò una cosa, però. Non c'è molto altro nella zona, ma quello Spearfish Canyon è bello. Ci sono stato solo una volta. Mia figlia non si ferma a lungo da nessuna parte. Ma credi a me: quello Spearfish Canyon è speciale. Mi capisci? Prenderò la 90. E tu?»

Savitha alzò la testa di scatto.

L'uomo sembrò sbigottito. «Anche tu? Ma dove vai? Dove?»

«A New York» rispose lei, ascoltandolo a malapena. Conosceva quelle parole, conosceva le parole *Spearfish Canyon*.

«New York» sghignazzò lui. Dopo averci riflettuto, soggiunse: «Forse sarebbe meglio prendere la 80, ma anche così prima o poi ci arriverai, suppongo».

Savitha annuì vagamente. Un posto perfetto, aveva detto Mohan.

«Hai una macchina? Stai viaggiando in automobile?» L'uomo mosse le mani come se stringesse un volante.

Savitha scosse la testa. «In autobus» rispose, frugando nello zaino.

«In autobus! Dolcezza, non ci sono autobus per New York da Butte. Chi ti ha detto che c'erano?»

Savitha alzò gli occhi; sentiva che stava per avere una crisi. E dov'era finita quella foto? Dove? Guardò la faccia dell'uomo, chiedendosi se anche la propria assumesse un colorito più scuro quando s'infervorava. Tornò a rovistare nello zaino.

«Forse avresti migliori opportunità a Rapid City. Forse. Almeno saresti nella direzione giusta. Potresti raggiungere New York passando da Chicago. Alla fine. In ogni caso, chi ti ha detto di venire a Butte?»

Ecco! Eccola.

Savitha tornò a guardare il suo vicino, e la colpì l'idea che nessuno si sarebbe mostrato tanto sollecito quanto quell'uomo, non solo verso di lei, ma verso tutte le ragazze della sua età, forse, o verso tutte quelle che sembravano in qualche modo sofferenti. Gli tese la fotografia strappata a metà e indicò il retro dell'immagine.

Lui sbarrò gli occhi. La girò, e poi ne scrutò di nuovo il rovescio. «Conosci anche tu Spearfish Canyon?» le domandò. «Hai qualcuno laggiù? Perché non me l'hai detto? Pensavo avessi parlato di New York. Diavolo, Spearfish Canyon è sulla mia strada per Rapid City». Poi guardò per la prima volta, o così parve a Savitha, il suo moncherino. Non ci si soffermò con lo sguardo, né lo distolse troppo presto. Le restituì la fotografia, bevve un sorso di caffè, le rivolse un ampio sorriso, consegnò alla cameriera un biglietto da venti, indicando i conti di entrambi, e chiese a Savitha: «Vuoi venire con me?»

Venire? Sì, annuì lei, sì.

Lungo la strada che si allontanava da Butte, guglie di pietra s'innalzavano dalle montagne. Gli alberi crescevano sulla nuda roccia. Più avanti le alture si allargavano e si appiattivano. La strada s'incurvava intorno a grandi ranch e fattorie, e balle di fieno punteggiavano i campi. Il sole brillava sulla gramigna, accendendone le spighe come candele.

«No» diceva l'uomo, «no, non posso dirle niente. Assolutamente niente. Sa tutto lei, o almeno ne è convinta. È così da quando aveva due settimane, più o meno. Metà della sua famiglia è bianca. Ma l'altra metà è nera. E io le dico questo: "Guarda" le dico. "Guarda cos'abbiamo sopportato. A cosa siamo sopravvissuti. Tu sei parte di quella sopravvivenza. Di quella sopportazione. I tuoi trisavoli erano schiavi. Raccoglievano il cotone nelle..."»

«Cotone» ripeté Savitha con un largo sorriso, mettendosi a un tratto ad ascoltare.

«Non sorridere in quel modo» disse l'uomo. «Non devi sorridere. Non sono stronzate. Se senti una persona qualsiasi, e intendo una persona qualsiasi, pronunciare le parole *cotone* o *piantagione*, oppure *nave*, diavolo, farai meglio a scappare di corsa. Mi ascolti? Credi di non essere nera, ma alla fin fine, quando si tratta di cotone, lo sei. Chiunque non sia bianco è nero. Hai capito? Dunque, come ti stavo dicendo...»

Savitha guardò fuori dal finestrino e contemplò i campi, le montagne e il cielo. Prima le creste si ammorbidirono mentre avanzavano verso est – le valli sembravano conche di luce d'oro – e poi le cime s'innalzarono di nuovo, forti e torreggianti. Non c'è modo di spiegare ciò che è perfetto, aveva detto Mohan.

Verso metà pomeriggio, l'uomo si fermò in una delle cittadine lungo il tragitto e condivise con Savitha i panini al formaggio contenuti nella borsa termica che aveva nel bagagliaio. Le offrì una bibita e poi allargò un tovagliolo di carta e ci versò sopra un sacchetto di patatine. Savitha prese il tovagliolo e cominciò a mangiare le patatine una alla volta, ma lui richiamò la sua attenzione con un cenno e disse: «Si fa così». Savitha lo osservò mentre apriva il panino e copriva la fetta di formaggio con uno spesso strato di patatine, per poi rimettere a posto il pane e addentare il sandwich con un sonoro scrocchio. Imitò l'uomo e dopo il primo boccone decise che non avrebbe mai più mangiato un panino senza uno strato di patatine.

Arrivarono a Spearfish nel tardo pomeriggio. L'uomo si fermò a un distributore di benzina; sembrava triste. «Non hai un indirizzo?» le domandò. «Un numero di telefono? Verranno a prenderti, no? Questo è un posto buono come un altro, suppongo. Lì c'è un telefono a gettoni. Forse quelli che conosci ti aiuteranno a trovare qualcuno che va a est. Magari non proprio a New York, ma a est. Ce la farai ad arrivare laggiù. E starai bene, vero?»

Savitha lo guardò.

Lui tirò fuori il portafogli e le consegnò un biglietto da dieci dollari. «Comprati qualcosa da mangiare» disse, e poi se ne andò.

Non era ancora buio. Per qualche minuto Savitha aspettò, incerta, davanti al chiosco del distributore. Nessuno entrava né usciva, perciò lei camminò fino all'angolo e guardò da una parte e dall'altra della strada. Sul lato opposto c'era una concessionaria di automobili. E lì accanto un negozio di liquori. In lontananza si vedevano basse colline, punteggiate da ciuffi d'alberi e d'erba secca. Era quello il canyon? Nell'altra direzione, a sud-ovest, continuava il centro abitato, e così Savitha s'incamminò da quella parte. Anche lì c'erano edifici di mattoni, come a Butte, ma tutti con le finestre aperte e senza imposte. Erano edifici tenuti meglio, certi appena ridipinti, notò Savitha, e la gente ci gironzolava intorno: c'erano famiglie, alcune con un passeggino o con dei bambini più grandicelli che correvano avanti. Sembrava una città graziosa, dove la notte scendeva lenta e rilassata. Savitha pensò di fermarsi in uno degli alberghi e di andare a cercare il canyon l'indomani mattina, ma le parvero tutti cari. Sulla facciata di uno degli hotel c'era un'insegna luminosa intermittente che reclamizzava le camere al prezzo di 79.99 dollari.

A lei ne rimanevano solo cinquanta.

Si allontanò dalle porte chiuse di quelle stanze calde. Non aveva ancora fame, ma sapeva che presto avrebbe avuto bisogno di mangiare. Entrò in un negozietto e con i dieci dollari che le aveva dato l'uomo comprò una banana, una mela, una confezione di pane affettato e un sacchetto di patatine. Infilò gli acquisti nello zaino e tornò verso il distributore, sperando di raggiungere l'interstatale 90 per arrivare alla stazione degli autobus della grande città più vicina. Durante il tragitto superò una banca, un ristorante e un ferramenta. Si fermò davanti a una galleria d'arte e guardò ciascuno dei quadri. Al centro della galleria c'era la scultura di un uccello sul punto di spiccare il volo. Savitha la confrontò con gli unici altri uccelli scolpiti che avesse mai visto, quelli di zucchero, e decise che questi ultimi erano più graziosi. Nell'isolato successivo c'era un'altra galleria d'arte, nella cui vetrina erano esposte delle trapunte Sioux. Savitha le osservò persino con più attenzione dei quadri: il filo, i colori intensi, l'integrità della tessitura, i disegni, l'effetto della lavorazione a telaio. Erano diversissime dai sari fabbricati a Indravalli, pensò, eppure erano fatte di stoffa. Si domandò chi le avesse cucite e quanta strada avessero percorso prima di finire in quella vetrina.

Arrivata a un parco poco lontano, si sedette su una panchina di legno e si preparò con cura un sandwich alle patatine, accertandosi di disporle in due strati regolari e di unire le fette di pane schiacciandole lungo i bordi perché non ne uscisse il ripieno. Poi mangiò la banana. Conservò la mela per dopo.

Al distributore c'era più traffico. Savitha non si avvicinò alle automobili; aspettò accanto alla porta del chiosco, un po' in disparte, e rivolse la parola solo alle persone che le sorridevano o la guardavano con gentilezza. Una donna, i capelli corti e scuri dal taglio ordinato, frugò nella borsa e poi guardò Savitha sorridendo. Savitha le restituì il sorriso e disse: «Va al canyon, signora? Sulla 90?» La donna fu colta dal panico e s'infilò di corsa nel chiosco senza dire una parola. Pochi minuti dopo ne emerse un'altra donna, accompagnata da due bambini, che stringevano in mano delle barrette di cioccolata e ridevano insieme a lei. «Mi scusi, signora» la interpellò Savitha. «Canyon? New York?» La donna e i due bambini si fermarono a scrutare la faccia di Savitha, e poi tutti e tre, nello stesso istante, abbassarono la testa e fissarono con tanto d'occhi il suo moncherino. Infine la donna disse: «Mi dispiace, non ho spiccioli» e si affrettò a portare via i bambini.

Savitha pensò che forse avrebbe avuto più fortuna con un uomo, perciò scelse un vecchio dai capelli bianchi, la faccia rugosa e cordiale. L'uomo la guardò e le tenne la porta aperta, credendo che volesse entrare. «No, signore. No. Lei va al Canyon? Vengo con lei?» Lì per lì il vecchio sembrò confuso, poi il suo volto in qualche modo si chiuse, pensò Savitha, come una porta sbattuta con violenza, e lei lo sentì dire: «Vai a fare il tuo mestiere da qualche altra parte, per l'amor del cielo. Questo è un posto per famiglie».

Per un bel pezzo non arrivò nessun altro. Stava scendendo il buio. Savitha entrò e chiese il permesso di usare il bagno. L'uomo grande e grosso dietro il banco, dagli occhi grigi e dallo sguardo sospettoso, la fissò per un momento, tirò fuori un massiccio pezzo di legno con una chiave attaccata e le disse: «È fuori, sul retro» prima di chiederle: «Messicana?» Savitha sorrise e prese la chiave. Quando rientrò, l'uomo era occupato con un cliente, perciò lei gli lasciò la chiave sul banco, accanto alla cassa, e se ne andò.

Al calare della notte si alzò il vento. Non faceva particolarmente freddo, eppure le folate le frustavano i capelli, le stringevano addosso gli abiti troppo larghi. Si fermò incerta a guardare la strada vuota e le colline a nord-est, che non sembravano più basse, ma torreggianti e severe. Un camion entrò nel parcheggio senza che ne scendesse nessuno. Savitha guardò in alto e vide le prime stelle; al di là delle pozze di luce intorno ai lampioni del distributore c'era solo la notte fredda e inquietante. Decise che la soluzione migliore era tornare in città e cercare almeno un riparo nel piccolo parco. Prese lo zaino e si avviò, superando le pompe di benzina. Le portiere del camion si aprirono. Scesero due uomini. Savitha non li guardò con particolare attenzione, vide solo che erano in due mentre li oltrepassava; a un tratto si sentì gelare, il maglione di Padma non abbastanza spesso per tenere a bada la notte. Si era lasciata indietro la pompa più lontana quando udì dei passi affrettarsi alle sue spalle.

Si girò; aveva quasi attraversato l'ultima pozza di luce, ma si girò.

3.

Fu quello con la faccia da bambino a sorridere per primo. Un sorriso così sincero e spensierato, e un modo di avvicinarsi così innocente da far credere a Savitha che volesse abbracciarla come se fossero stati amici reduci da una lunga separazione. «Non andartene» le gridò. «Ehi, ma dove stai andando? Resta qui».

«Lasciala andare, Charlie» disse una voce annoiata. In quel momento Savitha vide il secondo uomo, dietro Charlie faccia da bambino. Il secondo uomo era ossuto, con un volto sottile, capelli stopposi lunghi fino alle spalle e due cavità buie al posto degli occhi. I due si avvicinarono adagio, ma con una specie di elettricità nell'andatura; Savitha provò l'impulso improvviso di mettersi a correre, e fu sul punto di cedere al proprio istinto.

Poi però, nel giro di un attimo, Faccia da bambino le fu accanto. Savitha sentì l'odore dell'alcol prima ancora che lui le afferrasse il braccio. «Non andartene» ripeté Charlie, le parole non più una richiesta, ma un ordine. Savitha cercò di divincolarsi per liberarsi dalla sua presa, ma l'uomo rinsaldò la stretta e sorrise di nuovo. «Guardala, Sal. È una tipetta graziosa. Sei una sgualdrina che batte nei parcheggi? Ehi, basta adesso. Accipicchia. Tosta, la ragazza. Mio zio Buck mi aveva regalato un criceto tale e quale a te. Quando avevo cinque anni. Si è sparato un colpo in testa. Lo zio Buck, dico, non il criceto». Scoppiò a ridere, e il tizio chiamato Sal li raggiunse sotto la luce del lampione, e fu solo allora che Savitha se ne accorse: non era soltanto l'alcol, c'era qualcos'altro ad aizzarli, come se dentro di loro ci fosse uno spietato marchingegno.

«Come ti chiami?» le domandò Faccia da bambino.

Savitha comprese la domanda, ma il panico le impedì di rispondere.

«Da dove vieni?»

Savitha scosse la testa. «Niente inglese» rispose.

Capì immediatamente che era la cosa sbagliata da dire.

Il sorriso di Charlie si allargò, anche se il suo volto assunse un'aria più calma e sinistra. «Davvero? Niente inglese? Ehi, Sal, l'hai sentita? Niente inglese».

Rimasero tutti e tre là in piedi a guardarsi per un attimo, e Savitha pensò che Faccia da bambino le avrebbe semplicemente lasciato il braccio e lei si sarebbe incamminata verso la città per tornare nel piccolo parco. Ma non fu così; qualcosa brillò negli occhi di Sal. «Aspetta un attimo» disse. «Cosa abbiamo qui?» E poi aggiunse: «Sollevale quel braccio, Charlie». Alludeva al sinistro, quello con il moncherino, e quando Charlie lo alzò verso il cielo notturno, lui e Sal si sbellicarono dalle risate. «Chi è stato? Chi ti ha mangiato la mano?» chiese Sal.

«Scommetto che è stata una tigre» disse Charlie, sempre ridendo, sempre stringendole dolorosamente il braccio. «Siete pieni di tigri dalle tue parti, no?»

«Chiudi il becco, Charlie» lo zittì Sal, improvvisamente serio. «Forza. Portala sul camion».

Charlie diede uno strattone al braccio di Savitha. Lei barcollò in avanti; i suoi occhi scattarono verso la strada vuota, l'interno del chiosco, il bancone. L'uomo grande e grosso che le aveva dato la chiave del bagno era di spalle. Savitha aprì la bocca per gridare, ma Charlie fu più veloce: le schiaffò la mano sulla faccia. La testa di Savitha gli finì sul petto; Charlie aveva la mano così grande da riuscire a tapparle la bocca e gran parte degli occhi. Spinse Savitha contro il camion e quando l'uomo dai capelli lunghi aprì la portiera, lei pensò che l'avrebbe costretta a salire; invece le strappò lo zaino dalle spalle. Ci frugò dentro finché non trovò i soldi, dopo di che gettò lo zaino nell'abitacolo. Poi allungò la mano per prendere qualcosa che Savitha non riuscì a vedere, chiuse lo sportello e disse: «Andiamo».

«Dove?» domandò Charlie.

«Vuoi che Mel chiami la polizia?»

«Ma il camion?»

«Non ci metteremo molto. Vieni».

La trascinarono sul retro del chiosco. Ormai Savitha faticava a respirare. Girò la testa da una parte e dall'altra finché una fessura tra le dita di Faccia da bambino non lasciò passare un po' d'aria. Cercò di mordere, e strinse tra i denti l'interno di un dito, ma Charlie gridò: «Maledizione!» e le assestò un colpo sulla tempia. A Savitha fischiarono le orecchie. «Vuoi stare zitto?» esclamò Sal, e guidò il compagno fino a una macchia di pioppi americani a una certa distanza dalla stazione di servizio. S'inoltrarono nel folto, e dopo tre o quattro passi raggiunsero una piccola radura. Lattine di birra brillavano al chiaro di luna; c'erano tracce di un vecchio falò: persino nella luce fioca, Savitha comprese che erano già stati lì molte volte in passato. «Fammi vedere» disse Sal.

«Cos'hai intenzione di fare, Sal?»

«Passamela, ti ho detto».

Adesso fu Sal ad afferrarle il braccio con la mano sinistra, fredda e ossuta in confronto a quella di Faccia da bambino. Non si prese la briga di chiuderle la bocca. Invece si frugò in qualche punto sotto la camicia e nel chiarore della luna comparve un oggetto nero e lucente. Sal le puntò il revolver in faccia. «Un rumore. Un solo fottuto rumore. Hai capito?»

Savitha fissò l'uomo, il cervello bloccato, gli occhi sbarrati. Guardava dentro la canna della pistola, ma il lungo tunnel buio era in lei: dentro di lei.

«Hai capito, o no?»

No, no, non aveva capito, ma il male ha un proprio vocabolario, il suo linguaggio. Annuì.

«E se provi a scappare. Se cerchi di fare soltanto un passo, cazzo».

Savitha capì.

Sal le lasciò andare il braccio; lei incespicò all'indietro e cadde a terra. Non si era nemmeno accorta che era lui a sorreggerla. «Alzati» le disse Sal, e una volta che lei fu in piedi le ordinò: «Adesso forza. Mettitelo in bocca».

Savitha lo guardò, senza più comprendere, poi guardò Faccia da bambino. Rimasero là entrambi, l'uno e l'altra incapaci di capire.

«Ti ho detto di mettertelo in bocca».

Quando Savitha restò ferma dov'era, non sapendo cosa Sal volesse da lei, l'uomo le afferrò di nuovo il braccio e le sbatté il moncherino sulla bocca. A causa del colpo i denti le affondarono nel labbro inferiore, facendone sgorgare il sangue, ma lui continuò a spingere. Cosa voleva? «Aprila» le sibilò in faccia, il fiato acre più denso dell'aria. «Aprila, e ficcacelo dentro». Sollevò la pistola e gliela puntò in mezzo agli occhi, e lei udì uno scatto. «Ficcacelo dentro».

Adesso aveva capito. La violenza di quella comprensione riempiva la notte. Le stelle fiammeggiavano come proiettili.

Sal mollò la presa sul braccio e fece un passo indietro. Aspettò.

Lei aprì la bocca. Strinse le labbra intorno al moncherino.

Faccia da bambino strillò di entusiasmo, ma l'uomo dai capelli lunghi si limitò a guardare. Annuì. La sua faccia ossuta era bianca in confronto al nero della pistola, che teneva sollevata e pronta, puntata contro il viso di Savitha.

Dopo un momento, ebbe uno scatto d'irritazione. «Non così» esclamò. «Puttana, non così. Sai fare di meglio». E si protese verso di lei, la agguantò per i capelli e le premette la faccia sul moncherino. Savitha si sentì soffocare dal proprio braccio. Le si riempirono gli occhi di lacrime. Poi lui le sollevò la testa, la spinse di nuovo giù e la sollevò un'altra volta. «Così» disse.

E lei obbedì.

A quel punto, Faccia da bambino si era slacciato i pantaloni e mugolava al limitare del campo visivo sfocato di Savitha. Savitha riusciva a vedere il movimento della sua mano.

Ma il revolver. Il revolver non si muoveva. Era immobile nel chiaro di luna, nero, lustro, imperturbato, non una piuma fuori posto. E rideva.

Sei vivo, disse Savitha.

Il corvo della favola la osservò, sempre ridendo, nella notte d'argento tempestata di stelle. Alzò il becco in aria e rimase fermo in quella posizione, schernendo il suo movimento con la propria staticità.

Ti hanno presa, eh? le disse. Si sono presi un pezzo di te dopo l'altro. E questo, questo è l'ultimo. Qui, in questa radura, con questi sconosciuti. Io ti avevo avvertita, continuò. Ti avevo avvertita tanti anni fa. A Indravalli. Te l'avevo raccomandato: Assicurati che ti prendano tutta intera. Ma tu non mi hai dato ascolto. Non hai voluto ascoltarmi. E adesso guardati. Non sei niente. Sei solo una ragazza. Una ragazza in una radura.

Faccia da bambino si lasciò sfuggire un lungo gemito, e Faccia ossuta rise, e il corvo si tirò indietro, aprì le ali e volò via, in alto, e Savitha lo seguì con gli occhi, ma il resto di lei crollò in ginocchio.

Il tessuto di qualcosa che lei non aveva mai capito, non aveva mai nemmeno tentato di capire, era ciò che le avvolgeva il cuore, che lo racchiudeva in mani tenere e rugose e morbide come cotone. E in quel momento venne squarciato fino in fondo. I due uomini la lasciarono lì, nella radura; Savitha sentì il rumore della chiave che girava, il rombo del motore mentre il camion imboccava la strada, e poi la notte. Silenziosa e implacabile.

Ma come facevo a saperlo? pensò Savitha, accasciata a terra. Come facevo a sapere che era sempre stato così: sempre, dalla capsula al telaio al tessuto, e poi, finalmente e con tanta fragilità, al cuore.

4.

Balenarono dei lampi a ovest. Savitha sollevò il capo, e sulle prime sorrise, pensando a un raduno di lucciole, sincronizzate nella loro gioia. Ma quando si alzò, vide le nubi nere che correvano verso di lei. Verso Spearfish. Non era buio quanto ricordava. Che fosse mattino? Il tuono rimbombò. Parlò. E poi una goccia, due. Savitha si raddrizzò, vide le lattine di birra vuote, il vecchio cerchio lasciato dal fuoco, e si domandò: Da che parte è l'est?

Si aggiustò i vestiti, ma appena mosse un passo, si accasciò a terra. Aveva le gambe intorpidite. E la mente terribilmente vuota.

Si era addormentata?

Il temporale si avvicinava in fretta. I nuvoloni correvano sopra le Black Hills in direzione degli stati del Dakota. Savitha le guardò con tanto interesse, con tanto desiderio, da avere quasi l'impressione che potessero chinarsi su di lei, quelle nubi, basse e impetuose, per condurla via nel loro abbraccio. Invece non le prestarono attenzione e si addensarono minacciosamente, sempre più cupe e pesanti di pioggia. Adesso i lampi saettavano da ovest e da sud, alcuni da nord. Savitha li guardò; erano le mani del padre, protese verso di lei. Nanna, disse, sono mai stata quella con le ali? Ma poi scoppiò il tuono, e lei incespicò fuori dalla radura, girò intorno al retro del chiosco – con il vento che la sferzava, vorticando con la potenza di un mare – sorreggendosi alle pareti, accecata com'era dalle folate, dalla pioggia, dalla tempesta improvvisa.

Dietro il bancone non c'era nessuno. La chiave era rimasta dove l'aveva lasciata lei.

Entrò in bagno, vide nello specchio la propria figura illuminata dalla luce che usciva dalla porta aperta e la chiuse con violenza crollando a terra. Un'altra radura, lì e in quel momento. Aveva perduto i soldi. I vestiti. La fotografia e il rettangolino di carta bianca. E persino quanto restava del pane e delle patatine, e la mela. Ma di tutto ciò che aveva perduto, di tutto ciò che le avevano portato via, era il sari non finito per Poornima a tenerla inchiodata su quel pavimento.

La pioggia s'intensificò. Savitha la sentiva, le gocce che si arrampicavano come piedini sul tetto di metallo, affrettandosi sulla propria strada. Dove andavano?

A est, pensò, a est.

E cosa c'era a est? Niente. Come non c'era stato niente a ovest.

Si mise a singhiozzare, e i singhiozzi divennero un gemito e il gemito un mugolio sommesso e dolce. Si guardò intorno, mugolando. Un altro water. Anche quello mugolava, mormorava il suo canto. Savitha lo raggiunse strisciando e circondò con le braccia la porcellana fresca. Sorrise. Poi però il violento lezzo di urina le penetrò nel cervello, squarciò le sue fantasticherie come una lama e la riportò di colpo alla realtà: o a riportarla alla realtà fu il tintinnio della maniglia che qualcuno stava cercando di girare? Non lo sapeva, ma in quel momento capì che c'era ben poco da fare. L'unica lampadina nuda che penzolava sopra di lei si affliggeva alla sua maniera solitaria e ronzante. La pelle di Savitha, illuminata da quella lampadina, urlava di dolore. I suoi pensieri si aprivano e si chiudevano nella sofferenza. Perché fu lì, sotto quella luce bianca e in quel fetore orribile, che Savitha si rese conto di quanto fosse smarrita. Perduta. Nemmeno tutti i fari di questo mondo, allineati in fila, potevano salvarla.

Poornima

1.

Arrivò a questa conclusione: l'unica possibilità di ritrovare Savitha era menzionare il suo nome. Parlare di poesia andava benissimo, ma Poornima non aveva quasi più tempo, e poi qual era la cosa peggiore che avrebbe potuto fare Mohan? Ignorarla? Buttarla fuori dall'appartamento? Negare che conosceva Savitha? Metterla su un volo per l'India prima del previsto? Isolarla fino al giorno della partenza?

Nessuna di queste prospettive poteva essere peggio di non usare l'ultima arma che aveva a disposizione.

Quella sera tralasciò di preparare la cena e quando arrivò Mohan si limitò a offrirgli il bicchiere. Aspettò che bevesse il primo sorso di whisky, fissò lo sguardo su di lui e disse: «Ho fatto il pastore per un motivo. Un solo motivo. Trovare una persona».

Mohan la scrutò, sconcertato. Indicò la sua faccia. «Lui? L'uomo che ti ha ridotta così?»

Poornima lo udì a malapena. Parlò nel vuoto della stanza, impavida, indifferente, come se fosse sola. «Lui non esiste per me. No, la persona che sto cercando è la mia amica. Si chiama Savitha. È lei che cerco, è per lei che sono qui».

Mohan parve rabbrividire per un motivo che lei non capì, e sebbene il suo volto si confondesse con le tenebre grigie della parete di fronte, Poornima percepì quel tremito attraverso il pavimento, nell'aria che la separava da lui. E in quell'aria lui le domandò: «Come l'hai conosciuta?»

Poornima alzò gli occhi. «Viene dal mio villaggio. L'ultima volta che l'ho vista è stato quattro anni fa».

Mohan si riparava il volto dalla luce, tenendolo lontano, come se fossero impegnati in una battaglia.

«E tu la conosci?»

«No» rispose lui, e Poornima capì che mentiva.

«Devo trovarla» continuò lei. «Ho bisogno del tuo aiuto».

Mohan agitò il whisky nel bicchiere. S'irrigidì. Fissò il pavimento. «Se n'è andata».

«Cosa?»

«Due giorni fa».

«Due giorni?» Poornima sentì che le saliva un urlo in gola, un caldo dolore pulsante. Due giorni! «Dove? Dov'è andata?»

Silenzio.

«Devi pur sapere qualcosa».

«Ha preso un autobus. Suppongo».

«Ma per andare dove? Dove? Le ragazze come lei non conoscono nessuno, non sanno nulla di altri posti. Non sanno nemmeno l'inglese. Dove poteva andare? Senza soldi, poi».

Un altro silenzio.

Nella mente di Poornima sfrecciavano i pensieri. Il suo volo di ritorno partiva dal JFK. Di lì a una settimana. Cos'era meglio, restare là o andare a New York? E se Mohan non le avesse permesso di rimanere? Rimanere a che scopo, poi? Visto che Savitha se n'era andata? Poornima sapeva già cos'avrebbe fatto, lo sapeva: se Mohan l'avesse costretta a partire, sarebbe semplicemente uscita dall'aeroporto non appena fosse arrivata a New York. E poi avrebbe continuato a camminare. Qualcuno l'avrebbe fermata? Avrebbero potuto? Ma anche se non l'avessero fermata, cos'avrebbe fatto dopo? Dove sarebbe andata? Da dove avrebbe cominciato? Era un paese così grande, l'America… quanto le sarebbero durati mille dollari? Non importava: avrebbe trovato Savitha andandole incontro dalla parte opposta. E poi pensò con rabbia: Era qui. È sempre stata qui e io non l'ho trovata. L'ho cercata nei posti sbagliati, ho camminato lungo le strade sbagliate. Per due settimane.

«Ne aveva, di soldi».

Poornima lo guardò come se si fosse appena svegliata da un sonno profondo e non s'aspettasse di trovarlo lì. Ma di cosa stava parlando?

«Quali soldi?»

«Me li ha rubati. Dal portafogli. Non una grossa cifra. Non la porteranno molto lontano.»

«Quanto lontano? E dove?»

«Ha preso anche metà di una fotografia».

«Dove la porteranno? Dimmelo».

«Non so perché l'abbia presa» soggiunse Mohan.

«Una fotografia? Di cosa?»

«Di un posto che le avevo descritto. Di me da bambino».

«Che posto?»

«Spearfish Canyon».

«È una città?»

«È vicino a una città. Nel Dakota del Sud».

«E dove sarebbe?»

«In mezzo agli Stati Uniti. Più o meno».

Poornima distolse lo sguardo, e poi tornò a fissarlo su Mohan. «Cosa le hai detto di quel posto?»

Lui si strinse nelle spalle. «Non lo so» rispose in tono timido. «Non molto. Solo quello che ricordavo. Che era un posto perfetto. È così che lo ricordo dall'infanzia. Come un posto perfetto. Le ho detto questo. Poi però... poi però lei mi ha fatto una domanda stranissima».

«Quale?»

«Mi ha chiesto se somigliava alla melodia di un flauto».

«La melodia di un flauto?»

La voce di Poornima si perse nel silenzio. Le s'indurì la faccia in una sorta di risolutezza, di determinazione, con un lento raffreddarsi come di lava, con un consolidarsi come di sabbia del deserto dopo la pioggia. E fu proprio così: il suo volto assunse le caratteristiche di un paesaggio, delle forze della natura, delle placche tettoniche che premono per trovare il loro posto, delle energie che forgiano un destino.

Non aveva più importanza, la logica delle cose. A contare era la convinzione che le bruciava in fondo allo stomaco, aprendosi una strada nel suo corpo: Savitha era là. Se non c'era, non era da nessuna parte. E questo Poornima non poteva sopportarlo. Aveva viaggiato per mezzo mondo e per tutti quegli anni. E per cosa? Per mancarla di due giorni? No. No, questo non l'avrebbe tollerato. Dal buio disse a Mohan: «Ho un'ultima settimana da passare qui. Poi salirò su un aereo per New York. E tu non mi rivedrai più. Ma sono pronta a pagarti. A darti tutti i miei risparmi. Mi accompagnerai laggiù? Mi porterai in questo Spearfish Canyon? Non sei obbligato a farlo, lo so. Ma lo farai?»

Mohan cominciò a ridacchiare; poi però si ricompose. Rimase in silenzio. Scrutò Poornima con aria incredula, ma anche con una sorta di rispetto. «Non posso. Io devo stare qui. Lo sai. Tu hai intenzione di partire nei prossimi giorni. Per me è impossibile».

«Non nei prossimi giorni. Domani. Stasera stessa, se riesci a organizzarti».

Mohan scoppiò a ridere. Ma era una risata piena di tristezza, finta, fragile e poco convincente come ghiaccio su un lago in primavera. Poi ci fu un nuovo silenzio. Sedevano entrambi sul pavimento, l'uno di fronte all'altra, in quel silenzio greve, che incombeva su di loro come mercurio. «Non parli sul serio» disse lui infine.

Poornima si era sbagliata: aveva ancora un'arma. La poesia.

«Ecco la scala, Mohan, è questa. Lei se n'è andata da due giorni. Non c'è tempo. Non c'è tempo».

La stanza vorticò. Girò come un charkha. Mohan si alzò traballando, prese le chiavi della macchina da dove le aveva posate, sul bancone. «Venti ore» disse. «Prendere o lasciare. Prepara una borsa».

2.

Partirono l'indomani mattina. Lui passò a prenderla alle sette, dopo di che si diressero a est. Poornima non si era limitata a preparare una borsa, ma aveva portato con sé tutte le sue poche cose, come se stesse andando via per sempre. Imboccarono l'interstatale 90, e Mohan le spiegò la numerazione delle strade, anche se poi non trovarono molti altri argomenti di cui parlare. Puntarono verso Mercer Island, e Poornima pensò che stessero andando dalla parte sbagliata, data la presenza dell'acqua: Mohan però le disse che era la direzione giusta, stavano viaggiando verso est, verso il Dakota del Sud. Poi valicarono la Catena delle Cascate, verdeggiante e fitta di alberi, attraversarono Cle Elum, superarono George e Moses Lake e arrivarono nella zona orientale dello stato, dove le montagne si stendevano davanti a loro come enormi donne coricate. A Coeur d'Alene trovarono altre montagne, non imponenti quanto quelle delle Cascate, ma dai dolci pendii ammantati di foreste che digradavano a entrambi i lati dell'interstatale. Là il cielo, notò Poornima, si apriva a mo' di tenda, azzurro e allargato in una distesa senza fine. Nubi d'argento, sottili ai bordi, dense e grigie al centro, galleggiavano verso est. Poornima le indicò e disse: «Forse pioverà». Poi aggiunse: «Lolo. Che nome buffo».

Mohan sembrava profondamente immerso nei suoi pensieri, e la musica senza parole trasmessa dalla radio, lo stesso tipo di musica che Poornima aveva sentito sulla sua macchina quando era andato a prenderla all'aeroporto, continuava a suonare, conciliandole il sonno.

Oltrepassarono Missoula e Deer Lodge e Butte e Bozeman. A Livingston si fermarono a bere un caffè. Senza nemmeno affrontare l'argomento, concordavano entrambi sul fatto che avrebbero proseguito per tutta la notte. Il cielo si rannuvolò ulteriormente, ma Poornima guardò l'orizzonte e le parve di riuscire a scorgere i confini della terra, il suo incurvarsi su se stessa, femmineo e doloroso. Molto, molto lontano, pascolavano mandrie di bestiame, disseminate sul verde e oro delle ondulate praterie come semi di senape sparpagliati. Fattorie e roulotte punteggiavano le alture a lunghi intervalli, incastonate a fondo nell'arazzo, e a Poornima sembrarono solitarie eppure spavalde nelle loro piccole conquiste. Per pranzo si erano comprati dei panini a una stazione di servizio di Garrison, ma per cena Mohan disse che avrebbero fatto bene a fermarsi, e parcheggiò di fronte a un ristorante fuori da Crow Agency. Ordinarono due caffè; erano bollenti e con un forte retrogusto metallico. Dopo essersi informata sui vari piatti elencati nel menu, non avendo mai sentito prima le parole *bistecca*, *polpettone* o *hamburger*, Poornima ordinò un toast al formaggio con purea di patate. Mohan prese un cheeseburger con patatine fritte. Mangiarono con le classiche canzoni country in sottofondo suonate dal jukebox del ristorante, e sebbene Poornima fosse sollevata nel sentire finalmente della musica con le parole, non riuscì a capirne nemmeno una. Dopo cena fecero il pieno e continuarono il tragitto mentre il cielo alle loro spalle s'illividiva tingendosi di rosa, d'arancione e di grigio. Davanti a loro invece il blu si fece più intenso, allargandosi come acqua.

Fu solo allora, dopo aver lasciato la 90 per imboccare la 212, che Mohan nominò per la prima volta Savitha. Non guardò Poornima, ma parlò al buio della strada. «E se non fosse là?» chiese.

Era una domanda semplicissima, eppure lei non sapeva cosa rispondere. Sentì la rabbia che le montava in gola. La frustrazione che aveva represso negli ultimi giorni. Tutta quella strada, e per cosa? Due giorni. Due giorni. Fece una smorfia. E se davvero non fosse stata là? Cos'avrebbero fatto? La cercò lungo tutto il tragitto, mentre attraversavano i centri abitati, tra le montagne e le grandi fattorie, come se la vita potesse concedere una cosa del genere. Come se la vita concedesse cose belle, spontanee e miracolose come avvistare Savitha sulla cima di una collina, o intenta a camminare per le strade di una di quelle cittadine. «Non lo so» rispose, ed era la verità; nel vasto mondo, dopo tutte quelle ricerche, non aveva più un posto da cui ricominciare.

Fu allora che scoppiò a piangere. Non piangeva da anni, ma in quel momento scoppiò a piangere. Come se tutte le depredazioni subite nella sua vita le fossero piovute addosso in quell'istante. Ansimava in cerca d'aria, singhiozzava. «Non lo so» ripeté, incapace di frenare le lacrime, e si seppellì la faccia tra le mani. Percepì le dita di Mohan sul braccio, dove lui le lasciò finché Poornima non ebbe alzato la testa e si fu asciugata il viso.

«Non può essere andata molto più lontano» le disse.

«Come lo sai?»

Mohan rimase in silenzio per un attimo, continuando a fissare la strada, impassibile. «Perché avevo solo un centinaio di dollari nel portafogli».

Poornima lo guardò. Si asciugò di nuovo le lacrime. Il vento, che ululava intorno alla macchina, cessò.

«E dev'essersi diretta a est».

«Perché?»

«O a sud».

«Perché non nelle altre direzioni?»

«A ovest c'è lo stretto di Puget. Potrebbe anche essere andata da quella parte, ma è meno probabile. Spostarsi sull'acqua è troppo incerto. E superare i confini del Canada è difficile senza passaporto».

Poornima non distolse gli occhi da lui. «Devi averci pensato parecchio».

«No» replicò Mohan con un debole sorriso. «Per niente».

Dopo Crow Agency e la riserva dei Cheyenne del Nord, la strada piegò a sud/sud-est verso un piccolo centro chiamato Broadus. Erano quasi arrivati. Meno di due ore, disse Mohan.

«Aspetteremo che faccia giorno» aggiunse «per entrare nel canyon».

Poornima si girò. «Giorno? No, ci andremo appena arriveremo».

«A che scopo? Sarà buio».

«Bui sono stati gli ultimi quattro anni» dichiarò lei.

Mohan scosse la testa. Le prime stelle presero vita baluginando, anche se Poornima le intravide tra le nuvole di passaggio, che si stavano addensando in un greve ammasso a est e a sud. Lontano, a meridione, balenò un lampo. Era mezzanotte passata quando giunsero nei pressi di Spearfish.

«Siamo quasi arrivati?» domandò Poornima, che aveva bisogno di un bagno.

«Ancora solo pochi chilometri» rispose Mohan.

Alla periferia dell'abitato, Poornima vide una stazione di rifornimento. «Là» disse. «Fermati là».

Le luci della città brillavano in lontananza. E poi, lo sapeva, cominciava il canyon.

Mohan parcheggiò nell'area di servizio, e Poornima saltò giù dalla macchina. Il temporale stava per scoppiare. Ormai i lampi erano vicini. Non si vedevano più stelle. Poornima avvertiva la densa pesantezza grigia delle nuvole che incombevano sopra di lei, prossime alla terra. Per il momento trattenevano la pioggia, acquattate al loro posto.

Lanciò un'altra occhiata al cielo e poi si precipitò nel chiosco. L'uomo dietro il banco teneva i robusti avambracci appoggiati sul ripiano. Il sinistro mostrava il tatuaggio di una donna in abito corto che agitava le lunghe gambe, adagiata in un bicchiere di Martini. Poornima guardò il disegno, e poi la catena d'oro che aveva al collo. Scrutò la stanza. Non vide il bagno. «Mi scusi, per cortesia».

«È fuori, sul retro» disse l'uomo, distogliendo lo sguardo, chiaramente disgustato dalla faccia di Poornima. «Dovrà aspettare, però. Dentro c'è una ragazza messicana».

Poornima capì che il bagno si trovava all'esterno e corse fuori. «Mi riporti la chiave» le gridò dietro l'uomo.

Raggiunta la porta, Poornima provò ad entrare ma era chiusa a chiave. Mentre aspettava, diede un'occhiata intorno. Non vedeva più Mohan né l'automobile, ma udiva il ronzio del motore in folle. Dall'altra parte della strada c'era un'autofficina. Accanto alla stazione di servizio c'era una specie di magazzino. Le nubi temporalesche erano proprio sopra di lei, adesso. Il vento le sollevava i capelli, facendone turbinare le ciocche come grandi aquiloni dispettosi. Una goccia le cadde vicino al piede e un'altra sulla testa.

Girò di nuovo la maniglia.

Ci fu il bagliore di un lampo. La stazione di servizio divenne bianca e vivida come un osso, e subito dopo nera, come se si fosse spenta una luce.

I fari delle automobili oscillavano come una culla. Poornima socchiudeva gli occhi quando i loro fasci la investivano. Rabbrividì, nel sentirsi così esausta, così viva. Si avvicinò un'automobile. Era Mohan. Abbassò il finestrino e gridò: «Ho controllato la cartina. Siamo vicini».

«Quanto vicini?»

«Il canyon è appena più a sud-est di qua». Sorrise. «Hai aspettato per tutto questo tempo?»

Scoppiò un tuono. Entrambi alzarono gli occhi in direzione del boato. Poi, in quell'istante, le nubi si squarciarono e la pioggia cadde scrosciando. Poornima sollevò la faccia verso il diluvio, capace di spegnere ogni fuoco.

«Per tutto questo tempo?»

Poornima annuì. Guardò Mohan, che scuoteva la testa e rideva. Il mondo sembrava così liscio e lucido, era come se l'avesse inondata per poi fluire fuori di lei: il tempo, le viscere appesantite dalla fame, il ricordo di una mano scivolosa che avvicinava riso allo yogurt e banane alle sue labbra bramose. Finalmente la maniglia della porta del bagno girò. Poornima sorrise, improvvisamente timida, quasi lei e Mohan fossero due amanti imbattutisi l'uno nell'altra in un bosco, in un giardino, sotto un acquazzone estivo.

«Non per molto ancora» gli disse.

Ringraziamenti

Grazie a: Amy Einhorn, Caroline Bleeke, Sandra Dijkstra, Elise Capron, Amelia Possanza, Conor Mintzer, Ursula Doyle, Rhiannon Smith, Rick Simonson, Charlie Jane Anders, Nancy Jo Hart, Theresa Schaefer, Nichole Hasbrouck, Sierra Golden, Mad. V. Dog, Dena Afrasiabi, Jim Ambrose, Sharon Vinick, Arie Grossman, Elizabeth Colen, alla Hedgebrook, alla Helene Wurlitzur Foundation, a Lakshmi e Ramarao Inguva, Sridevi, Venkat, Siriveena, e Sami Nandam, Kamala e Singiresu S. Rao, e a quelli che sono stati con me nella prateria: Abraham Smith, Srinivas Inguva e il Numero 194.

Tutta la mia gratitudine a: Barbara e Adam Bad Wound, per le Badlands.

Glossario

aarthi, cerimonia in onore di una divinità (o talora anche di un personaggio o di un ospite di riguardo), che si celebra muovendo in cerchio una lampada accesa; può anche assumere un valore di benvenuto.

Akka, sorella maggiore, in Telugu.

amla, o *amlaki*, *Phyllanthus emblica*, la pianta (chiamata anche uvaspina indiana) che produce frutti giallo-verdi, dal sapore acidulo, usati come tonico nella medicina tradizionale indiana. Se ne ricava inoltre un olio usato in ambito cosmetico.

Amma, madre.

Ammai, ragazza.

aré, più comunemente *arré*, esclamazione confidenziale usata per attirare l'attenzione, soprattutto all'inizio di un discorso; corrisponde press'a poco ai nostri «oh», «ehi».

beedie, sottile sigaretta artigianale di trinciato avvolto in una foglia di tabacco intera.

betel, vedi la voce *paan*.

bhaji, frittelle simili ai pakora.

bottu, la parola Telugu per quello che in hindi si chiama bindi, il puntolino ornamentale, di varie forme e colori, portato sulla fronte dalle donne indiane; quando è rosso, significa di solito che la donna è sposata.

chapal, più comunemente *chappal*, i tipici sandali indiani, per lo più di cuoio, con la suola piatta.

dal, lenticchie; stufato di lenticchie.

Dalit, «gli oppressi» o, in senso più letterale, «i vinti». È il termine cui si preferisce ricorrere oggi in India per indicare quelli che una volta erano definiti «intoccabili».

Devi, dea, in sanscrito.

dhaba, veranda.

dongalu, criminali, bugiardi, in Telugu.

dosa, vedi la voce *masala dosa*.

Durga, vedi la voce *Parvati*.

Ganesha, divinità indiana dalla testa d'elefante; è il figlio di Shiva e Parvati.

-garu, suffisso di rispetto in lingua Telugu.

Gauri, un altro nome della dea Parvati.

ghee, burro chiarificato.

Gita, o *Bhagavad Gita*, è il titolo (che significa "Il canto del beato") di un poema religioso indiano contenuto all'inizio del sesto libro del *Mahabharata* (vedi). Consiste nella risposta data da Krishna al problema di Arjuna, che, al momento di iniziare la battaglia di Kurukshetra, non se la sente di combattere contro parenti, maestri e amici schierati nel campo avversario.

Gowri, si chiama così la vacca che ha il ruolo di protagonista in un popolare racconto indiano.

guru, maestro.

Hanuman, il dio scimmia del pantheon indù.

idli, sorta di tonde crocchette al vapore, a base di riso e lenticchie.

jackfruit, il frutto dell'*Artocarpus heterophyllus*, pianta della stessa famiglia dell'albero del pane. Di grandi dimensioni, ha buccia ruvida di colore giallo-verde e polpa gialla.

jalebi, dolce di colore arancio vivo, fatto con una pastella a base di acqua e farina versata direttamente nell'olio bollente; il dolce, simile a una specie di spesso spaghetto arrotolato in varie forme, una volta fritto viene immerso in un denso sciroppo di zucchero o di miele.

-ji, suffisso di rispetto.

kajal, sostanza nera usata per contornare gli occhi.

kanaka, oro, in kannada.

kankabaram, crossandra (*Crossandra infundibuliformis*).

Kartikeya, figlio di Shiva. Dio della guerra e comandante in capo dell'esercito degli dèi.

konda, collina, montagna, in Telugu.

Krishna, una delle dieci incarnazioni di Vishnu. Allevato da una coppia di pastori, ha la pelle azzurra e suona il flauto, con il quale affascina le pastorelle. La sua preferita è Radha.

kumkum, polvere o pasta rossa a base di zafferano usata dalle spose indiane sulla fronte o sulla scriminatura.

laddoo, dolci fatti di zucchero e farina di lenticchie.

lakh, il numero centomila, riferito soprattutto alle rupie.

Lakshmi, la dea indiana della fortuna, dell'amore, della ricchezza.

langa, ampia gonna indiana lunga fino alle caviglie.

Mahabharata, il più ampio poema epico indiano; il nucleo originario narra di una grande guerra tra due rami di un'unica dinastia regnante (Kaurava e Pandava, gli uni e gli altri discendenti da un antico monarca chiamato Bharat), ma il poema si è arricchito di un'immensa quantità di materiali narrativi e dottrinali. L'annosa contesa si conclude infine con la sanguinosissima battaglia di Kurukshetra.

Maidan, grande spiazzo cittadino, erboso o di terra battuta.

mandapam, baldacchino.

mangalsutra, collana nuziale.

masala dosa, i *dosa* sono croccanti crêpe di riso e lenticchie; la parola *masala* significa spezie.

Nanna, padre, in Telugu.

naxaliti, il nome deriva da quello del villaggio indiano di Naxalbari, nel Bengala occidentale, dove alcuni elementi di estrema sinistra organizzarono nel 1967 un'insurrezione contadina che mirava all'occupazione delle terre. La rivolta si estinse quasi spontaneamente, dando però origine a molte agitazioni successive. E il termine è rimasto a indicare i movimenti rivoluzionari di estrema sinistra che fanno ricorso al terrorismo e alla lotta armata.

neem, *Azadirachta indica*, albero sempreverde a rapida crescita, dalle foglie lucide di un verde brillante; ha vari usi medicinali e tradizionalmente i suoi rami vengono masticati per pulirsi i denti.

paan, foglie di *betel* (*Piper betle*) aromatizzate con calce, spezie e noce di areca, che vengono masticate (in genere dopo i pasti) e producono un succo rosso vivo.

paisa, un centesimo di rupia.

pakora, verdura o formaggio immersi in una pastella di farina di ceci e fritti nell'olio.

pakshi, stupido, in Telugu.

pallu, il lembo del sari che si porta drappeggiato sulla spalla, spesso ornato di ricami e decorazioni.

Panchatantra, antica raccolta indiana di favole in prosa e in versi; ne esistono molte edizioni per ragazzi, anche a fumetti.

papad, pane fritto molto sottile, simile a una specie di cialda croccante.

pappu, la parola Telugu che indica il dal, lo stufato di lenticchie.

Parvati, la sposa di Shiva, chiamata anche Durga e Kali.

peepal, *Ficus religiosa*, grande albero della famiglia dei *Ficus*, ricco di radici aeree.

Poornima, luna piena.

pottu sari, o *pattu sari*, sari tradizionale in seta pesante.

puja, preghiera, cerimonia di preghiera.

pulao, piatto a base di riso speziato, con verdura o carne.

pulka, tipo di pane indiano tondo e rigonfio, cotto direttamente sulla fiamma.

puri, o *poori*, cialda di farina di grano fritta e rigonfia.

Radha, vedi la voce *Krishna*.

rakshasa, demone.
rakshasi, diavolessa.
Rama, settima incarnazione di Vishnu ed eroe del *Ramayana*, il poema epico di Valmiki. Rama è adorato come un dio dagli indù. Il *Ramayana*, il più antico poema epico indiano, racconta le vicissitudini di Rama, l'erede al trono di Ayodhya, che viene dapprima mandato in esilio e poi, dopo molte peripezie e varie lotte con i demoni, torna per essere incoronato insieme alla moglie Sita.
rasam, minestra sud-indiana a base di verdure, legumi e pomodoro, condita con succo di tamarindo, pepe e altre spezie.
roti, termine generico per indicare vari tipi di pane indiano; di solito quello non lievitato, di farina integrale, cotto sulla piastra.
sadhu, asceta, santone indù.
sambar, piatto sud-indiano simile a una minestra, a base di verdure, legumi, tamarindo, spezie e talora cocco.
shalwar, pantaloni ampi, indossati in genere con una lunga camicia (kameez).
Shiva, una delle divinità della Trimurti, la trinità indiana, composta, oltre che da Shiva, dio della distruzione e della riproduzione, da Vishnu, il conservatore, e da Brahma, il creatore.
Sita, la consorte di Rama, che nel *Ramayana* viene rapita dal demone Ravana, condotta sull'isola di Lanka e riconquistata dal suo sposo con l'aiuto del re delle scimmie, Hanuman. Rama ripudia la moglie, sospettando che abbia ceduto alle molestie di Ravana. Per dimostrare la propria purezza, Sita accetta di sottoporsi alla prova del fuoco ed esce indenne dalle fiamme.
tamil, la lingua parlata da una popolazione di origine dravidica stanziatasi nel sud dell'India e nella parte settentrionale dello Sri Lanka; il termine indica anche la popolazione stessa.
Telugu, la parola indica la lingua parlata in Andhra Pradesh e le persone che appartengono al gruppo etnico dei Telugu, popolazione stanziata nel sud-est dell'India.
uthapam, sorta di spessa crêpe lievitata, preparata con un impasto di riso e fagioli mungo, e cotta sulla piastra. È un tipico piatto sud-indiano.
vada, sorta di ciambella speziata sud-indiana, preparata con un impasto a base di lenticchie, poi immersa in una pastella di farina di ceci e infine fritta.
Vishnu, il dio conservatore della trinità indù, che comprende anche Brahma e Shiva.
-wallah, spesso usato come suffisso, significa "persona" e in molti casi può indicare una professione.

Sommario

Finito di stampare
nel mese di ottobre 2018
per conto di Neri Pozza Editore, Vicenza
da Grafica Veneta spa di Trebaseleghe (Padova)
Printed in Italy

Questo libro è stampato col sole

Azienda carbon-free